BASTEI
LÜBBE
TASCHENBUCH

Weitere Titel der Autorin:

Die stille Kammer
Das Mädchen im Dunkeln

Titel auch als Hörbuch erhältlich

Jenny
Blackhurst

# Das Böse in deinen Augen

Psychothriller

Aus dem Englischen von
Sabine Schilasky

BASTEI LÜBBE TASCHENBUCH
Band 17 689

Dieser Titel ist auch als Hörbuch und E-Book erschienen

Vollständige Taschenbuchausgabe

Vollständige Taschenbuchausgabe

Deutsche Erstausgabe


Titel der englischen Originalausgabe: »The Foster Child«
Originalverlag: Headline Publishing Group, London


Textredaktion: Anita Hirtreiter, München
Titelillustration: © Jitka Saniova/Trevillion Images;
© Christina Mitchell/Trevillion Images;
© Olga Nikonova/shutterstock; © CureLala/shutterstock
Umschlaggestaltung: Manuela Städele-Monverde
Satz: Urban SatzKonzept, Düsseldorf
Gesetzt aus der Garamond
Druck und Verarbeitung: CPI books GmbH, Leck – Germany
Printed in Germany
ISBN 978-3-404-17689-2

5 4 3 2

Sie finden uns im Internet unter www.luebbe.de
Bitte beachten Sie auch: www.lesejury.de

*Für Mum und Dad –*
*ihr hättet nicht mehr für mich*
*tun können*

# Prolog

»Imogen? Sind Sie das?«, fragt mich jemand ganz außer Atem. Die panische Stimme am anderen Ende der Leitung erkenne ich sofort.

»Sarah, beruhigen Sie sich«, sage ich. »Was ist los?«

»Es ist wegen Ellie.« Ich höre, dass ihre Stimme zittert. »Sie ist mittags aus der Schule weg, und ich weiß nicht, wo sie ist.«

Ich seufze. Das ist doch schon längst nicht mehr mein Problem.

»Ich bin nicht mehr die zuständige Fallbearbeiterin für Ellie, Sarah. Ich wurde abgezogen. Ihr Schulschwänzen fällt wirklich nicht mehr in meinen Zuständigkeitsbereich.«

»Sie verstehen das nicht.« Sarahs Stimme wird dringlicher. »Es ist nicht Ellie, um die ich mir Sorgen mache. Sondern Lily!«

Unwillkürlich wandert meine Hand zu meinem Bauch, bevor mir wieder bewusst wird, dass ich das Baby verloren habe.

»Was ist mit Lily, Sarah?«

Sarah Jefferson schluchzt auf. »Sie wird vermisst. Ellie hat das Baby mitgenommen.«

# Kapitel 1

*Ellie*

Ellie liegt auf einem Bett, das nicht ihres ist, in einem Zimmer, das niemandem gehört, und lauscht der Familie von jemand anderem, die unten fernsieht. Mit dem Daumen reibt sie an dem scharfkantigen Reibrad des Feuerzeugs in ihrer Hand. Orangefarbene Flammen springen auf und verschwinden wieder, wenn Ellie loslässt.

Ratsch, Flamme.

Ratsch, Flamme.

Ratsch, Flamme.

Sie streicht mit den Fingerspitzen oben durch die Flamme und stellt verwundert fest, dass es nicht wehtut. Sie probiert es noch einmal, lässt die Finger ein klein wenig länger in der Flamme. Diesmal fühlt es sich heiß an, tut aber nicht weh. Sie schiebt ihren Finger ins Blaue der Flamme und hält ihn dort, bis Schmerz hindurchfährt, der sich jedoch nicht schlimm anfühlt. Er ist herrlich. Hat ihre Familie das gefühlt? Diesen Schmerz, diese Erleichterung? Sie wiederholt es, hält die Flamme nun über ihren Handballen, ganz ruhig, und wartet auf den Schmerz. Als er kommt, ist er intensiver, und erschrocken lässt sie den Anzünder los. Ihr Herz rast, trotzdem tut sie es wieder … ratsch, Flamme.

In dem Moment, in dem die verbrannte Haut zu riechen beginnt, geht die Tür auf. Ihre Pflegeschwester Mary steht da, die große Augen bekommt und deren Mund aufklafft wie der einer Comic-Figur, als sie sieht, was Ellie tut.

»Ellie! Was machst du denn?« Mary packt grob ihre Hand und reißt sie weg von der Flamme. »Bist du irre? Du verletzt dich doch.«

Plötzlich brennt ihre Haut vor Schmerz, und Ellie sieht hinunter zu den Blasen, die sich dort bilden.

»Ich ... ich weiß nicht, was ich gemacht habe. Ich habe bloß gespielt. Es hat nicht mal wehgetan.« Eher desinteressiert betrachtet sie ihre Handfläche. »Jetzt aber schon.«

Mary legt sanft eine Hand auf Ellies Arm.

»Komm, ich verarzte das. Wir tragen Salbe auf und machen einen Verband darum, und Mum sagen wir, dass du dich geschnitten hast, als du mir beim Kochen helfen wolltest.«

Ellie starrt die blasige Haut an, stellt sich vor, wie sich die Blasen ihren Arm hinauf ausbreiten, ihre Schultern und ihren Hals bedecken.

Mary schüttelt den Kopf, als könnte sie nicht glauben, was sie sieht. »Ich behalte das im Auge und wechsle den Verband täglich. Und falls es aussieht, als würde es schlimmer werden, müssen wir uns vielleicht eine andere Geschichte ausdenken.« Sie sieht Ellie freundlich an. »Warum tust du dir so etwas an? Glaubst du, deine Mum würde sich freuen, wenn sie sieht, dass du dich verletzt?«

»Aber meine Mum kann ja gar nichts sehen! Meine Mum ist tot.«

Ellie fühlt sich innerlich völlig kaputt, wie eine Orange, die von innen nach außen vergammelt; die Schale ist noch gut, das Innere aber giftig. Sie ist nicht wie Mary, wie überhaupt keiner hier. Einige von ihnen erkennen es – das merkt sie den Dorfbewohnern an, wenn sie ihnen auf der Straße begegnet und diese die Seite wechseln, ihre Kinder ein bisschen fester an die Hand nehmen, ohne genau zu wissen, warum. Ellie hingegen tut es. Sie weiß, was die anderen in ihr sehen können.

»Aber sie passt auf dich auf, das weißt du doch, nicht wahr?«, sagt Mary. »Vom Himmel aus beobachtet deine Mum alles, was du machst. Und sie möchte, dass du glücklich bist, dass du auf dich achtest. Sie möchte, dass du groß wirst und eine eigene Familie gründest. Das hätte sie gewollt, wenn sie hier wäre, und sie will es immer noch. Du musst versuchen, dich einzuleben, Ellie. Ich weiß, dass es schwer ist und dass wir nicht deine Familie sind, aber du musst es wirklich versuchen.«

»Und wenn ich es nicht versuchen will, Mary? Was ist, wenn ich gar nicht Teil deiner Familie sein will?«

»Mir ist klar, wie schwer es für dich sein muss. Ich habe hier schon eine Menge Kinder kommen und gehen sehen, eine Menge wütende Kinder, die keine Zuneigung kennen. Aber du bist anders, Ellie. Du weißt, wie es ist, geliebt zu werden und ein Zuhause zu haben, wo man sich sicher und geborgen fühlt. Es mag jetzt nicht danach aussehen, doch eines Tages wirst du das wieder haben. Du musst immer daran denken, dass nichts von alledem deine Schuld ist. Du hast dir nichts vorzuwerfen, Ellie, egal, was andere sagen mögen.«

Ellie nickt, obwohl ihr Bauchgefühl ihr sagt, dass Mary unrecht hat. Sie mag älter sein und glauben, alles zu wissen, aber sie kennt Ellie überhaupt nicht. Niemand kennt sie.

# Kapitel 2

*Imogen*

Ein Baldachin aus Baumkronen überspannt die Straße in das Dorf Gaunt und sprenkelt den Asphalt mit Sonnenlichtflecken, die durch das Laub dringen, sodass ich blinzeln muss. Es fühlt sich an, als würden wir durch einen wunderschön gesäumten Tunnel auf das letzte Ziel zufahren, das wir jemals erreichen werden. Das Ende der Straße.

Thomas Wolfe sagte, man kann nicht zurück, und vielleicht hätte ich das bedenken sollen, ehe ich meinen Lebenslauf losschickte und eine Reihe von Ereignissen in Gang setzte, die mich nach über fünfzehn Jahren in meinen Heimatort zurückführen. Vielleicht war es dumm von mir.

Gaunt erstreckt sich so karg und abweisend vor uns, wie der Name nahelegt: ausgehöhlt, ausgemergelt. Die ganze Gemeinde mutet wie ein Raum in einem Spiegelkabinett an, wo jeder Winkel schief und verzerrt ist, sodass es egal ist, aus welcher Warte man hinsieht, weil es immer falsch wirkt. Häuser mit grauen Fassaden stehen einsam und verlassen. Einwohnerzahl: rückläufig.

Für Außenstehende könnte Gaunt wie ein einstmals prächtiger Ort anmuten, könnte der eine oder andere Prunkbau oder eine auffällige Skulptur als Indiz gelten, dass irgendwann mal jemand Großes mit dieser seltsamen Gemeinde vorhatte – Pläne, die längst aufgegeben wurden. Sogar als Kind faszinierte mich mein Dorf ebenso sehr, wie es mich abschreckte. Dieselbe Anziehung, die Bauunternehmer und Bauträger hergelockt hatte, und dasselbe unerklärliche Unbehagen, das sie wieder vertrieb – stets mit Geschichten von unbrauchbarem Land und unhaltbaren Planungsvorschriften … denn wer will schon zugeben, dass er eine Baugelegenheit wegen eines unguten Gefühls sausen ließ? Manche haben dabei sehr viel Geld verloren.

Ich kann mich kaum mehr an damals erinnern. Zu lange habe ich sicher im mondänen Dunst der Großstadt gelebt, gezielt mein Leben hier vergessen, sodass ich mir kaum die Vergangenheit ins Gedächtnis rufen kann; nicht einmal, wenn ich die Augen fest schließe und mich so angestrengt erinnere, dass ich davon Kopfschmerzen bekomme.

Trotz des strahlenden Sonnenscheins ist die Luft beißend kalt. Ein frischer Tag für einen Neuanfang, hatte Dan heute Morgen gesagt. Ein gutes Omen. Ein Zeichen, dass wir das Richtige tun.

»Ich glaube nicht an so was«, hatte ich schmunzelnd erwidert. Mein Gesichtsausdruck musste mich jedoch verraten haben, denn mein Mann legte sanft eine Hand auf meinen Ellbogen und sagte: »Es wird super. Wie Ferien auf dem Lande. Wir beide werden endlich mal Zeit für uns haben.« Er sprach nicht aus, woran er zweifellos dachte – eine eigene Familie –, und dafür war ich ihm dankbar.

»Ferien? Ich dachte, Autoren haben nie frei. Und ich habe ganz sicher keine. In vier Tagen fange ich in meinem neuen Job an.«

»Du weißt, was ich meine. Ferien von alldem hier«, hatte er gesagt und zum Fenster gezeigt, hinter dem es von Menschen wimmelte, die geschäftig hin und her eilten, ohne von ihren Smartphones aufzublicken. Ein Mann in einem Ding, das man nur als Patchwork-Cape bezeichnen konnte, verteilte leere Umschläge, von denen ich aus Erfahrung wusste, dass sie *Good*

*Vibrations* enthalten sollten, und Autofahrer rammten die Handballen auf ihre Hupen, sowie der Wagen vor ihnen unter 35 fuhr. »Von Menschenmassen. Und dem ganzen Druck. Aus der Tretmühle raus. Es ist genau das, was wir nach dem Mist, den du durchgemacht hast, brauchen.« *Der Mist, den ich durchgemacht habe.* Als könnte man das, was in London geschehen war, schlicht als unglückliche Umstände abtun.

Die ersten Häuser tauchten auf; umgebaute Scheunen und Neubauten, die aus dem Boden schossen, wo ich früher nichts als Felder kannte, seit sich das Baugewerbe wieder erholte. Allem Anschein nach wollte jemand Gaunt eine zweite Chance geben. Dan stupst mich an und zeigt hin.

»Siehst du das? Wenn wir das Haus deiner Mum verkaufen, könnten wir uns etwas wie das kaufen. Oder bauen.«

Ich grinse. »Was verstehst du denn schon von Hausbau? Abgesehen von dem in deinen Fantasiewelten. Häuser bauen sich nicht ganz so leicht, wie sie sich erdichten lassen.«

»Und das von jemandem, der noch nie versucht hat, ein Wüstenschloss aus der Perspektive eines Orcs zu beschreiben.« Dan setzt eine übertrieben beleidigte Miene auf, ehe er mein Grinsen erwidert. »Okay, vielleicht bleiben wir erst mal beim Kaufen. Irgendwas Helles. Und groß soll es sein.«

»Mit einem Swimmingpool und unseren eingemeißelten Initialen im Marmorboden des Eingangsbereichs.« Ich lache. »Ich fürchte, dir ist nicht ganz klar, wie viel das Haus wert ist. Auf jeden Fall nicht genug, dass meine Mutter jemals darüber nachgedacht hatte, es zu verkaufen.« Das Wort »Mutter« versetzt mir einen Stich. *Sie ist nicht mehr da, Imogen.*

Kein grauer Nebel wirbelt vor uns auf, als wir uns dem Dorf nähern. Keine uralte Frau warnt uns mit arthritischem Finger, nicht weiterzufahren. Kein kohlschwarzer Rabe hockt auf dem Schild mit der Aufschrift »Willkommen in Gaunt« und krächzt leise »Nimmermehr«. Und dennoch spüre ich eine eisige Furcht gleich Fingern, die sich um meine Kehle schlingen, sodass ich kurzzeitig um Luft ringe. Das Ortsschild ist verwittert und verrostet und die Schrift derart verblichen, dass man sich alles andere als »willkommen« fühlt. Während ich hinschaue, scheint es sich zu schwärzen, als würde dunkler Schimmel auf der Fläche erblühen. Plötzlich habe ich ein Engegefühl in der Brust, und die Straße verschwimmt vor meinen Augen. Ich greife nach Dans Arm.

»Fahr da nicht lang.«

Meine Stimme ist ein kaum verständliches Raunen. Dan sieht zu mir. Sorge überschattet seine Züge, und er verlangsamt, bis der Wagen nur noch im Schneckentempo fährt.

Ich blicke zu dem Schild. Es ist immer noch alles andere als einladend, jetzt jedoch frei von Schwarzschimmel, und ich merke, dass ich vor Scham rot werde. Was ist nur in mich gefahren?

Da vorne ist Gaunt. Der Ort beobachtet mich, wartet auf mich.

»Ja, mir geht es gut«, schwindle ich. »Ich dachte bloß, dass wir uns vorher in der High Street was zu essen besorgen könnten. Was ist, wenn wir noch keinen Strom im Haus haben?«

Dan nickt kurz, doch die steile Falte zwischen seinen Brauen glättet sich nicht. Neuerdings ist er dauernd um mich besorgt.

»Gute Idee«, stimmt er zu, schaut sich über die Schulter um und blinkt nach rechts. »Darauf hätte ich auch von allein kommen sollen. Ich weiß ja nicht, wie du darüber denkst, aber ich bezweifle, dass das Angebot in deinem kleinen Ort sonderlich vielseitig und reichhaltig ist.«

»Es ist nicht mein …«, beginne ich und breche achselzuckend ab. Wenigstens wird das Pochen in meiner Brust weniger. »Es gibt einen Fish & Chips-Laden ... oder gab es früher zumindest.«

Dan fährt an der Abzweigung zu unserem Haus vorbei und direkt zur High Street, die nicht einmal eine Meile entfernt ist. Ich erinnere mich, wie ich früher mit Pammy die lange schmale Landstraße dorthin zu Fuß gegangen bin, wie wir ältere Jungs überredeten, uns Alkohol zu kaufen, mit dem Versprechen, ihnen etwas abzugeben. Wir versuchten, einen Aushilfsjob in dem Schnellrestaurant zu bekommen, hatten aber keine Chance gegen Mädchen wie Michelle Hoffman oder Theresa Johnson. Ich frage mich, was die heute machen, und hoffe insgeheim ein wenig gehässig, dass sie immer noch in dem Eckladen jobben.

»Ich finde es klasse, dass wir von allem das Beste haben«, bricht Dan das grüblerische Schweigen, in das wir beide verfallen waren. »Eine wunderschöne Landschaft um uns herum und passable Einkaufsmöglichkeiten in der Nähe. Ich kann immer noch morgens los und Frühstück besorgen ...«

»Immer noch?« Ich lache bei der Vorstellung, wie mein Mann gut gelaunt Kaffee und frische Brötchen beim Bäcker holt. »Wann hast du das je gemacht? Ich muss zugeben, dass ich mir einen Hausmann anders vorgestellt hatte. Mir schwebte da eher eine Haushaltshilfe vor, kein Spätpubertierender, der Netflix guckt und den Kühlschrank leer isst.«

»Das ist gemein. Ich bin kein Hausmann, sondern Künstler.«

»Tja, Mr. Bestseller, während ich all die Kinder gebäre, auf die du so wild bist, darf ich doch wohl wenigstens erwarten, dass du morgens Kaffee und frische Brötchen holst.«

Dan strahlt, und sofort bereue ich meine Unbedachtheit. Ich darf nicht vergessen, dass jede Bemerkung zu diesem Thema ihn nur in seinem Wunsch befeuert, so bald wie möglich eine Familie zu gründen. Er ahnt nicht, wie schmerzhaft sich mein

Bauch bei dem Wort »Baby« verkrampft. Ich sehe zum Seitenfenster hinaus und hoffe, damit diese Unterhaltung zu beenden.

Der Samstagnachmittag in der High Street ähnelt London in den frühen Morgenstunden. Ich blicke durch die Windschutzscheibe nach vorn zu ein paar Mädchen, die sich auf dem Gehweg gegenüberstehen. Die eine hat langes dunkles Haar, das ihr ins Gesicht hängt und es verdeckt. Sie sieht wie versteinert aus, während die andere, hübsch, blond und viel zu aufreizend gekleidet, sich näher zu ihr beugt. Vielleicht soll das ein Spiel sein oder so, obwohl mir diese Szene komisch vorkommt. Ich will schon etwas sagen, als wir an ihnen vorbeifahren und die Blonde einige unsichere Schritte rückwärts auf die Straße zu macht.

»Pass auf«, warne ich Dan. »Sie sieht –«

Ich schreie auf, als das Mädchen vor uns auf die Straße stolpert. Dann höre ich das Kreischen der Bremsen und einen dumpfen Knall.

# Kapitel 3

*Ellie*

Der Tag zieht sich hin, bis er sich so lang anfühlt wie die gesamten Sommerferien. Obwohl die Schule vor sechs Wochen wieder angefangen hat, werden sie erst jetzt zu den Geschäften mit Schuluniformen geschleift, um Mary einige neue Blusen zu besorgen. Sie schien praktisch über Nacht Brüste bekommen zu haben, denkt Ellie, und garantiert würde sie ihre alten, ausgeleierten Blusen mit Grauschleier bekommen. Mary hat miese Laune, seit sie das mit dem Baby erfahren hat, und außer mit Ellie spricht sie mit so gut wie keinem.

Sarah meckert in dem gefühlt tausendsten Laden über die Preise. Sie hat nur ein begrenztes Budget zur Verfügung, aber trotzdem ganz klare Vorstellungen, was sie alles kaufen möchte, und will weder von der einen noch von der anderen abweichen, egal wie sehr sich die arme junge Verkäuferin bemüht, ihr zu erklären, dass sie schon der günstigste Anbieter in der Stadt seien. Sie würden meilenweit in eine andere Stadt fahren müssen, denn Gaunt hat kein Geschäft mit Schuluniformen, geschweige denn mehrere, unter denen man wählen kann. Ellie tritt mit der Schuhspitze gegen einen der Kleiderständer, und Mary wirft ihr einen mitleidigen Blick zu, als *sie* hereinkommt. Naomi Harper. Als wäre der Tag nicht schon schlimm genug. Naomis Mutter begrüßt Sarah wie eine alte Freundin, dabei hat Ellie die beiden bisher kaum mehr als ein »Hallo« wechseln gesehen. Die zwei Frauen verfallen in einen Wechselgesang von »So ein Zufall, dass wir uns hier treffen« und »Wie geht es euch?«. Naomis Mum sieht ihre Tochter schwärmerisch an und verkündet, diese sei »in den letzten Wochen praktisch in die Höhe geschossen«. Sie ahnt ja nicht, denkt Ellie boshaft, dass ganz gleich ist, wie lang die Röcke sind, die sie kauft, ihr kleiner Schatz sowieso den Bund umkrempelt, sobald die Mutter vom Schultor verschwunden ist. Mary, die vier Jahre älter ist und daher kaum weiß, wer Naomi Harper überhaupt ist, sieht Ellie fragend an, bekommt aber nur ein gleichgültiges Schulterzucken als Antwort.

»Gott, ich hätte nicht gedacht, dass ich deine hässliche Visage auch noch am Wochenende sehen muss«, faucht Naomi mit einer Boshaftigkeit, wie man sie von einer Zwölfjährigen nicht vermuten würde. Ellie malt sich aus, wie ein Pfeil aus dem Nichts angeflogen kommt, Naomis linkes Auge durchbohrt und Eiter und Blut aus der zerstörten Höhle treten, sagt aber nichts.

»Sprichst du eigentlich nie?« Naomi ist sichtlich verärgert, weil eine Reaktion von Ellie ausbleibt. Wie ein Kind, das in einem Wespennest stochert und beleidigt ist, weil nichts rausgeflogen kommt. »Na los, Smellie-Ellie, sag was.«

Ellie fühlt, wie sie die Hände zu Fäusten ballt, sieht, wie ihre Fingerknöchel weiß werden. Sie weiß, dass sie nicht stinkt und es bloß ein dämlicher Reim auf einen blöden Namen ist. Warum reimt Naomi sich nicht mit etwas Ekligem?

»Geh weg«, murmelt sie. Ihr ist schmerzlich bewusst, dass es das Dümmste ist, was sie sagen könnte. Mary sieht sich wieder die Accessoires an, und sosehr Ellie sich auch bemüht, ihre Pflegeschwester telepathisch auf sich aufmerksam zu machen, gelingt es ihr nicht, Mary dazu zu bringen, dass sie sich umdreht und Naomi die Faust ins Gesicht schmettert. Also betet Ellie, dass Sarah sich umdreht und sagt, dieser Laden sei viel zu billig für sie. Sie sehnt sich danach, das selbstgefällige Grinsen aus Naomis Gesicht und dem ihrer fiesen Mutter verschwinden zu sehen. Doch nichts von alledem geschieht. Was hingegen passiert, ist, dass Naomi Harper blitzschnell und ohne Vorwarnung mit ausgestrecktem Arm vorschnellt, eine Reihe Turnschuhe aus dem Regal neben Ellie schleudert und wieder zurückspringt, bevor jemand etwas mitbekommt.

»Ellie!«, ruft Sarah aus und kommt herüber, um die Bescherung aufzuräumen. Ihr Gesicht ist dunkelrot angelaufen. »Warum hast du das gemacht?«

Es ist zwecklos zu widersprechen. Sarah hört ihr so oder so nicht zu, und Naomi wirft ihrer Mutter einen Blick zu, von dem ganz leicht zu erraten ist, was er bedeuten soll: *Habe ich es dir nicht sagt?* Einzig Mary sieht skeptisch von Ellie zu ihrer Mitschülerin. Sie scheint als Einzige zu erkennen, was hier vor sich geht.

»Darf ich draußen warten?«, fragt Ellie, denn sie merkt, dass sie wütend wird, und weiß, was passiert, wenn sie die Beherrschung verliert. Sosehr sie Naomi in diesem Moment auch hasst, kann sie die Situation nur weiterhin unter Kontrolle behalten, wenn sie sich zurückzieht.

»Ich komme mit dir«, bietet Mary an, und Ellie atmet auf. Mary ist für sie eine Beschützerin, eine Vertraute. Ihre Erleichterung ist indes nur von kurzer Dauer, denn Sarah schüttelt den Kopf. »Du musst noch die Bluse anprobieren, Mary. Ellie ist alt genug, um fünf Minuten alleine draußen zu warten.«

Natürlich ist sie alt genug, und wäre es damit getan, könnte alles gut sein. Wenn Naomi drinnen geblieben wäre. Doch Minuten später steht sie draußen neben Ellie und flüstert ihr giftige Worte ins Ohr.

»Jeder in der Schule will wissen, wieso du so komisch bist, weißt du das?«, zischt sie. Sie steht so dicht neben Ellie, dass diese ihren warmen Atem auf der Wange fühlt. Ellie sagt nichts.

Zwar ist ihr klar, dass ihr Schweigen das andere Mädchen erst recht aufstachelt, doch sie fürchtet, ihre Stimme könnte sie verraten.

»Aber ich weiß es«, sagt Naomi sachlich. Sie tritt einen Schritt zurück, vermutlich ahnend, dass ihre nächsten Worte kein Stochern im Wespennest sein werden, sondern eher dem entsprächen, selbiges mit beiden Händen zu packen und auseinanderzureißen. »Willst du wissen, was ich weiß?«

»Nein«, antwortet Ellie. Ihr Herz schlägt immer schneller, und ihre Oberarme beginnen zu kribbeln. Sie weiß, dass etwas passieren wird, und sie kann es nicht aufhalten. Alles, was sie tun kann, ist beobachten, eine zufällige Zeugin dessen werden, was hier entsteht. »Halt den Mund.«

»Hast du gerade gesagt, ich soll den Mund halten?«, fragt Naomi ungläubig. Sie hat ja keinen Schimmer. Noch nicht.

»Hör einfach auf. Geh wieder rein«, drängt Ellie sie, während sie spürt, wie die Wut in ihr anschwillt, ähnlich einem kleinen Wollknäuel, das aufgewickelt und immer größer und fester wird.

»Glaubst du, du kannst mir Angst machen? Sehe ich etwa ängstlich aus?«

Ellie starrt sie an, und ihre dunklen Augen werden hart vor Zorn. *Solltest du aber sein, Naomi Harper. Solltest du aber sein.*

»Was machst du?«, fragt Naomi, immer noch arrogant, immer noch mit der Haltung von jemandem, der eine Antwort erwartet, nun allerdings auch mit einem Hauch von etwas anderem, einer leisen Unsicherheit, vielleicht sogar Angst. »Gott, du bist so schräg.« Sie macht einen Schritt vorwärts und streckt eine Hand aus, um Ellie gegen die Schulter zu stoßen.

»Geh weg«, befiehlt Ellie, lauter diesmal, und Naomis Hand sinkt nach unten, ohne sie zu berühren. Ellie hat die Hände an ihren Seiten zu Fäusten geballt und kneift die Augen fest zu. *Reiß dich zusammen. Reiß dich zusammen.*

»Was soll das?«, fragt Naomi und tritt einen Schritt zurück. »Was murmelst du da? Lass das. Hör auf damit!« Sie geht noch einen Schritt zurück und stolpert, weil ihr Fuß unglücklich aufsetzt.

Ellies Worte sind nun lauter, die Augen noch fest geschlossen. Immer wieder wiederholt sie dieselben Worte. »Geh weg, geh weg, geh weg.«

Naomi bemerkt kaum, wie ihre Ferse auf die Gehwegkante trifft, doch ihr Herz erkennt den scheußlichen Moment, in dem sie das Gleichgewicht verliert und in den Verkehr kippt. Obwohl hinter ihr eine Hupe schrillt, Bremsen quietschen und Leute schreien, kann Naomi Harper nichts hören als die wiederholten Worte ...

»Geh weg, geh weg, geh weg.«

# Kapitel 4

*Imogen*

Die Vollbremsung schleudert mich nach vorn, und ich nehme die Hände von meinen Augen. Mir graut vor dem Anblick, das Mädchen zerquetscht und schwer verletzt auf der Straße liegen zu sehen. Stattdessen sehe ich, wie es sich benommen aufsetzt, und vor unserer Stoßstange ist der Wagen, den Dan gerammt hat, als er dem Kind auswich. Ich stürze mich buchstäblich raus und zu dem Mädchen. Als ich mich neben es knie, kommen zwei Frauen aus einem Laden in der Nähe gerannt, dicht gefolgt von einem Mädchen im Teenager-Alter. Die erste Frau stößt einen gellenden Schrei aus, der die Luft förmlich durchschneidet.

»Naomi! Kind!« Die Frau wirft sich auf die Straße und zieht das benommene Mädchen an ihre Brust. »Ruft einen Krankenwagen! Was ist passiert, mein Schätzchen?«

Naomi, die starr vor Schock ist, sieht nun abwechselnd zu dem Mädchen auf dem Gehweg und dem Wagen. Furcht und Verwunderung spiegeln sich in ihren Augen.

»Sie ist vor unser Auto gefal…«, beginne ich zu erklären, weil ich dringend jedwede Schuld von uns weisen will, doch die Frau sieht mich nicht mal an.

»War sie das?« Naomis Mutter zeigt mit dem Finger auf das Mädchen, das auf dem Gehweg steht, und Naomi nickt. Die Frau richtet sich auf und stürmt mit wutverzerrtem Gesicht auf das Mädchen zu. »Was hast du mit ihr gemacht?«

Die andere Frau und das junge Mädchen stellen sich schützend vor sie, und die Frau – die Mutter? – klingt ernstlich besorgt.

»Ellie, was ist passiert? Was hast du mit Naomi gemacht?«

Ellie bleibt stumm, starrt immer noch Naomi an. Ist das Wut in ihrem Blick? Oder Angst?

»Du hättest sie umbringen können!«, kreischt Naomis Mutter. »Sie hat versucht, sie umzubringen!«

»Jetzt warten Sie mal«, mische ich mich ein, strecke eine Hand vor und versuche, die Lage zu beruhigen, ehe sie außer Kontrolle gerät. Was bildet diese Frau sich ein, ein unter Schock stehendes Mädchen anzuschreien? »Ich verstehe, dass Sie in Sorge um Ihre Tochter sind, aber es besteht kein Grund, wilde Anschuldigungen zu äußern.«

»Verzeihung, wer sind Sie?« Naomis Mutter funkelt mich wütend an, und mir wird sofort klar, dass ich die Frau nicht ausstehen kann.

»Offensichtlich die Einzige, die gesehen hat, was wirklich passiert ist. Dieses Mädchen, Ellie, nicht wahr?« Ich drehe mich zu Ellie um, die immer noch kein Wort gesagt hat. Ellies Mutter nickt. »Ellie war nicht mal in Naomis Nähe, als sie gestürzt ist. Ich denke, Sie sollten sich beruhigen.«

»Mich beruhigen? Haben Sie Kinder?« Sie wartet meine Antwort nicht ab. »Denn falls Sie welche hätten, würden Sie wissen, wie es sich anfühlt, wenn eines von denen vor ein Auto gestoßen wird.«

»Sie wurde nicht ...«

»Was ist hier los?« Dan erscheint neben mir und legt schützend eine Hand auf meine Schulter. »Geht es ihr gut? Geht es dir gut?« Er ist noch blass vor Schreck, als er Naomi ansieht. Sie ist inzwischen aufgestanden und an den Straßenrand getreten.

Ich verschränke die Arme vor der Brust. *Cool bleiben, Imogen. Nicht die Fassung verlieren. Er sorgt sich schon genug.*

»Wir haben sie nicht angefahren, Dan. Ihr geht es gut.« Ich achte darauf, ruhig und leise zu sprechen, Beherrschtheit auszustrahlen. »Und mir auch. Ist alles okay? Bist du verletzt? Ich denke, jemand ruft schon einen Krankenwagen. Sollen wir die Polizei holen? Wir möchten nicht, dass man uns Fahrerflucht vorwirft.« Ich verstumme abrupt, als mir bewusst wird, dass ich wirr plappere. Mein eigener Schock setzt ein. Für einen Augenblick dachte ich tatsächlich, wir würden sie anfahren. Ich dachte, wir würden sie töten.

Dan zieht mich in seine Arme, und ich genieße das tröstende Gefühl seiner harten Brust. »Die habe ich schon verständigt«, sagt er. »Auch wenn es allen gut zu gehen scheint.«

»Es geht *nicht* allen gut«, faucht Naomis Mutter, die eindeutig nicht gewillt ist, ihre Wut zu zügeln. »Meine Tochter ...«

Ihre Worte verklingen, als ein Kranken- und ein Streifenwagen neben uns halten und die Männer aussteigen. »Oh, Gott sei Dank. Endlich!«

»Uns wurde gemeldet, dass ein Mädchen angefahren wurde«, sagt der Sanitäter, der die beiden Mädchen ansieht. »Wir hatten geraten, nichts zu unternehmen, bis wir eintreffen.«

»Der Wagen hat sie nicht angefahren«, entgegne ich im selben Moment, in dem Dan sagt: »Sie war schon wieder auf den Beinen.«

Der Polizist sieht Dan an. »Sind Sie gefahren?« Dan nickt. Der Polizist zückt einen Block und einen Stift. »Gut, erzählen Sie mir, was passiert ist.«

»Was passiert ist?« Naomis Mutter baut sich vor dem Polizisten auf. »Ich werde Ihnen erzählen, was passiert ist. *Sie!*« Sie streckt den Finger zu dem Mädchen aus, das noch immer völlig verstört ist. »Sie hat versucht, meine Tochter umzubringen! Sie hat sie gestoßen ...«

»Augenblick mal«, unterbreche ich und fühle, wie ich vor

Zorn erröte. »Ellie war nicht mal in ihrer Nähe, als sie gestürzt ist. Wir haben die beiden gesehen. Sie standen nur da, mindestens einen Schritt voneinander entfernt. Und Ihre Tochter ist rückwärtsgegangen und auf die Straße gestolpert.«

»Sie hat recht«, sagt das ältere Mädchen, das neben dem kleinen Mädchen steht. »Ich habe es von drinnen gesehen, Mum. Ellie hat sie nicht angefasst.« Sie geht noch näher zu Ellie, legt einen Arm um sie, und diese schmiegt sich an ihre Schulter, als wäre sie ihre Mutter.

»Entspricht das dem, was Sie gesehen haben?« Der Polizist sieht wieder Dan an.

»Ja, ich bin mir ziemlich sicher.« Er blickt zu mir, als warte er auf meine Bestätigung. »Ja. Ich meine, es ging ziemlich schnell, aber ich habe definitiv niemanden gesehen, der jemanden gestoßen hat.«

Naomis Mutter ist regelrecht empört über seine Worte. »Wollen Sie behaupten, dass meine Tochter einfach auf die Straße gefallen ist? Sie ist zwölf Jahre alt und hat keine Probleme, sich aufrecht zu halten. Sag es ihnen, Naomi. Sag denen, was du mir gesagt hast.«

»Ich …« Naomi blickt völlig verängstigt drein. »Ich, sie … ich bin gefallen«, endet sie matt. Daraufhin entgleisen ihrer Mutter die Gesichtszüge. Ich schäme mich, weil ich innerlich triumphiere, als sich ihre Wangen röten.

»*Du* hast gesagt …«

»Ich habe mich geirrt. Es war ein Unfall, okay?« Flackert da Angst in ihren Zügen auf? Falls ja, scheint es außer mir niemand zu bemerken.

»Tja.« Ihre Mutter bläst einen Schwall Luft aus. »Wie ich sehe, wird hier nichts unternommen. Komm mit, Naomi.« Sie ergreift den Arm ihrer Tochter, doch der Sanitäter hält eine Hand in die Höhe, um sie zu stoppen.

»Bedaure, aber da wir jetzt hier sind, müssen wir uns Ihre Tochter einmal genauer ansehen.«

»Sie haben doch gehört, sie ist gefallen! Das Auto hat sie nicht mal berührt!«

»Trotzdem sollten wir uns vergewissern«, sagt er entschuldigend. »Ich würde meinen Job nicht richtig machen, wenn ich es nicht täte.«

»Und ich muss von allen hier Aussagen aufnehmen«, ergänzt der Polizist. »Das sollte schnell gehen – natürlich vorausgesetzt, dass Sie nicht doch einen versuchten Totschlag anzeigen wollen.«

Ich genieße es, wie Naomis Mutter aufs Neue rot wird. Geschieht ihr recht. »Nein, es klingt nicht so, als wäre das nötig.«

Ich kann nicht recht entscheiden, was wirklich zwischen den beiden Mädchen war. Die Beschuldigte, Ellie, hat mit keinem Wort versucht, sich zu verteidigen – wahrscheinlich eingeschüchtert von Naomis anmaßender Mutter. Zum ersten Mal sehe ich sie mir genau an. Sie ist bleich, und ihre Augen starren ins Leere, was allerdings nach der Verbalattacke von einer Erwachsenen eben nicht weiter verwunderlich ist. Ich versuche, Augenkontakt zu ihr herzustellen, ihr einen tröstenden Blick zuzuwerfen, doch sie schaut nicht einmal in meine Richtung.

»Dürfen wir im Wagen warten?«, frage ich den Polizisten, weil ich unbedingt ein paar Minuten weg von dieser beklemmenden Szene will. Er nickt.

»Wenn es für Sie okay ist, zu fahren, können Sie hier drüben halten«, sagt er zu Dan und zeigt auf den Straßenrand. »Falls nicht, können wir den Sanitäter bitten, Sie sich gleich mal anzusehen.«

»Nein, mir geht es gut. Wir fahren links ran und warten.«

Dan und ich gehen zum Wagen und inspizieren die Kühlerhaube. Der andere Fahrer ist ausgestiegen und spricht mit der

Polizei. Ich frage mich, was er sagt, ob er auch die Mädchen auf dem Gehweg gesehen hatte. Der Schaden an unserem Wagen sieht nicht so schlimm aus, wie sich der Rums angehört hatte, und der Motor startet problemlos. Dans Hände zittern ein wenig am Lenkrad, und ich bedecke seine Hand mit meiner.

»Mann, das war vielleicht ein Schock«, sagt er und legt seine warme Hand auf meinen Schenkel, was sehr wohltuend ist. Selbst nach zehn gemeinsamen Jahren gibt mir seine Berührung neue Kraft und innerliche Stärke, ich sauge Ruhe aus seinem Körper in meinen. Diese Wirkung hat er von jeher auf mich. Als wir frisch zusammen waren, lag ich oft mit dem Kopf auf seiner Brust und inhalierte seinen warmen, tröstlichen Atem. »Was für eine Ankunft. Alles okay mit dir?«

Ich nicke gedankenverloren. »Ein ziemlicher Schock, ja«, murmle ich. Ich sehe zu den Mädchen, die noch bei dem Polizisten und dem Sanitäter stehen. Die eine Mutter war so schnell bereit gewesen, einem Mädchen einen Mordversuch zu unterstellen, die andere tat nichts, um ihr Kind zu verteidigen.

An was für einen Ort habe ich uns da bloß zurückgebracht?

# Kapitel 5

*Imogen*

Der einzige Fish & Chips-Laden in der High Street sticht heraus wie eine Nonne in einem Nachtclub. Mit seiner Chromfassade und den LED-beleuchteten Lettern »Oh My Cod« sowie der silbernen Silhouette eines, soweit ich es erkennen kann, zwinkernden Fisches, wirkt er nicht mal annähernd wie der Laden, an den ich mich vom letzten Besuch hier erinnerte. Damals war die weiße Farbe draußen zu einem schmutzigen Grau verwittert, war von dem Holzschild abgeblättert, und die verblichenen blauen Buchstaben erklärten beinahe mürrisch »Chip Shop«. Ich frage mich, wer für die Modernisierung verantwortlich war – gewiss nicht Roy, der untersetzte Besitzer mit den wabbeligen Wangen, den ich in meiner Jugend kannte. Ich lächle, als ich mir den angewiderten Ausdruck auf seinem verdrossenen Gesicht beim Anblick des zwinkernden Fisches vorstelle, der an seiner gewollt unmodernen Ladenfront angebracht wurde.

Doch zu meiner Verwunderung steht Roy hinter dem Tresen und sieht keinen Tag älter aus. Als wäre er schon als Fünfzigjähriger auf die Welt gekommen und weigerte sich seither stoisch, zu altern.

»Schlimme Geschichte das eben.« Ich zucke zusammen, als die Stimme von einer der vier blanken silbernen Sitznischen hinter mir ertönt. Ich drehe mich um und sehe eine Frau, die ich nicht von früher wiedererkenne. Sie ist so grau, dass sie fast vollständig mit der trendigen Wandfarbe von Farrow & Ball hinter sich verschmilzt. Ihr Haar, ihr Gesicht und ihre Kleidung scheinen vollständig farblos. Ich ringe mir ein Lächeln ab, um meine Überraschung zu verbergen.

»Hätte viel schlimmer ausgehen können«, sagt Dan in seinem jovialsten Ton, ehe ich reagieren kann. Er drückt kurz meine Hand, und ich frage mich, ob er merkt, dass ich immer noch ein bisschen zittre. »Das Mädchen ist noch einmal mit einem blauen Auge davongekommen und hat nur aufgeschürfte Knie. Und meinem Wagen fehlt außer einer Delle in der Kühlerhaube nichts.«

»Ja, das war eine beachtliche Notbremsung, die Sie da hingelegt haben, mein Guter«, tönt es von Roy hinter der Glastheke. Seine Stimme hat einen freundlichen Klang, den ich nicht entsinne, jemals als junges Mädchen gehört zu haben. Andererseits erinnere ich mich insgesamt nicht an überbordende Freundlichkeit von irgendwem hier – ausgenommen von Pammy und ihren Eltern.

»Ende gut, alles gut«, murmle ich, um das Thema zu wechseln. Die graue Frau jedoch ignoriert den Wink.

»Diese Harper hatte Glück, dass Sie das waren. Viele hier hätten nicht so schnell reagiert und gebremst. Na ja« – da ist ein Anflug von Härte in ihren Augen –, »bei Mädchen in dem Alter rechnet man ja auch nicht damit, dass die sich gegenseitig auf die Straße schubsen, oder?«

Dan wirft mir einen Seitenblick zu, und ich weiß, dass er mich stumm anfleht, mich nicht ködern zu lassen. *Nicht die Krallen ausfahren, Immy. Das ist nicht dein Problem ...*

»Sie hat sie nicht geschubst.« Ich höre meinen Mann leise ausatmen. Er hatte gewusst, dass ich nicht widerstehen könnte. »Wir haben es gesehen, nicht wahr, Dan?«

Dan nickt. »Ja, sie hat sie nicht geschubst.«

»Ach, na, da irren Sie sich.« Die Frau grinst verschlagen.

»Das Mädchen muss einen nicht anfassen, um das zu schaffen. Ich habe direkt hier gesessen und gesehen, was sie gemacht hat.«

Ich runzle die Stirn. »Was meinen Sie? Wollen Sie behaupten, sie hat das Mädchen geschubst, ohne es anzufassen? Das ist doch verrückt.« Ich sehe wieder zu Roy und rechne damit, dass er lacht oder die Augen angesichts der alten Frau verdreht, vielleicht sogar den Finger neben seiner Schläfe kreisen lässt, um uns zu bedeuten, dass sie nicht alle Tassen im Schrank hat. Stattdessen steht er stocksteif da, meidet meinen Blick und wendet immer wieder ein Fischstück auf der Warmhalteplatte. Ich spreche ihn direkt an, sodass er mich unmöglich ignorieren kann. »Wer ist das Mädchen? Sie heißt Ellie, nicht wahr? Wer ist sie?«

»Das war Ellie Atkinson«, antwortet die Frau kichernd. »Sie ist ein Pflegekind.«

»Ach, und das macht sie automatisch ...« Ich verstumme, als Dan an meinem Arm zieht. Die Tür geht auf, und herein kommen Ellie und die Frau, von der ich nun weiß, dass sie ihre Pflegemutter ist. Das ältere Mädchen, das Ellie eben beschützend zur Seite gestanden hatte, trottet hinter ihnen her.

Die alte Frau bricht die Stille mit einem Kichern, und Dan räuspert sich.

»Zwei kleine Portionen Fisch und eine große Portion Pommes frites, bitte«, sagt er zu Roy, der nickt, als hätte es die letzten Minuten nie gegeben.

»Der Fisch dauert fünf Minuten«, murmelt Roy, und wir setzen uns auf der anderen Seite des Ladens hin, so weit weg wie möglich von der unheimlichen Alten. Ellies Pflegemutter bestellt ihr Essen und kommt zu uns.

»Ich möchte mich nur bedanken, dass Sie der furchtbaren Frau Paroli geboten haben.« Sie sieht müde, fast niedergeschlagen aus. Ihr mausgraues Haar ist zu einem unordentlichen Pferdeschwanz gerafft, und einzelne Strähnen stehen in einem komischen Winkel von ihrem Kopf ab, als wäre sie es gewesen, die beinahe von unserem Wagen angefahren wurde. »Und natürlich dafür, dass Sie ihre Tochter nicht angefahren haben«, ergänzt sie mit einiger Verzögerung.

»Machen Sie sich deshalb keine Gedanken.« Ich lächle und hoffe, dass es fürsorgliches Mitgefühl signalisiert, keinen Irrsinn. Wussten sie, was die Leute über Ellie reden? *Das Mädchen muss einen nicht anfassen, um das zu schaffen.* »Mit dir ist hoffentlich alles okay?«

Ich richte die Frage an Ellie, die mit gesenktem Kopf dasteht und etwas auf dem Boden fixiert. Auf meine Ansprache hin rührt sie sich nicht. Ihre Pflegeschwester knufft sie leicht, und als Ellie immer noch keinen Mucks macht, sagt sie: »Ihr geht es gut, danke.«

Dan schnaubt, und ich bedenke ihn mit einem verärgerten Blick. Die graue Frau in der Ecke rückt aus ihrer Sitznische, wobei sie uns beobachtet.

»Mrs. Evans.« Ellie blickt auf, spricht die Frau von hinten mit tiefer, klarer Stimme an. Es ist das erste Mal, dass ich sie reden höre, und es klingt nicht natürlich.

Die Frau zögert, fast als wolle sie sich nicht mal zu dem Mädchen umdrehen. Schließlich schaut sie sich doch um. »Ja?«

»Sie sollten wirklich keine Lügen erzählen. Früher hätte man Ihnen die Zunge rausgeschnitten.«

# Kapitel 6

Sie gehen die Straße entlang, wobei sie wenige Schritte Abstand zueinander wahren, die ebenso gut Meilen sein könnten. Sie sieht zu der Hand der Frau auf, die einfach an deren Seite baumelt, und Imogen sehnt sich danach, hinzugreifen und ihre eigene hineinzuschieben. Sie sieht viele andere Kinder, die das tun, Händchen mit ihren Mums halten, als wäre es das Natürlichste auf der Welt, den Arm auszustrecken und sich mit der Person zu verbinden, die man liebt. Und Imogen liebt ihre Mutter, obwohl diese sich nicht dazu bringen kann, die Liebe ihrer Tochter zu erwidern.

Mutter – sie hasst »Mummy«, weil sich das nach einem heulenden kleinen Baby anhört – sieht nach unten, und es ist, als wisse sie genau, was Imogen denkt, denn sie reißt ihre Hand hoch und schiebt sie tief in ihre Manteltasche. Und damit ist ihre Chance dahin.

»Jetzt beweg dich schon«, schimpft Carla Tandy und wendet ihren Kopf von ihrem einzigen Kind ab. »Wir haben nicht den ganzen Tag Zeit.«

# Kapitel 7

*Imogen*

Ich blicke hinauf zu dem Haus, in dem ich aufgewachsen bin, und von einem Moment auf den anderen ist es, als würden die letzten zwanzig Jahre meines Lebens wegschmelzen, als hätte es sie nie gegeben. Walisischer Stein umgibt die schwere Holztür, und Efeu schlängelt sich nach oben. Das Geräusch ebendieser Tür, die hinter meinem fünfzehnjährigen Ich zuknallt, ist immer noch wie ein Peitschenhieb, ein Schuss, der in meinen Ohren hallt. So deutlich, dass ich vor Angst zusammenfahre, als die Kofferraumklappe zufällt. Innerhalb von Sekunden ist Dan bei mir. Wahrscheinlich denkt er, ich wäre immer noch von dem Vorfall in der Stadt erschüttert. Was ich auch bin. Der Gedanke an die Frau, wie sie die arme Ellie anschrie, und der starre Gesichtsausdruck des Mädchens, als hätte es keine Ahnung, was eben geschehen war. Aber das ist es nicht, was mich unfähig macht, den Schlüssel in die Vordertür eines Hauses zu stecken, das ich als Teenager hinter mir ließ.

»Lass dir Zeit«, murmelt Dan. »Ich weiß, dass das schwer für dich sein muss.«

Offensichtlich begreift er mehr, als ich ihm zugetraut habe. Ich traue meinem Mann nie viel zu.

»Mir geht es gut.« Ich schüttle den Kopf, um die Erinnerungen zu vertreiben. »Komm, gehen wir rein.«

Nach einigen Anläufen bekommen wir die verzogene Haustür auf und fallen praktisch ins Haus, weil wir so fest drücken. Ich mache mich gefasst, von Erinnerungen überrollt zu werden, die mit der Kraft eines Güterzugs über mich hereinbrechen. Aber die Diele ist so anders als die in meinem Gedächtnis, dass ich mich für einen Moment frage, ob wir im falschen Haus sind. Der muffig riechende Teppich meiner Großmutter mit den rotgoldenen Wirbeln ist herausgerissen worden und durch polierten Holzboden ersetzt, ein beige und dunkelblau gestreifter Läufer führt die Treppe hinauf, und die Wände sind in einem frischen Hellgelb gestrichen, nicht mehr schmutzig graubraun wie früher. Es fühlt sich wie ein neues Haus an, das sich von außen so gut als das verkleidete, an das ich mich erinnerte. Aber nein. Es mag renoviert sein, doch der Grundriss ist noch derselbe. Die neue Farbe kann die kleinen Setzrisse nicht verstecken, die ich mit den Fingern nachmalte, wenn ich auf der Treppe hockte und wartete, dass meine Mutter nach Hause kam. Manchmal saß ich dort so lange, dass die Risse zu Schatten wurden, die mich zu sich hineinzureißen drohten. Manchmal wünschte ich mir, sie würden es.

»Nett hier«, bemerkt Dan, als er unsere beiden Taschen über die Schwelle hievt. »Hattest du nicht gesagt, dass es ziemlich runtergekommen ist?«

»Sie muss renoviert haben«, antworte ich. Mit *sie* ist meine Mutter gemeint. Einerseits bin ich froh, dass es kein bisschen so aussieht, wie ich es in Erinnerung habe, andererseits ärgert mich, dass sie sich erst die Mühe machte, alles anständig herzurichten, nachdem ich gegangen war. All die Jahre hatten wir mit abblätternder Farbe und Schimmelflecken gelebt, während sie sich wie eine Art Geist durchs Haus bewegte und vorgab, nicht zu sehen, wie unser Zuhause immer mehr verfiel und damit auch unser Leben.

»Na, das erspart uns die Arbeit«, sagt Dan grinsend und will die Wohnzimmertür öffnen. Mir geht das zu schnell. Ich will nicht wie eine Hysterikerin wirken, aber ich hatte gehofft, dies alles ein bisschen langsamer angehen zu lassen. Hätte ich ihm auch bloß winzige Bruchstücke meiner Vergangenheit anvertraut, könnte er meine Zurückhaltung vielleicht besser verstehen. So muss ich notgedrungen tun, als würde ich den großen Haufen Post auf dem Holzboden durchsehen, um den Moment aufzuschieben, in dem ich die Diele verlasse. Es sieht aus, als wären es Rechnungen, Rechnungen und noch mehr Rechnungen. Mum hatte genug hinterlassen, um die Kosten für ihre Beerdigung zu decken – eine Beerdigung, die ich organisierte, zu der ich aber nicht ging. Ich empfinde einen Anflug von etwas, das Scham sein könnte angesichts meines endgültigen »Leck mich« an die Frau, der ich nie wichtig genug war, dass sie mich zu bleiben gebeten hätte.

»Hier ist etwas an uns adressiert«, sage ich leise, doch Dan ist bereits durchs Wohnzimmer in die Küche gegangen, und ich höre, wie er Schränke öffnet und schließt und dabei hin und wieder Dinge sagt wie »Wozu soll das denn sein?«. Bedenkt man, dass er in den letzten fünf Jahren kaum je in unserer Küche war, würde mich nicht wundern, wenn er den Ofen entdeckt hätte.

Der an uns adressierte Umschlag ist knallpink, was ein Schreiben von einem Anwalt oder dem Finanzamt unwahrscheinlich macht. Ich reiße ihn auf und muss lächeln, als ich laut lese, von wem er ist.

*Hey, Großstädter. Ich habe Euch ein Carepaket unter den Kohlenschuppen im Garten gestellt (das schwarze Ding aus Blech, für den Fall, dass Du es nach all den Jahren in der großen weiten Welt vergessen hast). Komm mich so bald wie möglich besuchen. Bring Wein mit. Ich hoffe, dies hier ist nicht zu schräg für Dich.*

*Pam xx*

»Das ist aber nett von ihr.« Dan taucht wieder an meiner Schulter auf. »Ein Jammer, dass sie keinen Schlüssel hatte und hier ein bisschen putzen konnte. Die Staubschicht auf allem ist ganz schön hoch.«

»Dann hast du ja etwas zu tun, während du wartest, dass deine Muse uns einholt.« Ich grinse und küsse ihn auf die Nasenspitze. »Macht es dir etwas aus, wenn ich mich allein umsehe? Es ist ein bisschen viel, wieder hier zu sein, und Mum ist nicht mehr da.«

»Natürlich nicht.« Dan nickt nach draußen. »Ich hole mal die restlichen Sachen aus dem Wagen.«

Die nächste Stunde wandere ich in der fernen Erinnerung umher, dass dies mein Elternhaus ist. So vieles hat sich verändert, und gerade wenn ich denke, dass es doch nicht so schwierig würde, sehe ich irgendeine Kleinigkeit, wie die Uhr vom Kaminsims im Wohnzimmer, der längst nicht mehr da ist, aber die Uhr steht jetzt auf einem Holzregal – ein verborgenes Relikt, das darauf wartet, mich in die Vergangenheit zurückzuversetzen. Meine Kehle schnürt sich zusammen, als ich sie entdecke, als ich mich an die Stunden erinnere, die ich auf diese Uhr gestarrt und gewartet habe, dass meine Mutter zurückkam, gleichermaßen furchtsam und aufgeregt. Wie ich mich fragte, ob heute der Tag wäre, an dem sie ein Gespräch anfängt oder uns Fish & Chips mitbringt. Dabei wusste ich, dass er es nicht sein würde. Ich nehme die Uhr auf und drehe sie in meinen Händen. Ein Leben lang Kummer hat sich in diesem Uhrglas gespiegelt. Die Zeiger stehen still, und mir kommt der bizarre Gedanke, dass sie in exakt dem Augenblick stehenblieb, in dem meine Mutter starb. Sei nicht albern, sage ich mir, aber ich werde das Gefühl nicht los, dass die Uhr wusste, ihre

Arbeit wäre getan und sie müsste die Stunden bis zur Rückkehr meiner Mutter nicht mehr zählen. Sie kam nie wieder zurück.

Ich stelle die Uhr hin und blinzle mehrmals, um die Tränen zu bremsen, die mich zu überkommen drohen. *Weinen hat noch nie irgendein Problem gelöst, Imogen.* Einer der wenigen Ratschläge, die sie mir je gegeben hat. Und selbst bei dem lag sie falsch. An dem Tag, an dem ich ging, wartete ich, bis ich sicher in der schäbigen Studentenbude war, die ich zu einem Spottpreis ergattern konnte, um in lautes Schluchzen auszubrechen, bis ich beinahe keine Luft mehr bekam. Und beim Aufwachen am nächsten Morgen, mit geschwollenen, geröteten Augen und einem Schädel, als hätte ich einen Viertelliter Wodka getrunken, fühlte ich mich verblüffend gereinigt. Ich nahm mir vor, nie wieder eine Träne wegen einer Frau zu vergießen, die es in den ganzen Jahren kein einziges Mal schaffte, mir zu sagen, dass sie mich liebt.

# Kapitel 8

Das letzte Sonnenlicht ist fort und der Garten in eine finstere Palette von Violett- und Grautönen getaucht, aber dennoch weigert der Himmel sich, der Dunkelheit nachzugeben. Sarah hockt schon länger mit angewinkelten Beinen auf dem Gartenstuhl und scrollt ganz vertieft auf ihrem Handy durch Facebook, sodass sie kaum bemerkt, wie sich die Schatten um sie herumlegen und die Wärme des Tages verebbt, um dem kühlen Zwielicht zu weichen, bis ihr eine sanfte Brise über die nackten Arme streicht und sie verwundert aufblicken lässt.

»Oh verdammt«, murmelt sie. »Wie spät ist es?« Sie sieht wieder zu ihrem Telefon. Zehn nach sechs. Die Mädchen und Billy hätten schon kommen müssen, um etwas zu essen. Sarah wundert, dass sie nicht längst angequakt kamen – Kinder haben dauernd Hunger, wie sie gelernt hat. Nun, mit Ausnahme von Ellie, versteht sich. Aber Ellie tanzt in den meisten Fällen aus der Reihe.

Apropos Kinder – wo sind sie? Sie haben in dem halb verfallenen Spielhaus am Ende des Gartens gespielt, vor – wann war das? – einer halben Stunde, vierzig Minuten? Viel länger kann das nicht her sein, obwohl sie sich viel zu lange mit Marks Cousine, Tina, wegen eines Artikels gestritten hat, in dem es hieß, dass es egoistisch von Frauen sei, mit über vierzig noch Babys zu wollen. Und Tina hat den auf ihre Pinnwand gestellt! Dämliche Kuh. Sie hätte wissen müssen, dass Sarah ihn sehen würde, und kam trotzdem noch mit »Sorry, Süße, wusste nicht, dass dich das aufregt xx«, als Sarah ihr sagte, wie verletzend das war.

Die blöde Kuh hatte genau gewusst, was sie tat. Jedenfalls hat Sarah die Kinder da zwar nicht gesehen, aber gehört. Doch nun ist es vollkommen still im Garten.

»Mary? Billy? Ellie?«

Nichts. Sarah blickt seitlich neben das Spielhaus, aber die Kinder sind nirgends. Sie ruft ins Haus, aus dem ihr nichts als Stille entgegenkommt. Wo sind sie?

Bemüht, nicht panisch zu werden, eilt Sarah zurück in den Garten und sieht sich hektisch um. Es ist ein kleiner Garten: ein Baum, das Spielhaus am Zaun und dahinter dieser kleine Flecken Brachl ...

Das Brachland! Warum hat sie da nicht als Erstes nachgesehen? Die Kinder schleichen sich dauernd durch die Lücke im Zaun, obwohl Sarah sie normalerweise hören kann, wenn sie lachend und rufend durch das dichte Gestrüpp staksen. Heute ist es allerdings mucksmäuschenstill.

»Mary?«, ruft Sarah, als sie sich den zerbrochenen Zaunlatten nähert. »Billy? Ellie?«

Es ist eng, doch Sarah ist keine massige Frau und schafft es, sich hindurchzuquetschen. Ihr T-Shirt verfängt sich in den groben Splittern, ihr Haar in den Zweigen der ungepflegten Hecke am Zaun.

Das Brachland ist ein kleines verwildertes Grundstück, das Sarahs und Marks mit den beiden benachbarten verbindet. Es ist ein Durcheinander von wuchernder Hecke und Brennnesseln, und keiner ist ganz sicher, wem es gehört – wenn überhaupt jemandem. Daher ist es schon verwaist und ungepflegt, solange die Jeffersons in der Accacia Avenue wohnen. Ihnen ist es ein Dorn im Auge, für die Kinder ein Abenteuerspielplatz.

Sie sieht sie sofort. Mary, Billy und Ellie knien im Dreieck auf dem einzigen freien Fleck, den das Grundstück hergibt. Alle drei haben die Augen fest zugekniffen, und Mary und

Billy schwanken leicht vor und zurück. Ellie sitzt wie versteinert da; einzig ihre Lippen bewegen sich rasend schnell, während sie leise vor sich hin murmelt.

Sarah spürt, wie sich die Härchen auf ihren Armen aufstellen, als sie ein kalter Schauer durchfährt. Sie hat die Kinder gefunden, sie sehen unversehrt aus – also warum bekommt sie dann eine Gänsehaut?

»Kinder?« Sarah geht näher heran. Die drei können sie unmöglich nicht hören, und dennoch regt sich keines von ihnen auf ihre Stimme hin. Sie drängt sich durch die Dornen und Sträucher auf die kleine Lichtung und tritt hinter Ellie.

»Kinder!« Nun schreit sie förmlich und streckt eine Hand nach Ellies Schulter aus. Doch ehe Sarah sie berührt, erstarren Ellies Lippen, und alle drei Kinder reißen gleichzeitig die Augen auf. Später würde Sarah sich dabei ertappen, wie sie es Mark schilderte, als seien die drei aus einem Zauberbann befreit worden.

»Mum«, sagt Mary mit großen Augen, »was ist los? Was machst du hier?«

»Ich hatte vom Garten aus nach euch gerufen, und keiner hat geantwortet. Was tut ihr hier? Was zum Teufel geht hier vor?«

»Wir spielen nur, Mrs. Jefferson.« Ellie schaut zu ihr auf, fixiert Sarahs Gesicht mit ihren dunklen Augen. Sie wirkt als Einzige von den dreien weder verwirrt noch desorientiert. Billys Augen hingegen wandern zwischen Ellie und dem verwilderten Grundstück hin und her, als versuche er zu begreifen, wie er hier gelandet sein mag.

»Billy?«

»Wir spielen nur, Mrs. Jefferson.«

»Und warum hat mich keiner von euch rufen gehört? Ich habe gleich da drüben gestanden.«

Ellies Blick weicht nicht von Sarahs Augen. Sie wirkt alles andere als schuldbewusst, eher trotzig.

»Oh Mann, ehrlich«, bricht Mary patzig das Schweigen. »Ist das denn wichtig? Du hast uns ja jetzt gefunden. Kommt mit, ihr zwei.«

Ellie und Billy stehen auf und folgen Mary von der Lichtung und durch die Lücke im Zaun, was ihnen erheblich leichter gelingt als Sarah.

Erst als sie wieder im Haus sind und Sarah allein im Bad ist, macht sie ihrem bis dahin unterdrückten Entsetzen in einem tiefen Schluchzen Luft.

# Kapitel 9

*Imogen*

Ich starre ins Feuer und beobachte die Flammen, wie sie knackend und knisternd wachsen und dann wieder sterben. Lächelnd blicke ich zu Dan auf, als er mir einen Becher heiße Schokolade mit einem Berg Schlagsahne drauf reicht. »Danke.«

»Dem Himmel sei Dank für Pammy und ihr Carepaket«, bemerkt Dan. Wir hatten das Willkommensgeschenk meiner alten besten Freundin hinten im Garten gefunden, und mich amüsierte, was sie uns hingestellt hatte: Wein, Haferkekse, Krabbenchips, Trinkschokolade und Schlagsahne neben einem Beutel Kaminholz und einem Bündel Kleinholz, das mit »Anmachholz«, beschriftet war, sowie eine Packung Kaminanzünder.

»Man sollte meinen, wir wären Idioten aus der Großstadt«, hatte Dan gescherzt, aber insgeheim war er eindeutig froh, dass ihm jemand die Arbeit abgenommen hatte. Und ich freue mich schon darauf, ihm morgen den Holzschuppen zu zeigen und wo die Axt ist.

Ich hatte mich wie eine Blinde durchs Haus bewegt, Wände und Möbel berührt und versucht, irgendwelche Gefühle hervorzulocken. Doch so vieles hat sich verändert – ich habe mich verändert. Ich fühle mich nicht mehr wie das einsame, unglückliche Mädchen, das in dem Kinderzimmer kniete und einen Gott, an den es nicht glaubte, anflehte, dass eine Mutter, die es kaum kannte, die Tür öffnen und es in die Arme schließen würde. Die Tür zum Zimmer meiner Mutter zu öffnen, in dem wir die Nacht verbringen würden, war am befremdlichsten. Als Kind war mir nicht erlaubt gewesen, es zu betreten, und wenngleich mich das nicht abhielt, erinnerte ich mich nur vage, wie es drinnen aussah. Beim Übertreten der Schwelle fröstelte ich, denn ich stellte mir vor, wie wütend meine Mutter wäre, sollte sie mich hier erwischen. *Sei nicht albern, Imogen. Du bist kein Kind mehr.* Trotzdem hatte ich gezögert und es nicht einmal fertiggebracht, die Tür zu meinem alten Kinderzimmer zu öffnen.

»Du bist sehr still«, bemerkt Dan und streicht mir eine Locke aus dem Gesicht hinters Ohr. »Denkst du immer noch an das von vorhin, oder ist es etwas anderes?«

»Nur an vorhin«, lüge ich. Darüber lässt sich leichter reden als über meine Unfähigkeit, die Tür des Teenagers Imogen Tandy zu öffnen, aus Angst, ich könnte Pforten aufstoßen, die ich nicht wieder schließen kann. »Ehrlich gesagt geht es mir immer noch durch den Kopf. Wie sie zu diesem Mädchen waren. Ich meine, sah sie aus wie ein Typ Mädchen, das jemanden auf die Straße stoßen würde?« Doch schon während ich es ausspreche, wird mir klar, dass niemand vorhersehen kann, wer »der Typ« Mensch ist, der Gewalt gegen andere ausübt. Du am allerwenigsten, höhnt eine kleine Stimme in meinem Kopf. Deine Erfolgsbilanz auf dem Gebiet ist ja wohl kaum glorreich, oder?

»In dem Fish & Chips-Laden war sie ziemlich unheimlich«, erwidert Dan. »Ich meine, wie viele Kinder kennst du, die drohen würden, jemandem die Zunge herauszuschneiden? Und woher wusste sie, dass die Frau über sie geredet hatte? Sie waren nicht mal in der Nähe des Restaurants gewesen, als sie das sagte.«

Ich winke ab. »Sie hat nicht gedroht, ihr die Zunge herauszuschneiden, sondern bloß etwas nachgeplappert, was sie in der Schule gehört hatte oder in ihrem früheren Zuhause. Und ich hatte den Eindruck, dass Mrs. Evans nicht zum ersten Mal ihre lächerlichen Theorien verbreitete. Das Mädchen könnte eine andere Gelegenheit gemeint haben. Ihrer Pflegemutter war das reichlich unangenehm, oder?«

Ich weiß nicht, was der Frau unangenehmer gewesen war: Ellies Worte oder Dans Prusten, als er sie hörte.

»Ja, war es. Das war mal ein geniales Timing, was? Wahrscheinlich hätte ich nicht lachen sollen. Aber zumindest entkrampfte es die Situation ein bisschen.«

»Sie war überhaupt nicht in der Nähe des Mädchens«, überlege ich laut und ignoriere Dans Grinsen. Er braucht wahrlich keine Ermutigung, um aus jeder Situation einen Witz zu machen. »Du hast es doch gesehen, oder? Sie standen mindestens einen halben Meter voneinander entfernt. Wir hätten es gesehen, wenn sie die andere geschubst hätte.«

»Eigentlich habe ich nichts gesehen«, gesteht Dan und wirkt für einen Moment verlegen. »Ich hatte die beiden ehrlich gesagt gar nicht bemerkt. Sie waren auf dem Gehweg, und ich hatte mitgeschnitten, dass sie da waren, aber nicht, was sie gemacht haben.«

»Aber du hast dem Polizisten gesagt –«

»Weiß ich.« Dan verzieht das Gesicht. »Sei nicht sauer auf mich. Ich habe lediglich dem zugestimmt, was du gesagt hattest. Diese Frau war so furchtbar, und ich wollte dir Rückendeckung geben. Als er meine Aussage aufnahm, habe ich gesagt, dass ich die Mädchen gesehen hatte, aber nicht, dass eines das andere schubste. Was stimmt«, sagt er rasch, als ich schon etwas entgegnen will. »Ich habe nicht gesehen, dass irgendwer irgendwen geschubst hat. Aber ich könnte auch nicht schwören, dass sie die andere nicht geschubst hat. Ich habe nicht darauf geachtet.«

Ich rufe mir die Sekunden vor der Notbremsung ins Gedächtnis. Zu dem Zeitpunkt war ich mir so sicher, dass ich gesehen hatte, wie die beiden mehrere Schritte voneinander entfernt standen; aber das war, als Dan mir zustimmte, als er sagte, er hätte dasselbe gesehen. Kann ich wirklich schwören, dass ich keine Sekunde weggesehen hatte? Würde ich unter Eid aussagen, dass Naomi gestürzt war? Ich versuche, den Moment im Geiste wie einen Film ablaufen zu lassen, kann mich jedoch nicht zwingen, das Geschehen zu visualisieren.

»Vergiss es, Im. Ernsthaft, keiner wurde verletzt, und es sieht nicht so aus, als würde die Irre Anzeige gegen das Kind erstatten. Also lassen wir uns davon nicht unseren ersten Abend verderben.«

Das ist so wunderbar typisch Dan. Wir hätten heute beinahe ein Kind überfahren, aber davon lassen wir uns nicht den Abend verderben, oder? Er hat recht. Er hat immer recht. Was soll es bringen, darüber nachzugrübeln? Niemand wurde verletzt. Beide Mütter haben heute ihre Kinder nach Hause gebracht, und das ist der bestmögliche Ausgang, den wir uns hätten wünschen können. Aber warum ist mir dann trotzdem so unwohl bei dieser Geschichte?

# Kapitel 10

Die Schulversammlung wäre die ideale Gelegenheit. Sobald sie sich entschlossen hat, es zu tun, das Wort »Schummeln« aus ihrem Kopf verbannt und sich gesagt hat, dadurch hätte Yasmin am ehesten Chancen, den Test zu bestehen, ist es recht simpel. Sogar viel einfacher, als Florence einen gern glauben machen will. Der Haken bei den Anti-Schummel-Maßnahmen der Direktorin ist der, dass keiner damit rechnet, jemand würde allen Ernstes versuchen, bei den Abschlussprüfungen zu mogeln. Deshalb überlegt auch niemand sonderlich angestrengt, wie es zu verhindern wäre. Sie wollen, dass man es für unmöglich hält, sich von verschlossenen Schubladen und versiegelten Unterlagen abschrecken lässt. Tatsächlich haben drei Lehrer Schlüssel zu dem Aktenschrank, und jeder von denen würde einem seinen Schlüsselbund mit ebenjenem Schlüssel daran leihen, ohne im Traum zu denken, dass man diesen einen abnehmen könnte, um ihn später in der Woche zu benutzen. Und selbst wenn sie bemerkten, dass er fehlte, würden sie zunächst glauben, er wäre vom Ring gerutscht. Die Lehrer an ihrer Schule stehlen, lügen oder betrügen nicht. Das Problem mit Florence ist, dass sie es vorziehen würde, zu denken, ihre Lehrer wären unfähig genug, um einen Schlüssel zu verlieren, anstatt gerissen genug, um einen zu stehlen.

Hannah bleiben noch mindestens zwanzig Minuten, bevor die Kinder aus den Korridoren quellen und der normale Unterricht weitergeht. Das ist reichlich Zeit, um schnell ein Foto von den Aufgaben der Wiederholungsprüfung in Mathe zu machen, die ihre Nichte nächsten Monat machen musste. Yasmin war am Boden zerstört gewesen, als sie im letzten Schuljahr durchfiel, und Hannah möchte bloß dafür sorgen, dass sie die richtigen Sachen übt. Sie verrät ihr natürlich nicht die genauen Aufgaben, denn das wäre falsch; aber zu wissen, welche Bereiche zu lernen, welche Gleichungen noch mal durchzugehen waren, das ist doch so oder so kein richtiges Schummeln. Yas hat vier Wochen bis zur Prüfung – eine Menge Zeit, um alles zu lernen, was sie wissen muss.

Hannah schaut sich auf den Gängen um. Sie sind nicht direkt verlassen. Hin und wieder taucht ein Lehrer auf, der es geschafft hat, sich vor dem Appell zu drücken, oder kommt ein Kind aus der Aula gerannt, das dringend zur Toilette muss. Egal, sie verstößt ja gegen keine Regel, weil sie in der Materialkammer ist, und was sie tun muss, dauert nur Sekunden. Falls ein Kind hereinkäme, würde es nicht mal erkennen, dass sie irgendwas Verbotenes tat – aus offensichtlichen Gründen erzählen sie den Schülern nicht, wo die Prüfungsunterlagen aufbewahrt werden.

Die Materialkammer ist schlecht beleuchtet und ein echter Saustall. Hannah hat noch nie auch bloß versucht, hier aufzuräumen, aber sie weiß, dass mehrere andere Lehrer schon Ferientage dafür geopfert haben, das Chaos der anderen zu ordnen. Einige Kollegen sind schlimmer als die verfluchten Kinder. Der Aktenschrank mit den Prüfungsunterlagen ist ganz hinten und so niedrig, dass Hannah sich bücken muss. Sie kämpft mit dem winzigen Schlüssel, und es vergeht eine halbe Ewigkeit, ehe der Schub endlich aufgleitet.

Die Papiere sind in Folie verschweißt und alphabethisch geordnet, sodass es nur eine Sache von Sekunden ist, die Unterlagen der Mathe-Nachholprüfung zu finden. Auch die Folie stellt keine große Hürde dar. Hannah holt das Teppichmesser hervor, das sie sich gestern von der Werkkunde-Abteilung ausgeliehen und hinter einem Stapel Anspitzer versteckt hatte, und schlitzt eine dünne Linie in die Falten der Folie. Obwohl sie sich vorhin eingeredet hat, nichts könne schiefgehen und alles sei eine Sache von zwei Minuten, klopft ihr das Herz bis zum Hals. Verdammt noch mal, Hannah, beruhige dich, schimpft sie mit sich. Es wäre wirklich ärgerlich, wenn du jetzt einen Herzinfarkt bekommst und mit einem Stapel Prüfungspapieren in der Hand gefunden wirst, oder? Hannah erlaubt sich ein leichtes Grinsen, als sie eines der Blätter herauszieht und mit ihrem Handy ein paar Fotos davon macht. Himmel, die sehen schwerer aus als die ursprünglichen Prüfungsfragen! Wie gut, dass sie einen Blick darauf geworfen hat. Yas hätte nicht mal die Hälfte von dem Kram geübt.

Nachdem sie das Papier zurückgeschoben hat, steckt sie den Stapel wieder in den Aktenschrank. Der Schnitt in der Folie beunruhigt sie nicht. Sie hat ihn in die obere Schweißkante gemacht, und keiner wird ihn bemerken, wenn er die Folie am Prüfungstag an anderer Stelle aufschlitzt. Um sicherzugehen, wird Hannah sich freiwillig für die Nachholprüfungen melden und diese Folie selbst öffnen.

Beim Abschließen des Aktenschranks gratuliert Hannah sich stumm zu ihrem Erfolg. Sie hat kein schlechtes Gewissen. Wenn sie wirklich wollten, dass keiner vorher kurz reinsieht, würden sie es schwerer machen. Wahrscheinlich hatte die Hälfte dieser Stapel schon Schlitze von anderen Lehrern, die hineingelinst haben. Hannah packt das Teppichmesser in einen der Materialkartons für den Kunstunterricht, die auf dem Boden herumstehen, und dreht sich um, um zurück zu ihrem Klassenzimmer zu gehen, als ihr fast das Herz stehen bleibt. Ellie Atkinson steht stumm in der offenen Tür.

»Ellie.« Hannah setzt ihr Kinderlächeln auf. Dieses Mädchen ist richtig unheimlich. Hannah hat schon alle möglichen Geschichten darüber gehört, wie ihre Eltern bei einem Hausbrand umkamen und Ellie als Einzige überlebte. Sie war schon in zwei Pflegefamilien gewesen, bevor die Jeffersons sie aufnahmen, und die Frau von Place2Be, die ihr helfen sollte, sich einzuleben, hatte nach nur drei Wochen plötzlich ihren Job gekündigt. Hannah strafft ihre Schultern. Sie ist nur ein Kind. Was kann sie mir denn tun? »Warum bist du nicht bei der Schulversammlung?«

Ellie sagt nichts, sondern beobachtet nur Hannah auf ihre klinisch prüfende Art, als würde sie einen einschätzen und für enttäuschend mangelhaft befinden.

»Du müsstest bei der Schulversammlung sein«, wiederholte Hannah, auch wenn ihre Stimme selbst in ihren eigenen Ohren nicht sehr fest klingt. Sie kann es nicht genau sagen, doch sie glaubt, dass sie Ellie etwas murmeln hört.

»Wie bitte? Was hast du gesagt?«

Stille. Ellie hat dunkle Augen, die Hannah fixieren, und sie fühlt sich wie festgefroren.

Auf dem Gang explodiert eine Kakophonie von Geräuschen, als alle aus der Aula stürmen, und der Bann, unter dem Hannahs Füße eben noch zu stehen schienen, löst sich. Sie stößt ein verächtliches Schnauben aus, schnappt sich einen Packen Lineale von einem Regal und schwenkt sie vor Ellie, wobei sie »Ich hole nur die hier« sagt und an dem Kind vorbei aus dem Raum geht. Ellie dreht sich um und schlüpft in die Menge von Kindern, während Hannah mit zittriger Hand die Tür abschließt.

# Kapitel 11

*Imogen*

»Du siehst fantastisch aus.« Dan pfeift leise und kneift mir sanft in den Hintern. In den Monaten nach meiner Entlassung hatte mein Mann mich nur im Pyjama oder in der Jogginghose gesehen – nicht dass ich jemals laufen gegangen wäre. Tagelang hatte ich mich kaum vom Sofa gerührt, höchstens die Sitzhaltung verändert, wenn er mir Essen brachte. Es ist schön, sich wieder mehr wie ein menschliches Wesen zu fühlen. »Bist du nervös?«

»Ein bisschen«, gebe ich zu. »Es ist einfach komisch, nach so langer Zeit wieder hier zu sein und jetzt eine neue Stelle anzutreten. Aber diesmal werde ich es nicht versauen. Du brauchst keine Angst zu haben, dass so etwas wie bei Morgan and Astley noch mal passiert. Das mute ich dir kein zweites Mal zu.«

»Deshalb mache ich mir keine Sorgen«, sagt Dan, obwohl ich den Ausdruck von Erleichterung bemerke, der über sein Gesicht huscht. »Eher darüber, was nach so vielen Jahren wieder hier zu sein mit dir macht. Seit unserer Ankunft bist du ziemlich still. Letzte Nacht bist du ewig lange aufgeblieben, bloß damit du nicht in das Zimmer deiner Mum musstest. Du weißt doch, dass wir dies hier hätten verkaufen und bleiben können, wo wir waren.«

»Und wie lange hätte das gedauert? Wir konnten uns die Miete da nicht mehr viel länger leisten, Dan, nicht, ohne dass ich arbeite. Die Wohnung hat uns ausgeblutet. Ich konnte einfach nicht länger damit leben, dass wir meinetwegen unsere

Ersparnisse anrühren müssen, die sowieso nicht allzu hoch sind. Großmutter hat Mum dieses Haus schuldenlos hinterlassen, und jetzt gehört es uns. Außerdem hatte ich mich in London für ungefähr vierzig Jobs beworben und nichts als Absagen bekommen. Dies war unsere einzige Option, und das weißt du auch.«

»Wir hatten andere«, sagt er sanft. Ich weiß, welche die gewesen wären.

»Ich wollte kein Geld von deinen Eltern.« Es kommt schroffer als beabsichtigt heraus, doch Dan zuckt nur mit den Schultern.

»Ihnen hätte es nichts ausgemacht.«

»Aber mir.« Ich habe Mühe, nicht gereizt zu klingen. Mir ist klar, dass es seinen Eltern nichts ausgemacht hätte. Dan ist ihr einziger Sohn, und sie – nun, genauer gesagt seine Mum – strengt sich verzweifelt an, mich bei der Stange zu halten, auf dass ich ja nicht mitsamt meinen Eierstöcken verschwinde. Bei jedem Besuch bringt sie Blumen und Wein mit – letztes Mal erschien sie mit einem gehäkelten Stifte-Etui, einem pfirsichfarbenen Wollschlauch, der so obszön aussah, dass ich, als Dan mich ansah und die Augenbrauen hochzog, mich entschuldigen und in die Küche fliehen musste, um dort in den Kühlschrank zu lachen, bis mir die Tränen kamen.

»Es ist, wie du gesagt hast, ein Neuanfang. Wir sind nicht mehr ohne festes Einkommen in einer Mietwohnung, die wir uns nicht leisten können, sondern haben unser eigenes Haus und ich einen neuen Job. Dies hier ist wichtig für uns.«

»Es ist wichtig für dich«, entgegnet Dan und küsst mich auf den Scheitel. »Du bist wichtig für mich. Und ich weiß, dass du nicht über deine Mum reden willst.« Auf meinen Blick hin hebt er beide Hände. »Und das ist in Ordnung. Du kennst mich, Im, ich würde dich nie bedrängen. Aber eines Tages überwindest du hoffentlich, was auch immer gewesen sein mag. Um unserer Familie willen.«

Plötzlich fühlt sich mein Mund an, als wäre er voller Sand. Ich nicke und sehe zur Seite.

»Ich gehe mal lieber«, sage ich. »An meinem ersten Tag will ich nicht zu spät kommen.«

# Kapitel 12

Im Klassenraum ist es still. Alle Kinder sitzen an ihren Aufgaben, und Hannah nimmt ihr iPad hervor, um mindestens eine halbe Stunde auf Facebook zu verbringen. Vielleicht würde sie sich neue Schuhe kaufen, etwas fürs Wochenende.

Sie arbeiten erst seit fünf Minuten an der Aufgabe, die Hannah ihnen gestellt hat, als Ellie die Hand hebt. Hannah widersteht dem Drang, laut zu stöhnen. »Ja, Ellie?«

»Miss, darf ich Sie was über Moral fragen?«

Hannah überkommt ein beklemmendes Gefühl. Sie wähnt sich sofort in einer Falle. »Nur zu.«

Ellie lächelt, was so verhalten ausfällt und schaurig wirkt, dass sich die Härchen auf Hannahs Armen aufrichten. »Ich möchte nur wissen, was Sie meinen, was man tun sollte, wenn man glaubt, dass man jemanden mogeln gesehen hat.«

Mist! Sie hatte gewusst, dass Ellie sie in der Materialkammer gesehen hatte. Aber woher konnte sie gewusst haben, was Hannah dort gemacht hatte? Sofern sie nicht wusste, wo die Prüfungsunterlagen verwahrt wurden – und es ist unwahrscheinlich, dass die Siebtklässler es wussten oder sich überhaupt dafür interessierten –, hätte es ausgesehen, als würde Hannah lediglich Material für den Unterricht holen.

»Ich denke, man müsste sich sehr sicher sein, was man gesehen hat, Ellie.«

»Aber würden Sie sagen, dass man es jemandem erzählen muss?«, beharrt Ellie. »Wie der Direktorin?«

Hannah zuckt zusammen. »Ohne irgendwelche Beweise

wäre ich vorsichtig. Es könnte aussehen, als wolle man jemanden in Schwierigkeiten bringen. Wenn du willst, können wir uns gerne nach dem Unterricht ausführlicher darüber unterhalten.«

Ellie lächelt wieder so schaurig. »Ich glaube, das ist nicht nötig, Miss. Danke.«

# Kapitel 13

*Imogen*

Mein neues Büro ist so anders als das alte, dass es ebenso gut auf einem anderen Planeten sein könnte. Es ist vollkommen offen, und zwischen den Schreibtischen befinden sich Stellwände, die kaum höher als bis zur Stirn des Gegenübers reichen, weshalb es ihnen schwerlich gelingt, eine Illusion von Privatsphäre zu erzeugen. Insgesamt sind hier zwölf Arbeitsplätze, wurde mir heute Morgen erklärt, doch die meisten Leute arbeiten die Hälfte der Woche von anderen Büros aus, sodass hier selten alle Plätze besetzt sind. Dennoch unterscheidet es sich so sehr von meinem Einzelbüro, dessen geschmackvoller Einrichtung und insbesondere der Ruhe dort, dass ich jetzt bereits das Gefühl habe, ich könnte hier nicht richtig atmen. Heute sind sieben Leute da, und die reichen aus, um ein stetes Brummen von Stimmen zu erzeugen, ähnlich einer Klimaanlage, bei der die Wartung überfällig ist.

»Es ist super, dich hier zu haben, endlich.« Lucy ist die wenig beneidenswerte Aufgabe zugefallen, mich herumzuführen, allen vorzustellen und mich generell in die Arbeit im öffentlichen Dienst einzuweisen. Bisher hat sie mich über die internen Gepflogenheiten, wie den Gebrauch der Teekasse und wo die Schließfächer zu finden sind, aufgeklärt. Bei dem Wort »endlich« grinst sie, um mir zu bedeuten, worauf sie hinauswill. Auch über die Personalabteilung hat sie sich schon weidlich ausgelassen. »Du wirst bald merken, wie es hier läuft. Warum sollte man etwas in einer Woche erledigen, wenn man es auch über drei Monate strecken kann? Nicht dass uns jemand verraten hätte, dass eine Stelle frei wurde, aber dass die über einen Monat gebraucht haben, um die auszuschreiben! Deshalb haben wir so einen Rückstau.

Jedenfalls«, Lucy legt eine Atempause ein, als sie meinen Gesichtsausdruck sieht. »Ich mache dir Angst. So schlimm ist es eigentlich nicht, eben klassisch öffentlicher Dienst. Du warst zuletzt in der Privatwirtschaft, oder? Ich kann mir nicht vorstellen, warum du da weg bist, um für den Staat zu arbeiten. Ich würde ja meinen linken Arm für einen Job in der Privatwirtschaft geben.« Sie kichert verlegen, und ich versuche, meine Grimasse in ein Lächeln zu verwandeln. Sind alle hier so? Ich bin nicht an diese »Wir gegen die anderen«-Haltung gewöhnt und noch weniger an Kollegen, die einem schon ihre Lebensgeschichte erzählen, bevor man das erste Mal an seinem Schreibtisch sitzt. Sechs Jahre war ich bei Morgan and Astley gewesen und hatte so gut wie nichts über das Privatleben der Kollegen gewusst. Vielleicht ist das »klassisch freie Wirtschaft«. Ich grabe meine Fingernägel in die Haut zwischen meinem Daumen und meinem Zeigefinger, um die aufsteigende Übelkeit zu verdrängen. Was habe ich getan? Habe ich tatsächlich meine Karriere weggeworfen und bin hier gelandet? Jetzt kommt mir dieser Gedanke lächerlich vor, als wäre ich betrunken gewesen und könnte mich nicht erinnern, was ich getan hatte oder warum. Du kannst froh sein, einen Job zu haben, ermahne ich mich. Noch dazu so einen guten. Place2Be ist eine fantastische Einrichtung, die Schulen im ganzen Land psychiatrischen Beistand bietet. Wir helfen Kindern, die es tatsächlich brauchen, nicht bloß reichen Sprösslingen, die aus der Reihe tanzen. Kindern wie ... nein, denk nicht mehr an ihn.

»Alles Büromaterial ist in der Kammer gleich den Flur runter, neben der Verwaltung. Joy hat den Schlüssel, aber nur, damit nicht jeder seinen Müll da reinschmeißt. Ich gehe gleich mit dir hin, damit wir deinen Schreibtisch bestücken können. Wie es aussieht, wurde der geplündert, nachdem Em weg war.« Sie blickt entschuldigend zu dem leeren Möbelstück. Der Tisch ist aus Eichenfurnier, von dem an einer Ecke ein großes Stück abgeplatzt ist und der nach hinten ein bechergroßes, von Plastik eingerahmtes Loch hat. Mein alter war ... egal. Der gehört jetzt jemand anderem. Wahrscheinlich dem fetten Matt. Er war schon seit Jahren scharf auf mein Büro gewesen. Mich ärgert die Vorstellung, dass Matt seine Speckrollen an meinem Ledersessel reibt und meinen zarten Weihrauch-Raumduft mit seinem beißenden Schweißgestank übertönt. »Irgendwann heute kommt noch jemand von der IT, um deinen Computer anzuschließen.«

Wie bequem, alles bis zur letzten Minute aufzuschieben, denke ich, sage aber nichts. Sie wissen seit Wochen, dass ich heute anfange, doch ich werde mich gewiss nicht gleich an meinem ersten Tag beschweren.

Joy ist, getreu ihrem Namen, eine fröhliche Frau, einer dieser Menschen, in deren Gegenwart man sich auf Anhieb besser fühlt.

»Guten Morgen, Schätzchen«, flötet sie, als Lucy mich in das Büro schiebt. Es ist so komisch, überall präsentiert zu werden wie die Neue in der Schule. »Schön, dich an Bord zu haben. Behandelt Lucy dich gut?«

Das fragt sie mit einem solch liebevollen Lächeln zu Lucy, dass ich mir erst recht wie eine Außenseiterin vorkomme. »Ja, sie ist wahnsinnig nett, danke.«

»Wir wollten uns deinen geheimen Schlüssel ausleihen«, sagt Lucy zu ihr, und Joy setzt eine übertrieben entsetzte Miene auf. »Keine Bange, wir laden keinen Sperrmüll ab.«

»Noch habe ich keinen Müll«, ergänze ich lächelnd. »Wie es aussieht, hat Emily alles mitgenommen.«

Lucy und Joy wechseln einen Blick. »Ja, na ja, jetzt können wir sie wohl schlecht noch feuern, nicht?«, scherzt Joy. »Hier. Dann rüste dich mal aus.«

Ich zucke innerlich zusammen und bereue sofort, angedeutet zu haben, dass ihre Ex-Kollegin geklaut hat. *Reiß dich zusammen. Du bist kein Kind am ersten Schultag!*

Den Großteil des Vormittags sitze ich an meinem neuen Schreibtisch und schaue zu, wie der IT-Mann Computerteile anschließt und wieder ausstöpselt, während er vergeblich versucht, mein Log-in freizuschalten. Zwischendurch flattert ein fotogroßes Papier zu Boden, als der IT-Lehrling sich abmüht, den Schreibtisch von der Wand wegzurücken. Ich hebe es auf und sehe, dass es eine Nahaufnahme von einer jungen Frau ungefähr in meinem Alter ist, die ihre nackten Arme um einen gut aussehenden Mann gelegt hat. Sie sehen aus, als wären sie im Urlaub, so braun sind sie.

»Ist das Emily?«, frage ich und drehe mich auf dem Stuhl herum, um Lucy das Foto zu zeigen. Sie wendet sich zu mir und reckt den Hals.

»Ja, das ist sie. Hübsch, nicht? Und der Mann ist Jamie. Er ist der Grund, weshalb sie gekündigt hat – um ihn zu heiraten. Ein echter Glücksgriff.«

»Und reich, nehme ich an?«, frage ich und erschrecke umgehend, weil ich bereits wie eine Tratschtante klinge. Ein Vormittag in der Gemeindeverwaltung, und ich bin ein anderer Mensch.

Lucy scheint verwirrt. »Das glaube ich nicht. Wie kommst du darauf?«

»Na, wer kündigt denn heutzutage noch, um zu heiraten? Ich meine, es sei denn, sie ist weiter weggezogen oder so …«

Lucy schüttelt den Kopf. »Das hat sie nicht gesagt. Offen gestanden war ich auch überrascht, aber ich konnte sie nicht mehr fragen. Sie war erst krankgeschrieben, und dann ist sie nicht wiedergekommen.« Lucy senkt die Stimme. »Die meisten Leute hier machen es so, wenn sie nach einem neuen Job suchen. Wir haben ja bis zu sechs Monaten volle Lohnfortzahlung im Krankheitsfall.«

Ich nicke, als würde es mir vollkommen einleuchten, obwohl ich es längst aufgegeben habe, die Denkweise anderer Erwachsener verstehen zu wollen. Warum sich jemand nicht nach einer neuen Stelle umsehen kann, solange er in seinem alten Job weiterarbeitet, ist mir schleierhaft.

»Und woher weißt du, dass sie geheiratet hat?«

»Das hat uns die Personalabteilung erzählt. Es ist aber schon seltsam. Sie hat ihren Namen auf Facebook nicht geändert und uns alle von ihrer Freundesliste gestrichen. Nicht dass es mir viel ausmacht, aber ich dachte schon, dass wir ganz gut befreundet waren. Bei der Arbeit zumindest.«

»Alles klar«, sagt der IT-Lehrling und tippt oben auf meinen Computer. Ich drehe mich wieder zu ihm.

»Danke.« Ich grinse. »Dann sollte ich wohl lieber ein bisschen arbeiten.« Ich sehe auf die Uhr. Eine halbe Stunde bleibt mir noch bis zum ersten Meeting mit meinem neuen Chef, also muss der Klatsch vorerst warten.

## Kapitel 14

*Ellie*

Im Haus ist es ungewöhnlich still für diese Zeit am Abend, was Ellie gefällt. In ihrem neuen Leben hat sie so selten Zeit, die Ruhe zu genießen, von der ihr nie bewusst gewesen war, wie sehr sie sie zwischendurch brauchte. Oder vielleicht hatte sie es auch nicht, sondern tut es erst jetzt, da sie immerzu unter Menschen ist. Es kann sein, dass sie dadurch gelernt hat, Stille zu schätzen.

Ihre Pflegeeltern, Sarah und Mark Jefferson, sind mit Billy dem Fiesling beim Elternabend, und Ellie und Mary sind allein zu Hause. Mary ist fünfzehn, deshalb darf sie für wenige Stunden auf Ellie aufpassen. Jedenfalls sagt Sarah das, auch wenn Ellie sicher ist, dass sie es beim Besuch der Sozialarbeiterin nicht erwähnen würde. Billy ist verschlagen und rachsüchtig, und garantiert bekommt er ein glänzendes Schulzeugnis. Sie sind alle zu blöd, um zu erkennen, wie er sein kann, wenn keine Erwachsenen dabei sind. Die Schule, Sarah und Mark ... einzig Ellie weiß, wie er wirklich ist. Sogar Mary behauptet, er sei harmlos – verwirrt und traurig. Aber so ist Mary eben. Sie will immer nur das Beste in jedem sehen.

Klack.

Klack.

Klack.

Als sie das scharfe Klackern an der Fensterscheibe hört, hat Ellie keine Angst. Das Schrecklichste ist ihr schon passiert, und seither ist es ihr so gut wie unmöglich, sich zu fürchten. Sie stellt sich vor, dass es die langen, hakenförmigen Krallen eines schuppigen Dämons mit schwarzen Augen sind, die einen Takt auf dem Glas klopfen.

*Lass mich rein, lass mich rein, kleine Ellie*, sagt er. *Lass mich rein, und ich werde dein bester Freund sein. Lass mich rein, und ich lasse nie wieder zu, dass dir jemand wehtut.*

Warum soll ich dir vertrauen?

Nun, wem kannst du denn sonst trauen?

Erst als sie Stimmen hört, begreift Ellie, dass es keine Dämonenkrallen sind, die an ihr Fenster klackern. Es sind kleine Kieselsteine, die gegen das Glas geworfen werden. Sie steigt aus dem Bett und geht zum Fenster, wo sie die Vorhänge zurückzieht.

Unter einer Laterne stehen sieben Mädchen auf dem Gehweg. Es ist dunkel, und Ellie erkennt ihre Gesichter nicht. Sie ist noch nicht lange an der neuen Schule und kennt so gut wie niemanden, weil keiner von den Schülern mit ihr reden will. Ihr ist allerdings klar, dass die Mädchen nicht hier sind, um sich mit ihr anzufreunden.

Eine von ihnen schaut nach oben, sieht Ellies Gesicht am Fenster und zeigt hin. Durch das Glas hört Ellie sie zischen: »Da ist sie, die Hexe!«

Schlagartig sehen alle nach oben. Eine von ihnen ruft: »Komm runter, Hexe!«, und sie alle lachen und plappern. Alle bis auf die eine, die zu Ellies Fenster hinaufstarrt, mit ausdrucksloser Miene und nicht zu deuten. Jetzt erkennt Ellie sie. Naomi Harper. Von allen Mädchen unten ist sie diejenige, bei deren Anblick Ellie eine Gänsehaut bekommt. In Naomis Augen funkelt echte Boshaftigkeit, wie Ellie sie weniger ausgeprägt bei Billy gesehen hat. Doch selbst aus dieser Entfernung weiß Ellie, dass Naomi heute Abend hier ist, um ihr etwas zu tun. Sie wird nicht nach unten gehen, ihnen nicht geben, was sie wollen. Aber was, wenn sie hierauf kommen? Ist sie sicher, dass Sarah und Mark die Türen abgeschlossen haben, als sie vorhin zum Elternabend gingen?

Es ist Naomi, die den Singsang anstimmt, zuerst leise, dann lauter, als die anderen Mädchen einstimmen. Dabei starren sie alle zum Fenster.

»Eins, zwei, Ellie kommt vorbei. Drei, vier, verschließe deine Tür ...«

Ellie erkennt die Melodie und die Worte von einem Reim, den sie in einem Gruselfilm gehört hatte, damals in ihrem alten Leben, als Jessica George sie zum Übernachten eingeladen hatte und sie sich heimlich *Nightmare on Elm Street* aus der DVD-Sammlung ihre Dads ansahen. Sie hatten kaum die Hälfte des Films gesehen, als Jessica schreiend die DVD auswarf und sie durchs Fenster in den Garten schleuderte. Das kommt Ellie jetzt wie eine Ewigkeit her vor. Ihre Angst war so kindlich und unschuldig gewesen.

Ellie donnert laut gegen das Fenster, damit sie aufhören, und eines der Mädchen schreit, als sei es geschlagen worden. Der Lärm lockt Mary aus ihrem Zimmer, und sie rennt zum Fenster, um nachzusehen, was unten los ist.

»Was ist denn, Ellie?«, fragt Mary und späht nach unten. »Ach du Scheiße!«

Sie verschwindet so schnell, wie sie gekommen ist, und Ellie wartet, ob sie unten aus dem Haus tritt. Sie betet, dass Mary nichts Blödes macht, um sie zu beschützen. Lieber sollen diese Mädchen die ganze Nacht ihr bescheuertes Lied singen, als dass Mary verletzt wird, weil sie Ellie verteidigen will. Sie ist fünfzehn – ganze vier Jahre älter als Ellie, aber ein paar der Mädchen unten sehen auch älter aus, und sie sind mehr als sie. Die Haustür geht nicht auf, und Mary tritt nicht auf die Straße. Stattdessen kehrt sie in Ellies Zimmer zurück, trägt die

Abwaschschüssel herein, aus der Wasser überschwappt und auf dem Teppich landet.

»Was hast du vor?«, fragt Ellie. Sie beobachtet Mary fasziniert.

»Ich werde denen eine verdammte Lektion erteilen«, antwortet Mary. »Sie müssen jetzt endlich kapieren, dass sie dich nicht triezen dürfen, sonst machen sie es das ganze Schuljahr.«

Sie lehnt die Schlüssel auf das Fensterbrett, stellt jedoch fest, dass sie das Ding nicht loslassen kann, um das Fenster zu öffnen. Deshalb nickt sie zum Riegel. »Mach mal auf, Ellie.«

Ellie müht sich mit dem Fenster ab und stößt es so weit auf, wie sie kann. Blitzschnell schleudert Mary das Wasser aus dem Fenster auf die Mädchen unten. Schreie hallen durch die Straße, während Wasser auf den Gehweg klatscht, auf einem Mädchen landet und den Rest von ihnen vollsprüht. Die beiden Mädchen im Zimmer sehen einander grinsend an.

»Jetzt verpisst euch!«, brüllt Mary aus dem Fenster. »Sonst bewerfe ich euch gleich mit was anderem als Wasser, ihr blöden Kühe.«

Die Mädchen stieben auseinander und rennen dann zum Ende der Straße, wobei sie über ihre Schultern »Hexe!« rufen. Naomi bleibt auf halbem Weg stehen und sieht direkt hinauf zu Ellie, die immer noch aus dem offenen Fenster blickt. Ihre Miene ist nicht mehr ausdruckslos, sondern zornig.

»Das ist noch nicht vorbei, Hexe!«, schreit sie hinauf zum Fenster.

Ellie legt eine Hand an die kühle Scheibe. Ihr Gesicht fühlt sich wie versteinert an. Sie starrt Naomi Harper an und sieht, wie sich deren Mimik von der Jägerin zur Gejagten verändert. Vor Schreck reißt sie die Augen weit auf und stolpert rückwärts, genau wie in der Stadt. Ellie bewegt ruckartig den Kopf nach vorn wie zum Angriff, und Naomi dreht sich um und rennt in die Nacht.

Mary stellt die leere Abwaschschüssel auf den Boden und nimmt Ellie in die Arme. »Die sind bloß furchtbar, weil du anders bist«, sagt sie und drückt Ellie fest. »Du redest nicht viel, und deine Geschichte ist so rätselhaft und so. Wenn sie nicht alle Fakten kennen, denken sie sich welche aus. Und was sie sich ausdenken, ist meistens viel schlimmer als die Wahrheit.«

»Sie haben gesagt, dass ich eine Hexe bin.« Ellies Stimme klingt gedämpft, als würde man Gesprächsfetzen durch eine verschlossene Tür hören.

»Dazu braucht es nur eine von ihnen«, erklärt Mary. »So funktioniert es immer. Es braucht nur eine fiese kleine Zicke wie Naomi Harper, um ein Gerücht in die Welt zu setzen, und das wird wie Stille Post. Es sind dumme kleine Kinder. Alles, was sie gehört haben, ist, dass du ein Feuer überlebt hast, bei dem deine Eltern und dein kleiner Bruder gestorben sind. Und wer überlebt Feuer? Hexen. So blöd und erbärmlich sind die. Mehr Infos brauchen sie nicht.«

»Sind die dumm!«, schimpft Ellie, und nun spricht sie eher mit sich selbst als mit ihrer Schwester. »Hexen überleben kein Feuer. Sie verbrennen. So haben sie die früher umgebracht, wenn sie nicht ertrunken sind.«

»Das meine ich ja, Ellie. Du bist ein bisschen seltsam. Normalerweise reden Elfjährige nicht darüber, dass Menschen bei lebendigem Leib verbrennen. Die anderen hören, dass du ein Feuer überlebt hast, und denken an Hexen. Sie wissen im Grunde nichts über die Hexenprozesse von Salem.«

»Meine Mum hat mir alles darüber erzählt«, erklärt Ellie. »Sie hat gesagt, dass vor langer Zeit eine von unseren Vorfahren auf dem Scheiterhaufen verbrannt wurde, weil sie eine Hexe sein sollte. Die Leute im Dorf trauten ihr nicht, weil sie Kranke mit Kräutern heilte. Das genügte ihnen, um sie für eine Hexe zu halten.«

»Und die Tatsache, dass du ein bisschen still bist und die Kinder wenig von deiner Vergangenheit wissen, genügt ihnen jetzt, um zu beschließen, dass du eine Hexe bist«, sagt Mary achselzuckend. »Eigentlich hat sich nicht viel geändert, oder?«

Ellie denkt darüber nach und über die Frau, von der ihre Mutter ihr erzählt hatte, die wegen Hexerei angeklagt wurde, nur weil sie anders war als alle anderen. Sie hätte sich nie vorgestellt, dass die Leute heute noch so wären. Oder dass sie es sein würde, der man wegen Hexerei den Prozess machte.

Mary streicht ihr übers Haar und hebt ihr Kinn, damit Ellie sie ansieht. »Hör mal, Ellie, mach dir deshalb keine Sorgen. Die gehen hoffentlich klatschnass nach Hause, denken über das nach, was eben war, und begreifen, wie blöd sie waren. Oder zumindest, dass du jemanden hast, der dir beisteht und nicht zulässt, dass sie dich so behandeln. Und sollte hierüber irgendwas in der Schule gesagt werden, sorge ich dafür, dass diejenigen tagelang kein Wort mehr sagen. Ich dulde nicht, dass sie so zu dir sind, Ellie. Du bist jetzt meine kleine Schwester, und ich passe auf dich auf.«

Ellie versucht zu lächeln, aber sie ist zu wütend. »Ja«, murmelt sie. »Wie du sagst, wird es ihnen bald langweilig werden. Sicher suchen sie sich dann jemand anderen, den sie triezen können.« *Wenn sie wissen, was gut für sie ist.*

»Tja, falls nicht«, sagt Mary, »falls sie dir mehr Ärger machen, wenn ich nicht in der Nähe bin, versuch einfach, dich so gut du kannst zu verteidigen. Du weißt, dass du das kannst. Und dann erzählst du es mir, und ich regle das.«

»Soll ich Sarah erzählen, was passiert ist?«

Mary schüttelt den Kopf. »Noch nicht. Sehen wir erst mal, ob wir das mit Naomi allein regeln können, ja? Wenn sich die

Erwachsenen einmischen, scheint es meistens sowieso bloß noch chaotischer zu werden.«

Als Ellie klein war, hatte ihre Mutter ihr ein Sorgenmonster gegeben, damit sie alles, was sie bekümmerte, aufschreiben und es ihm in den Mund stopfen konnte. Und am nächsten Morgen waren die Sorgen dann weg. Ellie wünschte, sie hätte ihr Sorgenmonster jetzt bei sich. Sie stellt sich vor, wie sich seine spitzen Filzzähne in schimmernde Hauer verwandeln, sieht im Geiste vor sich, wie sie sich in Naomi Harpers Kehle versenken und leuchtend rotes Blut aus den tiefen Wundlöchern tropft. Sie weiß, dass sie heute Nacht von Naomi träumen wird.

# Kapitel 15

*Imogen*

»Imogen, entschuldigen Sie vielmals, dass Sie warten mussten.«

Ich bin schon seit zehn Minuten im Konferenzraum, als Edward Tanners mit einem A4-Notizbuch voller Eselsohren und einem Becher mit etwas Heißem drin hereinkommt. Ich hatte keine Zeit gehabt, mir etwas zu trinken zu machen – und viel zu große Angst, dass ich den Raum nicht finden und zu spät kommen könnte, wenn ich vorher noch zur Kantine ging. Immerhin bemerkt Edward, dass mein Blick zu seinem Becher schweift, und sieht auf seine Hand.

»Oh, möchten Sie auch einen? Hat Ihnen jemand die Kantine gezeigt? Es tut mir ehrlich leid, dass ich heute Morgen kaum hier war. Ich habe schon seit neun Uhr ein Meeting nach dem anderen. Ehrlich, ich kann das Wort ›Zielvereinbarung‹ bald nicht mehr hören!«

Ich lächle höflich. »Alles bestens, danke. Ich komme klar. Lucy hat mir gezeigt, wo alles ist, und die IT hat meinen Computer funktionsfähig gemacht.«

»Gott, Sie müssen etwas Magisches an sich haben! Die IT taucht sonst frühestens am vierten oder fünften Tag auf.« Edward grinst auf eine Art, die buchstäblich schreit: *Kein Witz!* »Und ich bin froh, dass Lucy Ihnen hilft, sich einzuleben. Sie werden recht eng mit ihr und dem Rest des Teams zusammenarbeiten. Wir sollen zwar alle unsere eigenen Fälle haben, aber hier ist es nicht wie in der Privatwirtschaft. Bei uns machen vier Leute die Arbeit von sechs, und eine Zeit lang waren wir nur zu dritt. Wir müssen eng im Team arbeiten, und zum Glück haben wir ein richtig gutes.« Diesmal ist sein Lächeln echt, und ich habe den Eindruck, dass das zumindest stimmt. So anders hier auch alles ist und sosehr ich mich erstmal daran gewöhnen muss, wird die entspannte, lockere Umgangsart im Team sicher eine der eher positiven Veränderungen sein.

»Das hört sich toll an, und ich freue mich auf die Zusammenarbeit mit den anderen.«

»Apropos Arbeit ...« Edward schlägt sein Notizbuch auf, trägt oben das Datum ein, und ich mache es ihm nach. »Wir übernehmen Fälle von mehreren anderen Schulen neben der hier in Gaunt. Lucy und Sie bearbeiten die Schulanfragen, Jemma und Charlie sind für die kritischen Erwachsenenfälle zuständig, aber von Ihnen wird erwartet, dass Sie notfalls zwischen beiden wechseln. Ist das okay für sie?«

»Selbstverständlich. Wie teilen wir die Fälle auf?«

»Wir haben jeden zweiten Dienstag ein Planungstreffen, bei dem wir die Arbeit aufteilen, doch wenn zwischendurch dringende Fälle kommen, teilen wir sie direkt je nach Auslastung zu.«

Ich nehme an, das bedeutet: »Es trifft den, der ans Telefon geht«, und nicke. »Okay. Gibt es irgendwelche besonderen Fälle, die ich von meiner Vorgängerin übernehmen soll?«

Edward zögert kurz. »Da gab es einige Anfragen, die das Team noch nicht unterbringen konnte. Ich schicke Ihnen die Einzelheiten per Mail. Im Team führt jeder seinen eigenen Kalender, und wir zeigen Ihnen das Fallakten-Programm, das wir benutzen, um alle auf dem Laufenden zu halten, falls Sie im Lotto gewinnen und über Nacht verschwinden.«

Ich lächle und versuche, nicht zu übereifrig zu wirken. »Nun, wenigstens müssen Sie keine Angst haben, dass ich verschwinde, um zu heiraten.« Ich halte meine Hand in die Höhe. »Habe ich schon und bin noch hier.«

Edward sieht verwirrt aus. »Warum sollten Sie denn Ihren Job aufgeben, nur weil sie verheiratet sind?«, fragt er und wird ernst. »Wir haben hier keine Vorurteile gegen jung verheiratete Frauen. Da würde ich mächtigen Ärger mit der Personalabteilung bekommen.«

»Oh, Entschuldigung, es ist nur, dass ich dachte, deshalb hätte Emily gekündigt. Es sollte ein Witz sein …«

Edward nickt energisch. »Natürlich, jetzt verstehe ich! Ha! Es ist ein bisschen eigenartig, nicht wahr? Ich hatte das schon fast wieder vergessen.« Er schiebt seinen Stuhl zurück. »Gut, tut mir leid, dass diese Besprechung kurz ausfällt, aber ich habe auch noch den ganzen Nachmittag Meetings – das Monatsende naht.« Er zuckt mit den Schultern, als würde es alles erklären. »Tammy von der Personalabteilung erledigt später noch den ganzen langweiligen Gesundheits- und Sicherheitskram mit Ihnen, und ich habe arrangiert, dass Sie Lucy diese Woche bei einigen ihrer Besuche begleiten. Ich schicke Ihnen die Fälle, die Sie sich ansehen können. Rufen Sie mich an oder schreiben Sie mir eine E-Mail, wenn Sie zusätzliche Informationen brauchen oder sich bei irgendwas unsicher sind.« Edward steht auf, und ich tue es ebenfalls, ein bisschen perplex ob des abrupten Endes.

»Schön, Sie an Bord zu haben, Imogen. Wir freuen uns sehr, jemanden mit Ihrer Erfahrung und Ihrem Background in unserem Team zu haben.«

»Danke«, antworte ich, während Edward sich schon zum Drehen wendet. »Ich freue mich, hier zu sein.«

# Kapitel 16

*Imogen*

»Wie ist es heute gelaufen?« Dan gibt mir einen Becher Tee und setzt sich zu mir aufs Sofa. »Kein Salz im Tee? Zellophan auf der Klobrille?«

Ich grinse. »Es war nicht mein erster Tag in der Schule, Dan. Sie waren alle richtig nett zu mir.« Ich tue, als wollte ich über meine Schulter sehen. »Es sei denn, mir klebt ein ›Tritt mich!‹-Schild auf dem Rücken, von dem ich nichts gemerkt habe.«

»Das habe ich abgenommen, als du reingekommen bist«, scherzt er. »Der Drang, dich zu treten, war einfach zu stark, solange es da haftete.«

Ich gebe ihm einen Klaps mit der freien Hand. »Was ist mir dir? Hast du heute irgendwelche Bestseller geschrieben? Mit dem inspirierenden Tapetenwechsel und so.«

»Zwei.« Er bückt sich, hebt meine Füße auf seinen Schoß und beginnt, sie zu massieren. Dankbar stöhne ich und mache es mir bequemer. »Du hattest recht, was diesen Ort angeht. Es ist die ideale ländliche Umgebung.«

Ich krümme mich innerlich. Ganz sicher habe ich nie das Wort »ideal« benutzt, wenn ich mein Heimatdorf beschrieb. Ich denke daran, wie oft ich mich hier früher fehl am Platz gefühlt hatte, wie oft ich davon träumte, Gaunt für immer zu entfliehen. Und dann, als ich es endlich hatte, zog es mich hierher zurück. Ich sage mir selbst, dass es unumgänglich war – wer zahlt schon Miete, wenn er ein Haus auf dem Land geerbt hat?

Doch hier frage ich mich, ob es nicht noch mehr war. Irgendetwas, mit dem ich noch nicht abgeschlossen hatte?

»Und ein großartiger Ort, um eine Familie zu gründen«, ergänzt Dan, als ich nichts sage. »Hast du dir mal angesehen, wie sie das mit dem Mutterschutz regeln?«

»Ja, klar doch«, erwidere ich und bemühe mich gar nicht erst, nicht sarkastisch zu klingen. »Gleich als Erstes habe ich mir das Personalhandbuch ausgedruckt und alle Absätze zu Schwangerschaft und Mutterschutz doppelt unterstrichen.«

»Okay, ja, sehr witzig.« Dan verlagert seine Position, hebt meinen anderen Fuß näher zu sich und drückt den Daumen in die Sohle. Der Druck auf meinen müden Füßen fühlt sich fantastisch an. Dieser Umzug hat mich völlig erledigt. Gott allein weiß, wie müde ich wäre, hätte ich all das mitsamt Kinderschar schaffen müssen. Heute Morgen war mir schlecht vor Sorge gewesen, und jetzt merke ich schon, wie meine Augenlider schwer werden, dabei ist es erst acht Uhr abends.

»Vielleicht wartest du noch ein oder zwei Wochen, bevor du ihnen erzählst, wie viele Kinder du planst«, sagt er, als würde er scherzen. Doch ich habe plötzlich ein gruseliges Bild von mir in einer fleckigen braunen Schürze vor Augen, umringt von sieben oder acht schmutzigen, plappernden Kindern, die sich gegenseitig die Finger in die Augen piken und in den Babyspeck zwacken. Unwillkürlich erschaudere ich.

»Ist dir kalt?«, fragt Dan und will aufstehen. Er trommelt sich albern auf die Brust. »Ich kann uns Feuer machen.«

»Nein, alles gut, danke. Vielleicht verschwinde ich im Bett, wenn ich ausgetrunken habe, falls es dir nichts ausmacht. Erster Tag und so.«

»Ja, natürlich.« Dan ist sichtlich angetan von dem Gedanken, ins Bett zu gehen. »Soll ich mit dir nach oben kommen?«

Mein Kopfschütteln erfolgt ein wenig zu schnell. Aber ich

weiß, dass Dan mit seiner Frage nicht meinte, ob er sich auch schon hinlegen soll. »Heute Abend nicht, Babe. Du bist bloß im Morgengrauen auf, wenn du so früh schlafen gehst. Ich hole ein bisschen Schlaf nach, und morgen bin ich wieder fit – bereit für den Tag.«

# Kapitel 17

*Ellie*

Wenn sie die Augen zumacht, kann Ellie sich an ihr erstes Mal hier in diesem Büro erinnern. Fremde Kleidung hatte an ihrem Körper gehangen und sie auf keinen Fall vergessen lassen, dass sie nicht ihr gehörte und sie nirgends hingehörte. Nach dem Brand war sie in die Notpflege gekommen. Ihre Großmutter war aus Frankreich hergeflogen und saß hinter der Tür dort – auf der »Privat« stand –, dabei konnte Ellie, die mit dem Rücken zum Glas saß, jedes Wort hören, das gesprochen wurde.

*Nicht die beste Umgebung für ein Kind ... sie bleibt lieber da, wo sie aufgewachsen ist ... Tante und Onkel ... schon drei Kinder ...*

Nun sitzt Ellie wieder hier, diesmal aber nicht allein. Heute sind Mary und Billy bei ihr. Sie sind alle ganz still und lauschen angestrengt den Fetzen der Unterhaltung, die von nebenan durch das Glas dringen.

»Hat sie eben Füße und Alkohol gesagt?«, fragt Ellie.

Mary verzieht das Gesicht. »Füße und Alkohol ergibt keinen Sinn.« Sie runzelt die Stirn und hebt einen Finger, als die Stimmen wieder zu hören sind. »Ich bin sicher, dass das gerade Gerichtsverhandlung war.«

Ellie drängt sich so dicht an die Wand, wie sie kann, ohne hindurchzusteigen. Billy und sie hatten Sarah und Mark unzählige Fragen zu diesem Termin gestellt, warum sie zum Sozialdienst gingen, ob es mit Ellie zu tun hätte und wie lange sie bei ihnen bleibt. Aber die beiden hatten geschwiegen, sich hin und wieder zugelächelt und gesagt: »Wartet es ab.« Mary hatte kein Wort gesagt.

»Wollt ihr drei etwas trinken?«, fragt eine große dunkelhaarige Frau, die aus dem Büro nebenan gekommen ist. Sie hat strenge Züge, aber ein breites Lächeln auf dem Gesicht. Sie sieht wie eine dieser Frauen aus, die sich bemühen, freundlich zu wirken, jedoch immer den Anschein erwecken, als wären sie lieber woanders.

»Ich ja«, antwortete Billy unhöflich.

»Nein danke«, sagt Ellie.

»Schhh!«, zischt Mary und ignoriert die Frau. »Das war eindeutig Gerichtsverhandlung. Und sechs Monate. Vielleicht bleibst du sechs Monate länger, Ellie, oder ...« Sie schüttelt den Kopf. »Nein, das sollte ich nicht sagen. Ich darf dir keine falschen Hoffnungen machen.«

»Vielleicht bin ich es«, unterbricht Billy. »Vielleicht bleibe ich hier. Vielleicht adoptiert deine Mum mich, Mary.«

»Ihr solltet wirklich nicht horchen«, sagt die Frau und zeigt auf die geschlossene Tür. »Das sind Erwachsenenangelegenheiten, und wenn sie wollten, dass ihr es wisst, hätten sie euch mit reingenommen.«

Mary sieht aus, als wolle sie die Frau ohrfeigen.

»Tja, vielleicht ist ihnen nicht klar, was ihre Entscheidungen für den Rest der Familie heißen«, sagt sie mit einem erbosten Blick zu der Frau. »Es mögen Erwachsenenunterhaltungen sein, Erwachsenenprobleme, aber am Ende müssen immer die Kinder sie ausbaden.«

Die Frau scheint mehr sagen zu wollen, es sich dann aber anders zu überlegen, denn sie nickt nur kurz und geht weg. Dabei murmelt sie: »Dann hole ich mal was zu trinken.«

»Was wolltest du sagen?«, fragt Ellie ihre Pflegeschwester, als die Frau außer Hörweite ist.

»Nur, dass sie eventuell darüber reden, dich zu adoptieren.«

Ellie schweigt.

»Würde dir das gefallen, Ellie? Möchtest du für immer zu unserer Familie gehören?«

»Sie?«, fragt Billy ungläubig. »Die würden nie eine Irre wie sie adoptieren wollen. Wahrscheinlich geht es um mich.«

Mary wirft ihm einen Blick zu, der ihn so verlässlich verstummen lässt, als hätte sie ihm auf den Mund geboxt.

»Ellie?«

Ellie zuckt mit den Schultern. Sie hasst Gaunt, die Schule und die anderen Schüler, aber wer weiß, ob es woanders besser wäre? Sie kann sich nicht vorstellen, warum die Jeffersons sie adoptieren wollen sollten, denn sie glaubt wirklich nicht, dass Sarah sie so gerne mag, und Mark scheint ziemlich gleichgültig. Doch auch wenn sie nie das Gefühl hatte, dass ihre Pflegemutter sie mag, sie keinen Bezug zu ihr hatte, ist Sarah Jefferson niemals gemein zu ihr gewesen. Und Mark, nun ja, ihr ist es lieber, dass er desinteressiert ist und nicht wie ihr letzter Pflegevater, der sie immerzu mit seinem gierigen Blick verfolgte. Der ihr ins Bad hinterherkam, um nachzusehen, ob sie mehr Handtücher brauchte, ihr über die Wange streichelte, wenn er sie zu Bett brachte, und ihr einen Gutenachtkuss gab.

Nein, sie könnte es weit schlechter haben als bei den Jeffersons. Und wie sagte man noch? Lieber der Teufel, den man kennt …? Ellie ist sich nicht ganz sicher, was das heißt, aber ihre Mutter sagte es früher dauernd über ihren Vater, wenn sie sich gestritten hatten. Deshalb schätzt Ellie, dass es heißt, man blieb lieber, wo man war, als irgendwohin zu gehen, wo es schlimmer ist. Und wenigstens hat sie hier Mary. Woanders könnte sie ganz allein sein. Sie könnte an eine Schule kommen, an der man gezwungen wurde, Maden zu essen, wenn man bei den Arbeiten zu schlecht abschnitt. Davon hatte Ellie an ihrer letzten Schule gehört, und sie weiß, dass es welche gibt, wo sie einen mit dem Rohrstock schlugen, an denen man Liegestütze machen musste, wenn man zu spät kam, oder eine Stunde lang auf einem Bein in der Ecke stehen, hatte man seine Hausaufgaben vergessen. Einer der Lehrer an ihrer alten Schule hatte von solchen Schulen erzählt, richtig genüsslich die schrecklichen Sachen beschrieben, die ihnen anderswo blühen könnten, als sie sich beschwerten, weil die ganze Klasse nachsitzen musste.

»Erde an Ellie?« Mary stupst sie an die Schulter. »Ich habe gefragt, ob du möchtest, dass meine Eltern dich adoptieren. Willst du für immer bei uns bleiben oder nicht?« Sie nimmt Ellies Hand. »Wir könnten richtige Schwestern sein.«

»Ich glaube schon«, sagt Ellie. Tatsächlich kann sie sich nicht vorstellen, an diesem fremden Ort aufzuwachsen, umgeben von diesen Menschen mit ihrer Pflegeschwester als ihrer einzigen echten Verbündeten im Leben. Aber sie kann sich auch nicht vorstellen, woanders groß zu werden. Wenn es nicht klappt, wenn die Jeffersons sie nicht behalten wollen, wird sie dann doch noch nach Frankreich zu ihrer Großmutter geschickt? Oder zwingen sie Tante Pauline, sie aufzunehmen, sodass sie bei ihr und ihren drei furchtbaren Kindern in Derbyshire wohnen muss? Ike, Tristan und Wagner – oder irgend solche dämlichen Namen. Sie müsste Klavierunterricht nehmen und würde sich in einen verwöhnten kleinen Satansbraten verwandeln. Das jedenfalls hatte ihr Vater mal zu ihrer Mutter gesagt, als sie dachten, Ellie hörte nicht zu. *Diese Kinder sind verwöhnte kleine Satansbraten.* Trotzdem fühlt sich keines dieser Leben an, als sollte es ihr richtiges Leben sein. Sie sind einfach nur vorübergehende, flüchtige Leben, bis sie ihre richtigen Eltern wiederfinden. Solange sie nach einem Weg suchen, sie wieder zu sich zurückzuholen. Damit ihr echtes Leben mit Mum, Dad und ihrem kleinen Bruder wieder weitergehen kann.

»Du musst nicht so begeistert klingen«, sagt Mary ernst. Sie lässt Ellies Hand los und kickt gelangweilt und zugleich ungeduldig gegen ihr Stuhlbein. »Ich bin sowieso in wenigen Jahren hier weg.« Sie sieht Ellie an, wartet auf eine Reaktion. »Sobald ich alt genug bin. Dann haue ich ab von hier, und du siehst mich nie wieder in diesem Kaff.«

»Wo willst du hin, Mary?«, fragt Billy, der ein Faltblatt von einem der Tische zusammenknüllt und sie damit bewirft. Mary sieht ihn mürrisch an.

»Kümmere dich um deinen eigenen Kram.«

»Du könntest mich doch mitnehmen, oder nicht?«, fragt Ellie hoffnungsfroh.

Mary lacht. »Und was soll ich mit dir anfangen? Du wärst dann fünfzehn, höchstens. Du könntest dir keinen Job suchen und für dich selbst aufkommen, weil du noch in der Schule wärst. Nein.« Sie betrachtet ihre Fingernägel. »Nein, wo ich hingehe, kannst du nicht mitkommen. Aber es ist nicht lange, nur ungefähr sieben Jahre, bis du selbst kommen kannst. Sechs, wenn du schnell erwachsen wirst und mit siebzehn für dich selbst sorgen kannst.«

»Sieben Jahre sind eine Ewigkeit«, sagt Ellie. »Fast noch mal mein ganzes Leben. So lange kann ich hier nicht ohne dich bleiben.«

Mary scheint etwas sagen zu wollen, als die Türklinke knarzt und die Tür aufgeht. Blitzartig setzt Billy sich gerade hin und spielt den braven Jungen.

»Habt ihr drei etwa gelauscht?« Aber Sarah hört sich nicht verärgert oder tadelnd an. Sie strahlt. »Na raus damit, wie viel habt ihr gehört?«

»Nichts«, gesteht Mary. »Verratet ihr uns jetzt, was los ist?«

»Wie wäre es, wenn ihr reinkommt?« Sarah zeigt in das

Büro, wo die Sozialarbeiterin hinter ihrem Schreibtisch sitzt und Mark immer noch auf dem Stuhl ihr gegenüber.

»Geht es um Ellie?«, fragt Mary.

»Wenn ihr reinkommt, erzählen wir es euch.«

Billy ist schon drinnen und auf einem der Stühle, ehe Ellie und Mary sich rühren können. Mary legt eine Hand auf Ellies Schulter, drückt sie und folgt ihr in das Büro.

»Nun, sicher fragt ihr euch schon, warum ihr hier seid«, sagt die Sozialarbeiterin und lehnt die Hände auf ihrem Schreibtisch an den Spitzen gegeneinander, sodass sie einen Giebel bilden. Sie sieht alle drei Kinder nacheinander an. »Aber wir haben gute Neuigkeiten für eure Familie.«

»Und? Welche?«, fragt Billy ungeduldig. Ellie wünscht sich, Mary würde ihm befehlen, den Mund zu halten. Sie fragt sich, ob Mary hofft, dass ihre Adoption ansteht. Will sie wirklich so gerne ihre Schwester sein?

»Na ja, Kinder, wir wollten es euch eigentlich zu Hause erzählen, aber Sandra denkt, es wäre besser, das hier zu machen, falls ihr noch irgendwelche Fragen oder Bedenken habt.« Die Sozialarbeiterin nickt weise.

»Tja, du weißt ja, wie lange dein Vater und ich schon ein Baby wollen, nicht, Mary?«

Ellie ist vollkommen durcheinander. Sie weiß nicht mal genau, worauf dies hier hinausläuft ... ein Baby? Ist Sarah schwanger? Mary nickt, wirkt aber auch nicht mehr begeistert, sondern verwirrt.

»Es hat sich die Gelegenheit ergeben, dass wir ein Baby als Pflegekind aufnehmen können, ein Mädchen. Die Kleine ist dann ungefähr sechs Monate alt, und wir werden ihre Pflegeeltern mit Aussicht auf Adoption. Also wird es ein Baby im Haus geben. Ist das nicht fantastisch?« Sarah strahlt, und Mary und Ellie nicken automatisch, obwohl Letztere das Gefühl hat, sämtliche Luft wäre aus ihrem Körper gelassen worden, als wäre sie hier und jetzt auf dem Stuhl in sich zusammengefallen.

»Oh ja, einfach wundervoll«, bemerkt Billy naserümpfend. »Ein nettes schreiendes, kotzendes, hässlich verschrumpeltes Baby, um das man sich kümmern muss.« Sarah sieht ihn entsetzt an. Ups, denkt Ellie. Billy der Fiesling zeigt sich.

»Ich dachte, ihr wollt keine Pflegekinder mehr«, sagt Mary leise. »Ich dachte, nach Ellie ...«

Sarah neigt mitfühlend den Kopf zur Seite. »Ich weiß, dass es hart für dich ist, Schatz. Aber wenn wir dieses Baby adoptieren, brauchen wir keine Pflegekinder mehr. Und das möchtest du doch, oder? Eine stabile Familie.«

»Und was ist mit Ellie?«, platzt Mary heraus. »Was wird mit ihr? Wie passt sie in unsere perfekte Familie?«

Sarah wirkt verlegen und sieht hilfesuchend zu Mark.

»Nun, Ellie weiß, dass es immer nur eine kurzfristige Lösung war. Und sicher will sie sowieso nicht bei uns bleiben.« Sarah sieht Ellie an, damit diese ihr zustimmt. »Nicht wahr, Ellie? Sicher will sie auch ein stabileres Leben, von einer Familie adoptiert werden, die ihr die angemessene ... Fürsorge und Aufmerksamkeit gibt, die sie verdient.«

»Oh ja«, antwortet Mary sarkastisch. »Ich bin sicher, sie wünscht sich nichts auf der Welt sehnlicher, als von einer Pflegestelle zur nächsten zu wandern, sich nie irgendwo einleben zu können und wegen bescheuerter, sechs Monate alter Babys weitergereicht zu werden. Ich wette, genau so hat sie sich ihr Leben vorgestellt.«

Sarahs Augen werden größer. »Wir reichen niemanden wegen des Babys weiter, Mary, und ich finde, du solltest deine Einstellung überdenken. Wir haben immer davon gesprochen, ein Baby im Haus zu haben, und Ellie darf gerne so lange bleiben, wie es nötig ist. Das Mindeste, was du machen kannst, ist, so zu tun, als würdest du dich über unseren neuesten Familienzuwachs freuen. Über das Kind, das deine neue Schwester werden könnte.«

»Und wo ist der kleine Scheißer?«, fragt Mary. Ellie hört, wie Billy nach Luft schnappt, und Sarah sieht aus, als würde sie jeden Moment vor Wut platzen.

»Mary Jefferson, ich habe dir nicht beigebracht, so mit deinen Eltern zu reden. Und wenn du glaubst, du kommst damit davon, weil wir nicht unter uns sind, hast du dich geschnitten. Die Kleine kommt erst in sechs Wochen zu uns, weil noch eine Menge Dinge zu klären sind, ehe sie ihre leibliche Mutter verlässt.«

Mary wirkt entsetzt. »Sechs Wochen? Aber wir haben noch nie ein Baby gehabt! Die brauchen haufenweise Kram. Als Lolas Mum ein Baby bekommen hat, war das ganze Haus voll mit Kinderwagen, Wiegen und Babywippen. Wir haben nichts!«

»Solche Dinge gehen manchmal noch schneller, sogar über Nacht«, sagt die Sozialarbeiterin ruhig. »Es ist nicht ideal für Pflegeeltern, die erstmals ein sehr kleines Baby aufnehmen, aber sonst ist niemand verfügbar. Leider kommt alles recht überstürzt.«

»Tja, in einem Punkt haben Sie recht«, schnaubt Mary. »Es ist nicht ideal. Für keinen – und am allerwenigsten für das Baby.«

# Kapitel 18

*Imogen*

Es ist erst früher Nachmittag, doch meine Augen brennen und mir tut alles weh. Im Büro ist es ungewöhnlich still, dennoch bin ich ziemlich sicher, dass sie es merken würden, wenn ich unter meinem Schreibtisch ein Nickerchen mache. Das spare ich mir vielleicht lieber für die zweite Woche auf. Ich unterdrücke ein Gähnen, während ich eine E-Mail aufrufe, die Edward mir bezüglich unserer gestrigen Besprechung geschickt hat.

Hi, Imogen, ich hoffe, Sie leben sich gut ein. Hier sind die Fälle, an denen Emily zuletzt gearbeitet hatte. Wenn Sie in die Akten sehen und Termine mit diesen Klienten für nächste Woche machen könnten, dürften Sie bis zu unserer nächsten Planungsbesprechung am kommenden Dienstag genug zu tun haben. Bei Fragen erreichen Sie mich morgen oder Freitag via Skype – Meetings für den Rest der Woche – uff! In dringenden Fällen schicken Sie mir eine Mail. Ich sehe ins Postfach, solange ich bei der Vorstandssitzung Solitaire spiele. (Scherz!)

Liebe Grüße
Ted

Ich doppelklicke auf den Anhang, und eine Excel-Tabelle öffnet sich, passwortgeschützt. Auf meinen leisen Fluch hin dreht Lucy sich um.

»Alles okay?«

Ich zeige auf den Monitor, und Lucy rollt auf ihrem Stuhl herüber. »Edward hat mir diese Fallakten von Emily geschickt, damit ich da reinsehen kann, aber die sind passwortgeschützt.«

»Oh, das ist bei allen CAMHS#22. Ich glaube, das sollte eine witzige Anspielung auf ›Catch 22‹ sein, aber keiner versteht sie.« Sie beugt sich rüber, tippt das Passwort ein, und die Datei geht auf. Lucy überfliegt die Liste, und ihre Gesichtszüge werden hart.

»Was? Was ist?«, frage ich, denn mir entgeht nicht, dass meine Kollegin sich sofort bemüht, wieder eine neutrale Miene aufzusetzen. »Habe ich einen Fall, den du wolltest? Ich kann gerne tauschen, falls du etwas davon bearbeiten willst.«

»Nein, schon gut.« Lucy lächelt angespannt. »Ich dachte bloß, dass Ted ein paar von denen übernommen hat, sonst nichts.« Sie zögert, als sei sie nicht sicher, ob sie sagen soll, was sie denkt. »Wenn du Hilfe brauchst, wenn dir irgendeiner davon Sorgen macht, kommst du zuerst zu mir, okay? Ich helfe dir rauszufinden, was zu tun ist.«

Mir wird mulmig. »Sollte ich irgendwas über diese Fälle wissen, Lucy?« Sie schüttelt den Kopf etwas zu prompt.

»Nein, sei nicht albern. Ich meine nur generell, falls du bei irgendwas Hilfe brauchst. Dafür bin ich ja schließlich da.«

»So hat es sich aber nicht angehört.« Ich senke die Stimme. »Hat es etwas damit zu tun, warum Emily gegangen ist?«

Lucy wird rot. »Emily ist weggezogen, um zu heiraten. Hör mal, ich weiß, dieser Job ist langweilig, aber wenn du auf geheimnisvolle Rätsel aus bist, suchst du am falschen Ort.«

Sie rollt zurück an ihren Computer und dreht sich nicht noch einmal um.

# Kapitel 19

*Ellie*

Ellie hat keinen guten Start in der Schule, was nicht zuletzt an dem Vorfall mit Naomi in der Stadt liegt. Jeder scheint zu wissen, dass deren Mutter ihr unterstellte, Naomi ermorden zu wollen, und die anderen Kinder machen einen großen Bogen um sie. Sie versucht, nicht an die neue Schule zu denken, auf die sie in ihrem alten Leben gewechselt wäre, wo alle ihre Freundinnen aus der Grundschule gemeinsam lernen, sich in den langen Korridoren und den riesigen Klassenzimmern zurechtzufinden. In den Sommerferien durfte sie mit einigen ihrer alten Freundinnen sprechen, doch es hatte sich angefühlt, als hätten diese sie längst vergessen. Irgendwie war klar, dass sie keinen Kontakt mehr halten würden.

»Kleine Mädchen sind zäh, Ellie«, hatte Sarah zu ihr gesagt, allerdings nicht unfreundlich. »Sie passen sich Veränderungen schnell an. Du darfst deshalb nicht traurig sein.«

Aber Ellie fühlt sich nicht zäh, nur taub, als wäre ihr Herz gegen eine gammelige Kartoffel ausgetauscht worden.

Heute ist der Korridor voller Leute, und doch könnte Ellie vollkommen allein sein, denn niemand beachtet sie. Normalerweise ist sie am liebsten unsichtbar, wandert durch die Gänge wie ein Geist, durchsichtig und unbemerkt. Heute hingegen, wo sie sich so elend fühlte, würde sie alles geben, damit jemand aufsieht, sie anlächelt und ihr zuwinkt, Hallo sagt und sie fragt, wie es ihr geht. Aber sie passt hier nicht her, nicht in diese Schule, in diesen Ort, und die Szene vorgestern Abend vor dem Haus ihrer

Pflegeeltern bedrückt sie immer noch. Sie glaubte, eines der Mädchen vor der Tür ihres Englischkurses gesehen zu haben, kurz bevor die Stunde endete, den Mund zu einem fiesen Grinsen verzerrt, als sie Ellie durch die Glasscheibe in der Tür ansah. Doch nach der Stunde war das Mädchen nicht mehr auf dem Gang, und Ellie fragte sich, ob es wirklich dort gewesen war.

Als Nächstes hat sie Geschichte in einem kleinen Klassenraum unter der Treppe zu den Kunsträumen und der Bibliothek. Ihr Geschichtslehrer ist ein komischer kleiner Mann, der immer eine Weste trägt, die mindestens zwei Nummern zu klein für seinen Kugelbauch ist, und nach jedem zweiten Wort »Ähem« macht. Aber er ist nett, und in diesem Schuljahr nehmen sie das Dritte Reich durch, was Ellie gleichermaßen verstörend wie faszinierend findet. An der Wand hängt ein Gedicht, das Ellie sich inzwischen Wort für Wort eingeprägt hat, geschrieben von einem Mann, dessen Namen sie nicht aussprechen kann. Sie wiederholt es nun im Kopf, als sie wie ein Geist über den Korridor huscht.

*Als die Nazis die Kommunisten holten, habe ich geschwiegen;*
*ich war ja kein Kommunist.*
*Als sie die Sozialdemokraten einsperrten, habe ich geschwiegen;*
*ich war ja kein Sozialdemokrat.*
*Als sie die Gewerkschafter holten, habe ich geschwiegen;*
*ich war ja kein Gewerkschafter.*
*Als sie mich holten, gab es keinen mehr, der protestieren konnte.*

Das Gedicht ist eine Warnung, hängt für jedermann sichtbar an der Wand, und doch scheint keiner auf die Worte zu hören. Es ist wie Ellie selbst; gesehen und sofort verworfen, die Zeit oder Aufmerksamkeit nicht wert.

Sie ist fast an der Tür zum Geschichtsraum, als ihr Wunsch, wahrgenommen zu werden, in Erfüllung geht. *Sei vorsichtig mit deinen Wünschen, Ellie Atkinson.*

Naomi Harper steht vor ihr, versperrt ihr den Weg, ehe Ellie sie überhaupt kommen gesehen hat. Sie erscheint so plötzlich, dass Ellie stolpert und ihr Fuß auf Naomis Zehen landet.

»Aua!«, kreischt Naomi, als hätte Ellie ihr das Haar angezündet. »Das war Absicht!«

»Nein, war es nicht, tut mir leid.« Ellie hasst sich, weil sie so flehend klingt, wie ein Opfer. Sie möchte Naomi dringend sagen, sie soll sich verziehen, und der Ziege das spitze Ende ihres Zirkels in den Arm rammen. Aber sie hat Sarah – und Imogen – versprochen, dass sie versuchen wird, sich nicht in Schwierigkeiten zu bringen. Wenn sie hierbleiben will, darf sie sich nichts zuschulden kommen lassen.

Naomi äfft Ellies gewimmertes »Tut mir leid«, beschämend gut nach. Dann, ohne Vorwarnung und so schnell, wie sie neulich die Turnschuhe von dem Ladenregal gewischt hatte, packt Naomi ihren Arm und zerrt sie in die dunkle Nische unter der Treppe zum Kunstraum. Ellies Geschichtsraum ist nur ein paar Meter entfernt – wenn sie schreit, muss ihr Lehrer sie hören. Die Tür öffnet und schließt sich, als andere Kinder hineingehen, doch diese sehen nicht mal in ihre Richtung, und Ellie zappelt und strampelt, aber Naomi hat ihren Arm fest gepackt.

Naomi ist nicht die Einzige unter der Treppe. Sie stößt Ellie grob auf ein älteres Mädchen zu – eines der Mädchen, die unter ihrem Zimmer geschrien und gesungen hatten. Das Mädchen packt beide Arme von Ellie und faucht ihr ins Ohr, wobei ihr Atem warm auf Ellies Wange bläst: »Hallo, Ellie, erinnerst du dich an uns?« Sie nickt dem anderen Mädchen zu, das unter der

Treppe wartet. Es ist das Mädchen, das sie Minuten zuvor durch die Türscheibe beobachtet hatte, als sie im Englischunterricht saß. Sie muss Ellie ausgespäht haben. »Wenn du schreist, breche ich dir deine hübsche Nase.«

Nun ist niemand mehr auf dem Gang. Sie kommt zu spät zum Unterricht, und Ellie wünscht sich panisch, ihr Lehrer würde herauskommen und nach ihr suchen. Die Tür bleibt geschlossen.

»Oh verflucht, Ellie«, höhnt Naomi, und Ellie ist sicher, dass das andere Mädchen ihr Zittern sieht, ihr Herzklopfen hört und den Schweiß riecht, der ihr über den Rücken zu laufen beginnt. »Du siehst aus, als würdest du dir gleich in die Hosen machen.« Die drei Mädchen kichern, als sei das ein toller Witz unter ihnen; ein Witz, bei dem Ellie die Pointe ist. Naomi sieht das dritte Mädchen an.

»Worauf wartest du? Mach schon«, zischt sie, und das Mädchen, das Ellies Arme hält, drückt sie fester, als wüsste es, dass Ellie sich gleich wehren würde. Und Ellie wehrt sich. Sie ruckt und windet sich, aber das größere Mädchen ist zu stark.

»Was macht ihr?«

»Wir erteilen dir eine Lektion. Weißt du, was meine Mum mit mir gemacht hat, weil ich wegen deiner wahnsinnigen Gehirnwäschenummer in der Stadt gelogen habe? Sie hat mir zwei Wochen Hausarrest gegeben. Ich verpasse Tanyas Pyjamaparty am Wochenende. Mach schon!«, fährt sie wieder das Mädchen an, und diesmal zögert es nicht. Ellie fühlt, wie grobe Hände ihre Hose runterreißen, das Gummi ihres Slips zur Seite gezerrt wird, und schreit auf, als kalte Flüssigkeit auf ihren Hintern spritzt, zwischen ihre Beine rinnt. Strenger Uringeruch steigt auf, und Tränen brennen in Ellies Augen. Das Mädchen lässt sie los, und Ellie sinkt zu Boden, umklammert ihre nassen Knie mit den Armen.

Naomi strahlt triumphierend. Das andere Mädchen steckt den Behälter, in dem der Urin gewesen war, in eine Plastiktüte und verstaut sie in seiner Schultasche.

»Steh auf«, befiehlt Naomi, und mit wachsender Panik wird Ellie klar, dass ihre Bestrafung noch nicht vorbei ist. Naomi lässt sie nicht beschämt nach Hause fliehen.

»Bitte«, wimmert sie. Naomi tritt schwungvoll gegen Ellies Bein, und sie ächzt vor Schmerz.

»Steh auf!«, wiederholt sie. Als Ellie sich immer noch nicht rührt, zieht das ältere Mädchen sie an den Armen nach oben und schubst sie auf Naomi zu.

»Iiih!«, kreischt Naomi kichernd. »Komm mir nicht zu nahe mit deiner bepissten Hose!« Sie packt Ellies Arm und schiebt sie zum Geschichtsraum. Die älteren Mädchen winken zum Abschied, als Naomi die Tür öffnet, sich bei Ellie einhakt und sie mit sich in die Klasse zieht.

»Verzeihung, dass wir zu spät sind, Sir«, sagt Naomi höflich, als alle zu ihnen sehen. »Wir wollten noch zur Toilette, aber Ellie hat gesagt, sie will nicht zu spät kommen und kann es noch halten. Oh.« Sie reißt die Augen weit auf, als würde sie erst jetzt den Flecken auf Ellies Hose bemerken. »Ich glaube, das konnte sie doch nicht.«

Ellie schließt die Augen, als die ganze Klasse in Gelächter und aufgeregtes Gerede ausbricht.

»Sie hat sich vollgepisst!«, hört sie jemanden kreischen und einen Chor von »Iiih, wie eklig« und »Oh mein Gott« durch den Raum hallen.

»Ach du liebe Güte.« Als sie die Augen öffnet, steht Mr. Harris verlegen neben ihr. »Ellie, geh nur, geh und mach dich sauber. Das reicht!«, ruft er in die hysterische Klasse. Naomi hat sich zu ihren Freundinnen gesetzt und hält sich lachend die Nase zu.

Ellie lässt es sich nicht zweimal sagen, dreht sich um und rennt aus dem Raum. Ihr Herz trommelt einen zornigen Rhythmus in ihrer Brust.

# Kapitel 20

*Imogen*

Im Büro wird es dunkler. Da ich als Einzige noch da bin, kann nur ich die Bewegungssensoren aktivieren, über die das Licht gesteuert wird. Folglich brennt außer der Lampe direkt über meinem Schreibtisch keine mehr im Raum. Ich habe mich stundenlang durch all die Fallnotizen in dem Berichtssystem gearbeitet. Manche Geschichten haben meine Zeit schwammgleich aufgesogen. So viele traumatisierte Kinder – und wahrscheinlich ist das nur die Spitze des Eisbergs. In meinem alten Job als Kinderpsychologin und hatte mit privilegierten Kindern zu tun. Mein Büro war eine Durchgangsstelle für kleine Prinzessinnen und privilegierte Mamasöhnchen, denen treu und brav Mütter folgten, die mit ihren trendigen Frisuren, den engen Hosen, Streifenshirts, edlen Strickjacken und Lederstiefeln wie frisch einem Boden-Katalog entsprungen aussahen. Ich hatte stets gewusst, was mich erwartete, wenn ich die Namen Portia oder Sebastian auf einem Überweisungsformular las. Bis auf das letzte Mal. Wir hatten ein gewisses Quantum an Fällen übernommen, denen wir unentgeltliche Beratung anboten, und der letzte Fall war recht ähnlich denen gewesen, die ich jetzt vor mir hatte. Meine einzige Chance, einem Kind zu helfen, das es wirklich nötig hatte, und es war entsetzlich schiefgegangen. Diesmal würde mir das nicht wieder passieren.

Wieder sehe ich zur E-Mail mit der Fallliste, die Edward mir zugeteilt hat. Ein Fall sticht genauso heraus wie beim ersten Überfliegen.

Ellie Atkinson. Elf Jahre alt, gegenwärtig in Pflege, nachdem ihre Familie bei einem tragischen Hausbrand ums Leben kam. Ich erinnere mich an den Gesichtsausdruck ihrer Pflegemutter. Ängstlich und unsicher. Ich kann mir nicht vorstellen, dass eine der anderen Mütter, mit denen ich früher zu tun hatte und die alle ihre Kinder beschützten, jedem ins Gesicht sprangen, der zu unterstellen wagte, dass der teure Tyler oder die bezaubernde Isabelle ein Satansbraten sein könnte, mit so wenig Mitgefühl reagiert hätte. Diese Frau war anders gewesen, nicht willens oder nicht in der Lage, Flagge zu zeigen.

Ich öffne die Akte, die Emily vor Monaten angelegt hatte. Die Schule hatte richtig gehandelt, Place2Be einzuschalten, sobald sie erfuhren, dass Ellie nach dem Sommer zu ihnen käme. Emily war dreimal mit dem Mädchen zur Gaunt High School gefahren, was anscheinend gut gelaufen war, und sie hatte die Familie ein paarmal getroffen. Dazu notierte sie, dass Ellie sich den Umständen entsprechend gut bei den Jeffersons einlebte, dass ihre Pflegeeltern, Sarah und Mark Jefferson, sich besorgt geäußert hätten, weil Ellie so still und verschlossen war und es einige Wutausbrüche nach Streitereien mit anderen Kindern in ihrer Obhut gegeben hätte. Emily hatte sich notiert, dass sie Ellie nach ihrem Verhältnis zu einem Jungen namens Billy fragen wollte, allerdings nie vermerkt, was dabei herausgekommen war.

Wie also hatte sich Ellie Atkinson von dem eher ruhigen, verschlossenen Wesen zu dem Mädchen entwickelt, das auf offener Straße des versuchten Mordes beschuldigt wurde? Ich weiß schon, dass ich mir diesen Fall als Erstes vornehmen werde. Mit irgendeinem muss ich ja anfangen, und Ellies Fall ist genauso dringend wie die anderen. Es hat rein gar nichts mit dem zu tun, was die verrückte Alte in dem Imbiss gesagt hatte – oder mit dem gehetzten Blick des Mädchens. Natürlich nicht. Aber könnte dies das Kind sein, für das ich Entscheidendes bewirke? Ist Ellie Atkinson meine Wiedergutmachung?

Ich klicke die Spalte mit den beteiligten Parteien an und notiere die Nummer der Schulleiterin – Florence Maxwell. Wow. Vor zwanzig Jahren war Florence Maxwell eine rosige Sportlehrerin in den Zwanzigern gewesen, die ständig strahlte, als könnte sie dreißig schmollende Teenager so überzeugen, dass Schlagball zu spielen der Höhepunkt ihres Tages sei. Jetzt leitet sie die Schule, und während ich nach dem Telefon greife, um sie anzurufen, frage ich mich, ob Florence Maxwell immer noch strahlt.

## Kapitel 21

*Ellie*

Ellie ging an dem Tag nach dem Zwischenfall mit Naomi nicht zurück zur Schule. Stattdessen war sie geradewegs zurück zu den Jeffersons gelaufen, wartete, bis sie sehen konnte, dass Sarah im Arbeitszimmer beschäftigt war – wahrscheinlich noch mehr Babykrempel bestellen –, und schloss so leise wie möglich die Hintertür auf, um sich nach oben zu schleichen. Sie hatte sich eine saubere Hose angezogen, die alte in eine leere Einkaufstüte gestopft und sie hinter ihrem Bett versteckt. Danach hatte sie sich mit etwas Deo besprüht, war hinten herum wieder aus dem Haus geschlüpft und hatte dann laut die Vordertür aufgeschlossen. Als Sarah nachsehen kam, warum sie so früh zu Hause war, war Ellie in Tränen ausgebrochen. Das war nicht geplant gewesen; sie konnte einfach nicht anders. Das Bild der ganzen Klasse, die lachend auf sie zeigte, bekam sie einfach nicht mehr aus dem Kopf – sie sah es, sobald sie die Augen schloss.

Mary hatte natürlich davon gehört, auch wenn sie nicht wusste, was wirklich geschehen war. Für die gesamte Schule, Mary eingeschlossen, stand fest, dass Ellie Atkinson sich in die Hose gemacht hatte.

»Oh Ellie«, sagte sie, als sie nach Hause kam, und nahm Ellie so mütterlich in die Arme, dass sie erneut zu weinen anfing. »In ein paar Tagen ist das alles vergessen.«

Sie wussten beide, dass das nicht stimmte. Solche Dinge waren wie Crack für Schultyrannen, denn selbst nette Kinder fanden Hosenpisser zum Schreien. Ellie blieb dabei, dass sie nicht wieder dorthin gehen könnte, dass sie Sarah erzählen würde, was passiert war, und sie eine neue Schule für sie suchen oder Ellie zu einer neuen Pflegefamilie müsste.

Mary hatte ihren Arm sanft gedrückt. »Ach, El, glaubst du im Ernst, dass der Sozialdienst nichts Besseres zu tun hat, als dich kreuz und quer durchs Land zu schicken, bis du eine Schule findest, an der du das beliebteste Mädchen von allen bist? Das war nicht böse gemeint«, sagte sie rasch, als Ellies Blick sich verhärtete. »Aber was ist, wenn dir das woanders passiert? Dann bist du in genau derselben Lage, aber du hast mich nicht. Nein, du musst da hingehen, erhobenen Hauptes. Wenn irgendwer was sagt, ignorierst du das einfach – hast du gehört? Reg dich nicht auf, lauf nicht weg. Sag etwas Schlaues, wenn dir was einfällt – es ist immer schwierig, auf Anhieb schlagfertig zu sein –, aber du musst dich irgendwie wehren, und sei es, indem du sie einfach nicht beachtest und den Rest des Schuljahres durchstehst. Kinder hassen es, wenn sie keine Reaktion bekommen. Das nervt sie höllisch, dann wird es langweilig für sie, und sie geben auf. Du musst ihnen zeigen, dass es dich nicht kümmert, Ellie. Du musst dich wehren.«

Es sind diese Worte, *du musst dich wehren*, die Ellie sich heute in der Schule immer wieder sagt. Es ist Projekttag in PHSE, und obwohl Ellie nicht mal weiß, wofür die Abkürzung steht – und es sie im Grunde auch nicht interessiert –, hat sie sich bei ihrem Projekt »Haustiere« echte Mühe gegeben. So viel Mühe, dass die frühere Ellie stolz gewesen wäre. Als sie ihre DIN-A2-Pappe nach vorn trägt, lächelt sie so gut sie kann, tut genau, was Mary ihr gesagt hat, und ignoriert das Kichern und hämische Grinsen der anderen. Sie stellt fest, dass sie die geflüsterten

Beschimpfungen recht gut ignorieren kann – schließlich blendet sie das wahre Leben inzwischen schon eine ganze Weile aus.

»Ich habe ...«, beginnt sie. Leider kommt ihre Stimme, die in ihrem Kopf laut und deutlich ist, als Krächzen aus ihrem Mund. Einige Schüler kichern. Ellie räuspert sich; nicht etwa, weil sie etwas im Hals hat, sondern weil sie gesehen hat, wie Erwachsene es tun, wenn sie eine wichtige Rede halten wollen. »Ich habe mein Projekt über Spinnen gemacht«, verkündet sie. »Spinnen sind nicht, wie viele denken, Insekten, sondern Gliederfüßer. Es gibt ungefähr 38 000 Spinnenarten, aber Wissenschaftler glauben ...«

Ihre Lehrerin, Miss Gilbert, lächelt sie an, aber es ist ein leicht verkniffenes Lächeln, wie es Erwachsene bekommen, wenn sie denken, sie würden einen geduldigen Eindruck machen. In Wahrheit sehen sie damit aus, als hätten sie Blähungen. Miss Gilbert hasst Ellie. Sie empfindet es nicht so, wie viele Kinder frisch aus dem bemutternden Umfeld der Grundschule das Gefühl haben, ihre Lehrer würden sie hassen. Ellie weiß, dass es stimmt. Und Ellie hasst sie. Hannah Gilbert ist eine Lügnerin und Betrügerin.

»Das ist sehr interessant, Ellie«, sagt Miss Gilbert, als seien Spinnen das Langweiligste auf der Welt. »Aber Spinnen sind eigentlich keine Haustiere, nicht wahr?«

»Doch, sind sie. Viele Leute halten Spinnen als Haustiere. Ein Mädchen auf meiner alten Schule hatte ...«

»Aber sie sind keine Haustiere. Zumindest keine gewöhnlichen, stimmt's?«

Ein Junge hinten, an dessen Namen Ellie sich nicht erinnert, meldet sich: »Sind sie, Miss. Mein Bruder hat eine Spinne als Haustier. Das ist irre cool.«

Miss Gilbert wird rot.

»Nun, das mag sein, Harry, aber die Spinnen in diesem Projekt«, sie zeigt zu Ellies Tafel, »sind gemeine Hausspinnen, und die würde man nicht als Haustiere halten, was meinst du? Sie würden einfach aus ihren Käfigen weglaufen.«

Einige Mädchen hinten kichern. Ellie merkt, wie ihr Gesicht und ihr Hals heiß werden. »Aber ich habe noch andere Bilder …«

»Sehr schön, Ellie. Kommen wir zum Nächsten. Ah, Gott sei Dank, Emma, Papageien, richtige Haustiere. Ich fing schon an zu glauben, dass keiner in dieser Klasse einfache Arbeitsanweisungen versteht.«

Ellie setzt sich. Ihr Herz fühlt sich wie ein verschrumpelter Luftballon an. Bei diesem Projekt hatte sie ihr Bestes gegeben, und es war immer noch nicht gut genug.

Sie hört Mary so deutlich reden, als würde sie neben ihr sitzen. *Du musst dich wehren.* Sie erinnert sich an den Tag in der Stadt – den Tag, an dem sie Naomi Harper auf die Straße zwang, indem sie schlicht wollte, dass sie wegging – und weiß, dass ihre Schwester recht hat. Sie muss sich wehren.

# Kapitel 22

*Imogen*

Ich schnappe nach Luft, als ich Pammys Haus sehe: ein sagenhafter Scheunenumbau, so dicht am äußersten Rand von Gaunt, dass er kaum noch zum Dorf zählt. Ist dies ihre Version von Flucht? Oder sehe nur ich allein Gaunt so, wie ich es sehe?

Die Tür geht auf, und da steht Pammy mit einem Geschirrtuch in der Hand, in Leggings und einem weiten T-Shirt, und sieht immer noch sensationell aus. Ihr schimmerndes blondes Haar wirkt frisch gesträhnt, sodass ich unwillkürlich an meinen vernachlässigten Schopf greife und mich für einen Moment schäme, weil ich mich so habe gehen lassen.

»Immy!« Pammy stürzt sich regelrecht aus der Tür und umarmt mich stürmisch. »Ich hatte mich schon gefragt, wann du es mal schaffst, mich zu besuchen. Lass dich mal anschauen! Du siehst fantastisch aus!«

Überwältigt von ihrer Begrüßung trete ich zurück. Wir hatten uns erst vor wenigen Monaten gesehen. Kurz nach dem Tod meiner Mutter war Pammy nach London gekommen, um bei mir zu sein. Da sie die einzige Person ist, die um meine komplizierte Beziehung zu meiner Mutter weiß, bedeutete mir ihr Kommen mehr, als sie jemals erahnen könnte. Natürlich hatte sie gedacht, Mums Tod wäre schuld an meiner Verfassung; sie hatte ja nichts von meinem Zusammenbruch gewusst. Verglichen mit der Imogen, die sie dort zu Gesicht bekommen hatte, dürfte mein gegenwärtiges Erscheinungsbild folglich eine gewaltige Verbesserung sein.

»Nein, tue ich nicht«, erwidere ich lachend, als sie reingeht und mich ins Haus winkt. »Mir brauchst du nichts vorzumachen. Deshalb habe ich seit Jahren keine Frontalaufnahme mehr von mir bei Facebook gepostet.«

»Na, ich finde, dass du großartig aussiehst, alles in allem. Wie geht es dir?«

»Super, danke. Guck sich einer das hier an, Pam«, weiche ich aus, wohl wissend, dass sie erwartet, über meine Mum zu sprechen, und schaue mich um. »Das ist wunderschön. Ich wette, du hast nie damit gerechnet, hier zu landen.«

»Ha! Ich hatte auch nie damit gerechnet, Richard Lewis zu heiraten.« Sie grinst. »Weißt du noch, wie sehr ich ihn früher gehasst habe?«

»Schwanzloser Dick, richtig?« Ich muss einfach grinsen. Mit Pammy ist schon immer alles so unbeschwert gewesen. Wie heißt es noch über Freunde? Menschen, die alles über dich wissen und dich trotzdem mögen. Obwohl Pammy nicht alles über mich weiß – nicht mehr. Eines Tages werde ich ihr erzählen, was in London passiert ist. Es wird gut sein, jemand anderen als Dan zu haben, mit dem ich darüber sprechen kann, und ich weiß, dass es mir guttun wird, mir das von der Seele zu reden. Aber darum geht es heute nicht. Heute geht mir etwas anderes durch den Kopf, und ich muss darüber sprechen, bevor ich noch komplett durchdrehe.

»Komm, du trinkst erst mal ein Glas Wein«, sagt Pammy und geht voraus in einen gigantischen Wohn-Essraum mitsamt weißer Sitzgarnitur.

*Jetzt. Sag es ihr jetzt.*

»Wie geht es Dan?«

Dan und Pammy sind sich erst wenige Male begegnet, und ich war froh, dass sie sich zu verstehen schienen. Nun hoffe ich, dass wir unsere Freundschaft wiederbeleben können, eine echte Freundschaft anstelle der Fernvariante, bei der man nur miteinander zu reden scheint, wenn einer von beiden in einer Notsituation ist. Im Grunde kenne ich den erwachsenen Richard gar nicht, sollte also unbedingt darauf achten, ihn nicht versehentlich mit »Schwanzloser D…« anzusprechen. Aber wenn er es mit Pammy aushält, wird er ganz gewiss auch mit Dan und mir auskommen.

»Ihm geht es gut. Ähnlich wie einem Kind auf einer Art Abenteuerurlaub. Er ist so ein Stadtkind, dass er hier alles aus sämtlichen Enid-Blyton-Büchern wiedererkennt, von denen er schwört, sie nie gelesen zu haben.«

Pammy schwingt die Tür eines riesigen silbernen Kühlschranks auf. Sofort muss ich an unseren SMEG in London mit dem Eisbereiter in der Tür denken, und ein Anflug von Heimweh nach unserem stilvollen Groschengrab in der Großstadt überkommt mich. »Ich glaube, er hat noch nicht ganz verinnerlicht, dass wir jetzt endgültig hier leben. Immer wieder ertappe ich ihn dabei, wie er die Zentralheizung über sein Handy einstellen will.«

Pammy lacht. »Mich erstaunt, dass eure Bude tatsächlich eine Zentralheizung hat. Wollt ihr wirklich da wohnen bleiben? Ist schon anders als das Penthouse.«

Ich knuffe sie in den Arm. »Das war kein Penthouse! Und es gehörte uns nicht mal, schon vergessen? Das viele Geld, und nichts, was man dafür vorweisen kann. Aber ja, wir bleiben noch ein bisschen in Großmutters Haus und versuchen, es aufzumotzen, bevor wir es zum Verkauf anbieten.«

Pammy hält mir fragend ein leeres Weinglas hin, und ich schüttle den Kopf.

»Danke, ist noch ein bisschen früh für mich.«

»Wie du meinst. Irgendwo ist es fünf«, sagt sie und gießt sich einen großzügigen Schluck ein. »Soll ich einen Tee kochen?«

»Ich mach das schon.« Ich beschäftige mich damit, den futuristischen durchsichtigen Wasserkocher zu befüllen.

»Will er dich immer noch überreden, eine Großfamilie zu gründen?«

»Oh ja. Und mir sind die witzigen Bemerkungen ausgegangen. Ich bin jetzt darauf verfallen, den Wasserhahn im Bad voll aufzudrehen, wenn ich die Pille aus der Packung drücke.«

»Oh, welch verworren Netz wir weben«, sagt sie, setzt sich an die Kücheninsel und bedeutet mir, mich neben sie zu setzen. »Lass ihn ja nicht mit Richard reden. Der wird ihm Märchen von weiten Unterhosen und lauwarmen Bädern erzählen.« Sie lächelt, als ich sie fragend ansehe. »Anscheinend muss man Spermien pfleglich umsorgen. Die Dinger haben nur einen Job zu machen, aber wie sich herausstellt, sind Spermien ein bisschen wie Männer – sie müssen exakt die richtigen Bedingungen vorfinden, oder sie vermasseln alles.«

»Klappt es nicht bei euch beiden?«, frage ich mitfühlend.

»Nein.« Sie zieht eine Grimasse. »Niedrige Spermienzahl.«

Ich weiß nicht, ob es daran liegt, dass ich hier wie ein Teenager mit meiner besten Freundin sitze, oder an der Art, wie sie es sagt, als würde jemand erzählen, ihn hätte eine Erkältung erwischt, doch mir entfährt ein Schnauben, und ich werde umgehend rot.

»Oh Gott, Pammy, tut mir leid, ich ...«

»Du darfst ruhig lachen, du Knalltüte!« Sie grinst und bewirft mich mit einem zerknüllten Stück Küchenrolle. »Richard ist allerdings sehr empfindlich, wenn es um seine wenigen Schwimmer geht.«

»Pam, entschuldige, ich habe nicht gelacht. Ich war nur ...«

»Ehrlich, du musst dich nicht entschuldigen.« Pam lacht. »Wir können hier nicht mal das Wort ›Sperma‹ aussprechen, ohne dass es gleich zum Krach kommt. Es ist furchtbar. Ich weiß nicht mal, ob einer von uns so dringend Kinder wollte, bevor wir erfuhren, dass wir wahrscheinlich keine bekommen werden. Und jetzt kriegen wir uns schon in die Wolle, wenn wir über die Kinder von anderen reden.«

Ich bekomme ein schlechtes Gewissen. Wie kann ich Dan eine Familie verweigern, wenn ich sehe, wie sehr sich Menschen wie Pammy und Richard eine wünschen? Ich rede mir wiederholt ein, dass ich an das Kind denke, dass ich aus eigener Erfahrung weiß, wie es sich anfühlt, ungewollt und ungeliebt zu sein. Was ist, wenn ich meinem Kind gegenüber genauso empfinde wie meine Mutter bei mir? Die Devise »Abwarten und das Beste hoffen« ist ja wohl kaum ideal.

»Hey.« Pammy beugt sich vor und berührt meine Hand. »Alles in Ordnung? Bei dir und Dan stimmt doch alles, oder?«

»Ja, uns geht es gut.« Ich merke, wie mir die Tränen kommen. Verdammte Hormone! Ich war noch nie emotional. »Es ist nur«, seufze ich. Nach dem, was meine beste Freundin mir eben erzählt hat, ist es das Letzte, womit ich herausplatzen will, aber irgendwem muss ich es einfach sagen. Es fühlt sich an, als würden die Worte in mir anschwellen und mich erdrücken, sollte ich sie nicht schnellstens ausspucken.

»Ich bin schwanger.«

Pammy atmet pustend aus. »Scheiiiiiße!«, sagt sie. »Geht es dir gut?«

Diese Frage öffnet meine Schleusen, und die Tränen, die ich zurückhalte, seit ich heute Morgen den Test gemacht habe, strömen heraus. Wie konnte ich so unsagbar blöd sein? Ich hatte verlässlich jeden Abend meine Pille geschluckt, aber dann hatte ich vor einigen Wochen einen Magen-Darm-Infekt und konnte Dan in der Woche darauf nicht bitten, zusätzlichen Schutz zu benutzen. Wie hätte das ausgesehen, wenn wir angeblich versuchen, ein Baby zu bekommen?

»Nein«, flüstere ich. »Eher nicht.«

Pammy nimmt mich in die Arme, und ich weine mich an der Schulter meiner Freundin aus. Als ich schon heiser vom Heulen bin, lehne ich mich zurück und wische mir mit dem Ärmel die Augen.

»Es tut mir so leid«, sage ich. Pammy steht auf und stellt den Wasserkocher nochmal an. »Gerade erzählst du mir, wie sehr du und Richard euch Kinder wünscht, und im nächsten Moment flenne ich rum, weil ich ungewollt schwanger bin. Nach all den Jahren wünschst du dir garantiert, ich wäre nicht zurückgekommen.«

»Red keinen Quatsch.« Sie macht mir Tee und reicht ihn mir. »Koffeinfrei«, sagt sie, »zwei Würfel Zucker. Wir haben alle unsere Probleme, und meine machen deine kein bisschen weniger beschissen für dich. Hast du überlegt, was du tun willst?«

»Ich habe es erst heute Morgen herausgefunden. Und ich kann noch nicht weit sein. Mir ist dauernd schwindlig oder grundlos schlecht geworden. Ich habe es auf den Stress geschoben, wieder herzukommen. Auf dem Weg hierher hatten wir fast einen Autounfall …« Ich winke ab, als Pammy mich erschrocken ansieht. »Nein, es ist nichts passiert, trotzdem wurde mir ganz schummerig, und ich dachte, das sei der Schock. Vor ein paar Tagen dann wurde mir klar, dass meine Regel ausgeblieben war. So lange habe ich gebraucht, um den Mut aufzubringen, einen Test zu machen.«

Pammy legt ihre Hand auf meine, und ich spüre einen Schwall Wärme. Gott sei Dank, dass ich mit ihr hierüber reden kann. Seit heute Morgen wurde ich fast verrückt, lief durchs Haus, während Dan oben auf seinen Laptop einhackte und keine Ahnung hatte, dass eben etwas geschehen war, das unser Leben verändern würde. Ich bin nicht mal sicher, dass er überhaupt weiß, welcher Wochentag ist, wenn er mitten in einem ersten Entwurf steckt. Jedenfalls wirkte er so überrascht, als ich nach oben rief, ich würde zu Pammy fahren, dass er gewiss dachte, ich wäre längst im Büro.

»Sicher ist es eine blöde Frage, aber hast du es Dan gesagt?«

Ich lache. »Du hast recht, es ist eine blöde Frage. Hätte ich es Dan gesagt, könntest du mich vor lauter Wattepackung gar nicht sehen.« Ich trinke einen Schluck Tee und verziehe das Gesicht. »Ernsthaft, so schmeckt entkoffeinierter? Darf man nicht mal anständigen Tee trinken, wenn man schwanger ist? Das verdammte Baby ist nicht mal zehn Wochen alt, und schon bringe ich Opfer.«

»Sagt dir das irgendwas?«

»Nein«, antworte ich entschlossen. »Es sagt mir gar nichts. Was mir etwas sagt, ist die Tatsache, dass ich die eine Neuigkeit habe, auf die mein Mann schon seit über einem Jahr wartet – die eine Sache, die meine große Liebe zum glücklichsten Mann aller Zeiten machen würde, und ich alles andere lieber tun würde, als es ihm zu erzählen.«

»Auf keinen Fall kannst du das Baby abtreiben. Es würde ihm das Herz brechen.«

»Er würde es nie erfahren«, erwidere ich leise. »Falls ich mich für einen Abbruch entscheide, darf Dan nie erfahren, dass ich schwanger war. Du hast recht, es würde ihm das Herz brechen, und ich glaube nicht, dass unsere Ehe es überstehen würde.« Ich fühle mich furchtbar, weil ich das zu ihr sage, weil ich so ungerührt darüber spreche, dass ich in Erwägung ziehe, mein Baby abzutreiben, während sie sich verzweifelt eines wünscht. Aber ich habe sonst keinen, mit dem ich reden kann. Es klingt ungeheuer egoistisch, und ich schätze, das ist es auch.

»Und wenn du ihn belügst und die Schwangerschaft abbrichst, könntest du damit leben? Würde deine Ehe solch ein Geheimnis überstehen?«

Ich seufze. »Weiß ich nicht. Was ist, wenn ich ein Kind bekomme, das ich nicht will, nur um meinem Mann eine Freude zu machen? Kann eine Ehe das überstehen? Mir kommt es vor, als wären wir schon verloren, aber wenigstens würde solch ein Geheimnis bedeuten, dass ich keinem armen Kind das Leben ruiniere.«

»Das ist dein Problem, Im, diese Überzeugung, dass du keine perfekte Mutter wärst. Die gibt es gar nicht. Jede Mutter macht Fehler, verliert mal die Geduld, sagt Dinge, die sie nicht so meint, und verkorkst ihre Kinder unabsichtlich. Was wäre, wenn auf einmal alle beschließen würden, die einzige Lösung sei, keine Kinder zu bekommen? Die Menschheit wäre in Nullkommanichts ausgestorben.«

»Die meisten Leute haben keine genetisch bedingte Neigung, ihre Sprösslinge zu vermurksen«, widerspreche ich. »Die meisten haben keine ...«

»Schlimme Kindheit, bla-bla-bla, gefühllose Mutter, bla-bla-bla, schlechte Gene, bla-bla-bla.« Pammy sieht aus, als würde sie jetzt gleich weinen. »Tatsache ist, dass du nicht deine Mutter bist. Du kannst deine eigenen Entscheidungen treffen, und wenn du dich entscheidest, dein Kind zu lieben und dein Bestes zu geben, wirst du als Mum gut genug sein. Mehr kann keiner von sich verlangen. Nicht perfekt, nur gut genug.«

»Das kannst du nicht wissen«, kontere ich scharf und bereue es sofort. Aber sie weiß wirklich nicht, was für eine Mutter ich wäre. Was für eine Gefahr. Denn das letzte Kind, bei dem ich versagte, war am Ende tot.

# Kapitel 23

*Imogen*

In der Schule riecht es exakt wie vor fünfundzwanzig Jahren, und es wirft mich in dem Moment zurück, in dem ich sie betrete. Wie kann sich ein nicht identifizierbarer Geruch über Jahrzehnte halten? Die alten Teppichböden wurden gegen neue ausgetauscht, die zum neuen »Academy«-Status der Schule passen, die Wände frisch gestrichen, und dennoch sind die Gefühle von Furcht und Unzulänglichkeit geblieben, die diese langen Korridore verlässlich in mir weckten. Von einer Sekunde zur anderen bin ich wieder elf Jahre alt.

Ich hätte nie gedacht, dass ich mal wieder durch diese Türen gehen würde. Meine Reaktion ist physisch, als wäre alle Luft aus dem Korridor gesogen worden. Das Gefühl, durch zähen Sirup zu schwimmen, ist hier sogar ausgeprägter als in meinem alten Zuhause.

Ich gebe der Schulsekretärin ihren Kuli zurück, und sie sieht kaum zu mir auf, bevor sie murmelt: »Die Treppe rauf links.«

»Ja, ich weiß. Ich bin früher selbst hier zur Schule gegangen.« Ich lächle, doch es ist zwecklos, denn die plumpe silberhaarige Frau hinter der Glasscheibe hat sich bereits zurück zu ihrem Computer gewandt.

Auch das ist neu, die bankmäßige Sicherheitsverglasung, die Mitarbeitern ersparen soll, Besuchern zu nahe zu kommen. Allerdings kann ich diese Neuerung verstehen. Das Schulumfeld hat sich seit meiner Kindheit verändert; alles ist auf maximale Sicherheit ausgelegt, für den Fall, dass das Schlimmste geschieht. Es ist eine konstante Erinnerung daran, dass sich unsere Welt laufend zum Besseren oder Schlechteren entwickelt. In diesem Fall zu Letzterem.

Auf dem Weg nach oben nehme ich je zwei Stufen auf einmal. Ich habe ein mulmiges Gefühl, versuche mich aber zu beruhigen. *Sei nicht albern. Du bist kein Kind, das zur Direktorin zitiert wird. Du bist erwachsen. Ein Profi. Kein missratener Teenager.*

Nicht dass ich jemals ein missratener Teenager gewesen wäre. Schon bei dem Gedanken muss ich grinsen. Die Male, die ich diese Treppe hinaufgegangen war, geschah es, um über die anderen Mädchen zu sprechen. Mädchen, die mich schubsten, wenn ich vorbeiging, die an meiner Uniform zogen und taten, als hätten sie sich Flöhe eingefangen, wenn sie an mir vorbeikamen. Diese Treppe führt nicht nur zur Direktorin, sondern auch zur Schulschwester.

Ich stehe vor der weinroten Bürotür, hole tief Luft und stütze eine Hand an den Türrahmen. Ich kann ja wohl schlecht von Florence Maxwell erwarten, auf meine Kompetenz zu vertrauen, wenn sie ein rotgesichtiges Nervenbündel vor sich sieht. Ich zähle von zehn rückwärts – wie es der Zufall will, hat mir die Schulschwester diesen Trick beigebracht – und fühle mich schon bei drei besser. Nun klopfe ich an und verdränge das Bild meines elfjährigen Ichs, das dasselbe tat.

»Herein.«

Die Frau hinter dem Schreibtisch steht auf, als ich hineingehe, beugt sich vor und streckt mir die Hand hin.

»Florence Maxwell. Sie müssen Imogen sein.«

Florence Maxwell hat nichts mit ihrem Vorgänger gemein. Mr. Thorne war so stachelig gewesen, wie es sein Name nahelegte; ein spindeldürrer Mann mit lauter kleinen Falten und scharfkantigen Zügen. Ich erinnere mich nur an ein einziges

Mal, dass ich ihn lächeln sah: als das Rugby-Team in meinem letzten Jahr das Finale gewann. Im Gegensatz dazu sieht Miss Maxwell noch genau wie die junge Sportlehrerin von damals aus, wie jemand, der sich zufällig hinter dem Direktorenschreibtisch wiederfand und immer noch verblüfft ist, wie das passieren konnte. Ihr mittelblondes Haar ist kurz geschnitten, ihre Wangen sind leicht gerötet, als käme sie gerade vom Laufen, und sie hat eine sportliche Figur. Das Einzige, was fehlt, ist der Trainingsanzug. Sie trägt eine schwarz-rot geblümte Bluse und eine schlichte schwarze Hose, was sie nur umso deplatzierter in diesem Büro wirken lässt. Allem Anschein nach erinnert sie sich nicht an mich.

»Danke, dass Sie gekommen sind. Kann ich Ihnen etwas anbieten?« Sie nickt zu der modernen Kaffeemaschine.

»Gerne einen Kaffee, danke.«

Wie es aussieht, haben nur die Tür und der Schreibtisch dem Zahn der Zeit standgehalten. Die Wände sind in blauen und gelben Pastelltönen gestrichen, und überall hängen oder stehen Fotos von Florence mit Leuten, bei denen es sich vermutlich um andere Lehrer handelt, sowie Ofsted-Urkunden, die diese Schule als BEFRIEDIGEND ausweisen. Mir kommt es komisch vor, dass die Schule stolz auf eine Bewertung ist, die eher einem schulterzuckenden »In Ordnung« entspricht. Aber vielleicht heißt »befriedigend« für Ofsted etwas anderes als für mich.

Sie reicht mir einen dampfenden Kaffeebecher und setzt sich mir gegenüber hin.

»Nun, dann kommen wir zur Sache, würde ich sagen. Oh, warten Sie, ich hatte die Notizen irgendwo hier.« Sie zieht eine Schublade auf und kramt darin, und wieder mal wundere ich mich, wie sie zur Schulleiterin werden konnte. Womöglich bin ich unfair und Menschen in Autoritätspositionen müssen nicht zwingend streng und unnachgiebig aussehen, um gute Führungskräfte zu sein. Zudem ist die Schule bisher nicht abgebrannt, also muss die Direktorin etwas richtig machen. Ich hole meinen Notizblock hervor.

»Ah ja, hier. Entschuldigung.« Sie legt eine dünne braune Mappe auf den Schreibtisch und schlägt sie auf. Sie enthält nur etwa ein Dutzend Blätter. »Okay. Ellie ist jetzt seit wenigen Wochen bei uns. Ihre Eltern und ihr kleiner Bruder starben bei dem Brand, der ihr Haus zerstörte. Sie waren nicht einmal aufgewacht – es gab im gesamten Haus keine Rauchmelder. Wäre Ellie nicht wach geworden, um zur Toilette zu gehen, wäre sie auch tot. Die Feuerwehrleute hörten sie aus einem der oberen Fenster rufen, das sie aufbekommen hatte und wo sie sich mit dem Vorhang vor dem Rauch schützte.«

»Gibt es bisher irgendwelche Probleme?«

»Sie fügt sich nicht so gut ein wie erhofft, aber wir stehen ja noch ganz am Anfang. Es ist unglücklich, dass ihre frühere Place2Be-Ansprechpartnerin so überstürzt gekündigt hat, denn wir hatten gehofft, die Integration mit ihrer Unterstützung reibungsloser verlaufen zu lassen.«

Ich werde rot. »Ich nehme an, dass sie nach dem Tod ihrer Eltern in Therapie war?«

»Natürlich.«

»Und ist sie das noch?«

Florence verzieht angewidert das Gesicht. »Nein. Sie bekam zunächst Sitzungen über sechs Monate bewilligt, mit Option auf Verlängerung, sofern nötig. Laut der Psychologin geht sie mit der Situation so gut um, wie man es irgend erwarten kann, und nach acht Monaten wurde die Therapie beendet.«

»Wie sieht es mit ihren schulischen Leistungen aus? Sind die altersgemäß?«

»Dazu kann Miss Gilbert Ihnen mehr sagen. Ich habe sie

gebeten, sich heute etwas Zeit für uns zu nehmen. Übrigens unterrichtet sie gerade Ellies Klasse. Wollen wir nach unten zu ihr gehen?«

Die Direktorin führt mich durch die Korridore, und als Erwachsene scheint mir alles viel kleiner. Die Stühle, die Türen – damals schien alles monströs groß. Heute sieht es wie jede beliebige Schule an jedem beliebigen Ort aus, und ich sage mir, dass alles gut wird. Ich kann herkommen, erwachsen sein, das hier schaffen.

Erst als wir uns dem Klassenraum nähern, hören wir den Schrei.

# Kapitel 24

*Ellie*

Eine Woche nach dem »unglücklichen Vorfall« war die Polizei zu ihrer Pflegefamilie gekommen, um Sarah und Mark zu versichern, dass keine Anzeige gegen Ellie wegen dem erstattet würde, was in der Stadt mit Naomi Harper passiert war.

»Wieso musste der überhaupt den ganzen Weg herkommen, um *das* zu sagen?«, zischte Mary, die Ellies Hand hielt, als sie oben auf der Treppe hockten. »Du hast nichts getan. Die Frau aus dem Auto hatte das gesagt, und sie hatte alles gesehen. Diese Naomi ist eine bescheuerte Kuh, zu behaupten, dass du sie auf die Straße stoßen wolltest. Als könntest du das, indem du ihr einfach sagst, sie soll weggehen.«

»Du hast es doch auch gesehen«, wisperte Ellie. »Du hast auch gesehen, dass ich sie nicht geschubst habe. Das hast du gesagt.«

Mary hatte das Gesicht verzogen. »Ähm, na ja, ich hatte nicht genau gesehen, was passiert war.« Sie sah Ellie unglücklich an und legte einen Arm um ihre Schultern. »Das hatte ich nur gesagt, damit diese furchtbare Frau aufhört, dich anzuschreien. Echt, es ist kein Wunder, dass Naomi so eine Zicke ist, bei der Mutter.«

»Und woher hast du gewusst, dass ich sie nicht geschubst habe?«

»Machst du Witze?« Mary hielt Ellie auf Armeslänge und sah ihr in die Augen. »Ich musste nicht sehen, was passiert war, um zu wissen, dass du das nicht machen würdest.«

»Ich wette, da bist du die Einzige«, sagte Ellie.

Miss Gilbert setzt sich an ihr Pult und blickt sich nach ihrem geliebten Klassenbuch um.

»Vor der Pause war das doch noch hier …«, hört Ellie sie murmeln, und die Lehrerin reißt die Schublade auf.

Im nächsten Moment stößt Miss Gilbert einen markerschütternden Schrei aus. Die gesamte Klasse blickt verwundert auf, und innerhalb von Sekunden bricht im Klassenraum das Chaos aus. Ellie reckt den Hals, um zu sehen, was vor sich geht, und unwillkürlich tritt ein grimmiges Lächeln auf ihre Züge.

Eine schwarze wogende Masse scheint aus Miss Gilberts offener Schublade zu quellen, und Ellie stellt schadenfroh fest, dass unzählige schwarzer Spinnen über den Schreibtisch krabbeln. Sie stolpern übereinander in ihrem Kampf, der engen Schublade zu entkommen. Dicke schwarze Leiber und fiese Spindelbeine streben auf die Lehrerin zu.

Andere Kinder in der Klasse werden hysterisch. Miss Gilbert ist erstarrt, während die Klasse um sie herum kreischt und Schüler auf ihre Stühle steigen, als würde es auf dem Fußboden von Mäusen wimmeln. Mädchen klammern sich aneinander, und Jungen schleichen sich näher an die Schublade, fordern sich gegenseitig heraus, die Hand in die Masse krabbelnder schwarzer Gliederfüßer zu stecken.

Eine Spinne fällt auf den Boden, und als würde ihr Anblick einen Schalter umlegen, springt Miss Gilbert auf.

»Ruhe!«, ruft sie und tritt hinter dem Schreibtisch vor, wobei sie die Spinnen entschlossen ignoriert, die immer noch über die Tischplatte huschen.

»Meine Güte nochmal, Mädchen, das sind keine Giftschlangen.«

Sie zögert für einen Moment, als überlegte sie, ob die Spinnen giftig sein könnten. Dann zeigt sie zur Tür.

»Stellt euch auf. Wir gehen früher zur Mittagspause.«

Die Kinder rennen zur Tür – alle außer Ellie. Sie packt langsam ihre Sachen, wobei ihr bewusst ist, dass sämtliche Blicke – einschließlich Miss Gilberts – auf sie gerichtet sind. Ihr wird übel. Irgendwie weiß sie schon, dass ihr hierfür die Schuld in die Schuhe geschoben wird.

»Du nicht, Ellie. Du kommst mit mir.«

# Kapitel 25

*Imogen*

»Das waren nicht mal hundert Spinnen«, sagt Florence nüchtern. »Aber sicher kam es den Kindern viel mehr vor.« Sie reibt sich mit einer Hand über das Gesicht und seufzt erschöpft. »Miss Gilbert hat es leider sehr schlecht aufgenommen. Sie weigert sich, Ellie weiter zu unterrichten, was lachhaft ist, denn es gibt keinerlei Hinweise, dass Ellie damit irgendetwas zu tun hatte. Aber Hannah ist überzeugt, dass Ellie wegen ihrer wenig euphorischen Reaktion auf ihr Projekt sauer war und die Spinnen in ihren Schreibtisch gesteckt hat, um sich zu rächen.«

»Glauben Sie das auch?«, frage ich und bemühe mich, nicht allzu ungläubig dreinzublicken, während ich über das nachdenke, was eben geschehen war.

Bis wir Miss Gilberts Klassenraum erreichten, waren die Schreie bereits verstummt, und wir wurden von einem Durcheinander aufgeregter Kinderstimmen begrüßt, als die Klasse auf den Korridor stürmte. Hannah hatte leise mit Florence gesprochen, die nickte und mich in ein leeres Klassenzimmer brachte, wo ich saß und mich fragte, was in aller Welt vorgefallen sein mochte.

»Ehrlich gesagt bin ich nicht sicher, was ich glauben soll. Ellie hat so viel durchgemacht, dass es mich nicht überraschen würde, wenn sie ausflippt.« Zum Ende hebt sie die Stimme, sodass es eher wie eine Frage klingt als eine Aussage. »Ich möchte nicht glauben, dass es irgendein Schüler war, doch es muss einer von ihnen gewesen sein. Diese Spinnen sind nicht von allein in Miss Gilberts Schublade gelangt. Und Tatsache ist, dass es bei Ellies Projekt um Spinnen ging. Ist das bloß ein unglücklicher Zufall? Oder etwas Ernsteres? Woher sollte eine Elfjährige überhaupt so viele Spinnen haben? Und wie bekommt sie die da rein, ohne dass jemand es bemerkt?« Ich kann nicht sagen, ob sie mir diese Fragen stellt oder sich selbst. So oder so beantworte ich sie nicht.

»Was wollen Sie jetzt unternehmen?«

»Ohne Beweise kann ich nicht viel tun. Ich werde mit der ganzen Klasse sprechen, ihnen erklären, dass es sich hierbei um inakzeptables Verhalten handelt und es Konsequenzen haben wird, sollte so etwas noch mal vorkommen. Ich schätze, mehr kann ich nicht machen.« Sie schüttelt den Kopf. »Nein, bauschen wir die Geschichte nicht unnötig auf.« Sie sieht mich an, und ich erkenne echte Furcht in ihren Augen. Florence Maxwell hat Angst, und ich weiß nicht, ob davor, es falsch anzugehen, oder vor etwas weit Schlimmerem.

# Kapitel 26

*Imogen*

Ellies Lehrerin, Hannah Gilbert, wandert im leeren Lehrerzimmer auf und ab, als Florence und ich hineingehen. Beim Geräusch der sich öffnenden Tür zuckt Miss Gilbert zusammen und dreht sich zu uns um. Sie lässt die Schultern hängen, als sie sieht, wer es ist.

»Florence, Gott sei Dank, dass du hier bist! Ich wusste nicht, was ich tun sollte.« Ihre Hand zittert ein wenig, als sie sich damit übers Gesicht streicht. »Es war entsetzlich. Die waren überall! Und ich musste mich vor den Kindern zusammenreißen. Ich weiß nicht mal, wie ich das geschafft habe, so panisch, wie ich war. Und ich ...« Sie unterdrückt ein Schluchzen.

»Bitte, Hannah, setz dich. Dies ist Imogen Reid von Place2Be.« Florence legt eine Hand an den Arm der Lehrerin und führt sie behutsam zu einem der Sofas. »Kann ich dir oder Ihnen etwas zu trinken holen?«

»Kaffee, bitte«, antwortet Hannah, während ich »Ein Wasser, bitte« sage und mich auf das Sofa gegenübersetze. Verlegen schweigend warten wir, bis Florence mit unseren Getränken kommt und sie vor uns hinstellt. Ich vermute, keine von uns hatte sich unsere erste Begegnung so vorgestellt.

»Was ist passiert?«, frage ich.

»Da sind Spinnen, überall. Alle in meinem Schreibtisch. Ich hatte meine Hand da reingesteckt, sie angefasst.« Sie erschaudert. »Ellie Atkinson hat sie da reingepackt.«

Ich will etwas erwidern, aber Florence kommt mir zuvor. »Woher weißt du, dass es Ellie war?«

Hannah verzieht ihr hübsches Gesicht, sodass es schlagartig hässlich wird.

»Die Klasse hatte eine Hausaufgabe, ein Projekt über Haustiere. Ellie hatte für ihres das Thema Spinnen genommen.« Sie spuckt das Wort aus und erschaudert wieder, als würde sie die Erinnerung an achtbeinige Kreaturen, die in ihrer Schreibtischschublade übereinander krabbeln, erneut durchleben.

»Gab es ein Problem mit Ellies Projekt?«

»Spinnen sind keine Haustiere!«, antwortet Miss Gilbert streng. Sie sieht aus, als sei sie bereit, diesen Standpunkt notfalls vehement zu verteidigen, und ich frage mich, warum sie so defensiv reagiert.

Ich seufze. Die Frau ist eine Idiotin, und beinahe hoffe ich, dass Ellie Atkinson die Spinnen in ihren Schreibtisch gesteckt hat. Es geschähe ihr ganz recht, weil sie so verflucht unsensibel ist. Beim Warten in dem Klassenzimmer hatte ich in Ellies Schulakte gelesen und innerhalb von fünf Minuten erkannt, was dieser Frau offenbar nach Wochen, in denen sie Ellie unterrichtet hat, nicht aufgegangen ist.

»Hat Ellie ein Haustier, über das sie etwas vortragen kann, Miss Gilbert?«

Miss Gilbert zuckt mit den Schultern. »Sagen Sie ruhig Hannah zu mir. Woher soll ich das wissen? Das war ja der Sinn der Aufgabe, mehr über das Leben der Kinder zu Hause zu erfahren. Normalerweise finden sie das toll.«

Es kostet mich enorme Kraft, nicht wütend auf diese bockige Frau zu werden. »Sie kennen Ellies häusliche Situation, nicht wahr? Wie Sie bestimmt wissen, ist sie in Pflegeunterbringung und es daher unwahrscheinlich, dass eventuelle Haustiere *ihre* sind. Und vermutlich hätten Sie, ebenso wie ich, anhand der

Akte, die Miss Maxwell mir vor nicht einmal einer Stunde gab, herausfinden können, dass Ellies Haustiere, sowohl ihr Hund als auch ihr Hamster, in dem Feuer verbrannt sind, das ihre gesamte Familie auslöschte. Jeder, vorausgesetzt er macht sich die Mühe hinzusehen, dürfte verstehen, dass Ellie eher kein konventionelles Haustier für ihr Projekt aussuchen möchte, geschweige denn einen Haufen Bilder von ihren eigenen toten Tieren beisteuern.«

»Na ja«, stammelt Hannah Gilbert, die meine nicht vollständig verborgene Wut nervös macht, »das ist aber keine Entschuldigung für das, was sie getan hat! Und woher weiß sie, dass ich Angst vor Spinnen habe? Dieses Mädchen.« Sie knirscht mit den Zähnen. »Dieses Mädchen weiß Dinge. Sie weiß Sachen, die sie nicht wissen dürfte.«

»Ach, hören Sie auf«, sage ich kopfschüttelnd. »Nehmen wir rein hypothetisch an, Ellie hat die Spinnen in Ihre Schublade gesteckt – und Sie scheinen keinen einzigen Beweis dafür zu haben –, das heißt aber noch lange nicht, dass sie von Ihrer Phobie wusste. Die meisten Menschen fürchten oder ekeln sich vor Spinnen. Man kann also kaum von einem schlagkräftigen Beweis für hellseherische Fähigkeiten sprechen, meinen Sie nicht?«

Hannah sieht aus, als wolle sie widersprechen, doch Florence mischt sich ein.

»Meine Damen, so kommen wir nicht weiter.«

»Nein, Sie haben recht«, stimme ich ihr zu. Ich will mich nicht gleich an meinem ersten Tag in diesem Job mit der Lehrerin anlegen, aber manchmal kann ich einfach nicht anders. Dan sagt, ich wäre eben »leidenschaftlich«. »Ich bitte um Verzeihung, Miss Gilbert.«

Hannah Gilbert nimmt meine Entschuldigung mit einem Nicken an.

»Ja, ich auch. Es war nur ein ganz schöner Schock. Selbstverständlich wollte ich nicht andeuten ...« Sie bricht mitten im Satz ab, kann eindeutig nicht aussprechen, was sie nicht andeuten wollte. Nun wirkt sie verlegen, als hätte sie sich verplappert und würde es bereuen. Bei aller Wut bin ich froh, dass sie unbedacht losgeredet hat, denn dadurch bekomme ich einen Eindruck, womit Ellie in dieser Schule konfrontiert ist. Weiß Florence Maxwell von dem Zwischenfall mit Naomi und deren Mutter in der Stadt? Weiß Hannah Gilbert davon? Gewiss sollte ich es erwähnen, denn falls die Polizei zur Schule kommt, wird mein Name in dem Bericht stehen, über den sie zumindest mit der Schulleiterin sprechen würde. Doch nach dem, was eben war, habe ich das Gefühl, es würde nicht gut für Ellie ausgelegt.

»Wie geht es jetzt weiter?«, fragt Florence, merklich erleichtert, dass die Auseinandersetzung nicht eskaliert. »Was Ellie und ihre Pflegschaft betrifft, meine ich.«

»Ich möchte natürlich wie geplant mit Ellie sprechen«, antworte ich. »Aber vielleicht ist es im Moment nicht so günstig. Wenn sie mich mit dem assoziiert, was heute passiert ist, könnte sie das Gefühl haben, mein Besuch wäre eine Art Strafe. Und mir wäre es lieber, wenn unsere erste Begegnung unter weniger emotional belasteten Umständen stattfindet. Das macht Ihnen hoffentlich keine zu großen Umstände.«

Florence schüttelt den Kopf. »Natürlich nicht. Sicher haben Sie recht. Ich sollte ihre Pflegeeltern anrufen, damit einer von ihnen sie abholen kommt. Und morgen fangen wir noch mal neu an.« Sie sieht mich an, als hoffte sie auf meine Zustimmung, und ich habe mal wieder das ungute Gefühl, dass die Schulleiterin einfach nicht weiß, wie sie mit solchen Situationen umgehen soll. Sofern ich es aus meiner Zeit an dieser Schule schließen kann, hat sie auch keine Erfahrung damit. Die Gaunt High School ist eine kleine Schule mit sehr wenigen Problemkindern. Die Schikane, die ich erlebte, wurde ignoriert oder unter den Teppich gekehrt, was bezeichnend dafür ist, wie in Gaunt generell mit Problemen verfahren wird. Nach einer Weile bemerkte ich nicht einmal mehr, wie viele Leute mich und meine Mutter in den hiesigen Läden oder in der High Street ignorierten. Sie blickten durch uns hindurch, als wären wir gar nicht da, ähnlich wie man ein Kind mit einem Trotzanfall oder einen Furz im Fahrstuhl ignoriert.

»Darf ich etwas fragen?«, sagt Hannah.

»Natürlich«, antwortet Florence und sieht die Lehrerin freundlich an. *Was für eine Beziehung haben die beiden? Stehen sie sich nahe?*

»Na ja, wie Imogen schon sagt, wenn wir Ellie jetzt nach Hause schicken, sieht es dann nicht aus, als würden wir sie beschuldigen? Wir haben keinen richtigen Beweis, dass Ellie es war – auch wenn ich das immer noch glaube«, ergänzt sie hastig. »Aber wenn wir sichergehen wollen, dass sie sich nicht zu Unrecht beschuldigt fühlt, sollten wir sie nicht anders behandeln als die anderen.«

»Ja, okay, ich verstehe, was du meinst.« Florence nickt eifrig. »Ich dachte, ihr wäre nicht wohl dabei, in der Schule zu bleiben, aber du hast recht, Hannah. Warten wir ab, wie der Nachmittag verläuft, einverstanden? So, dann gehe ich lieber mal mit ihr sprechen und lasse sie zum Mittagessen, bevor der Nachmittagsunterricht anfängt.«

Hannah steht rasch auf, als Florence sich erhebt.

»Darf ich zuerst kurz mit ihr reden?«, fragt sie und errötet. »Es ist nur ... ich war ein bisschen streng mit ihr – der Schock ... Ich ... ich würde mich gerne entschuldigen.«

Florence strahlt förmlich. Ich versuche, mir meine Skepsis nicht anmerken zu lassen. Als wir reinkamen, war Hannah Gilbert so wütend gewesen, so sicher, dass Ellie diejenige war, die sie in Angst und Schrecken versetzt und vor ihrer Klasse blamiert hatte. Wütend genug, um das Mädchen allen Ernstes der Hexerei zu bezichtigen! Und jetzt will sie den Schwanz einziehen und sich bei der Person entschuldigen, die sie nach wie vor für schuldig hält?

»Das ist eine fabelhafte Idee, Hannah, und sicher fühlt Ellie sich besser, wenn sie hört, dass zwischen euch beiden alles wieder gut ist.«

Du bist paranoid, Imogen. Hannah Gilbert ist genauso wenig Lady Macbeth, wie Ellie Atkinson die Sabrina aus der Sitcom *Total verhext!* ist. Ich ringe mir ein Lächeln ab, um mein Misstrauen zu überspielen, und Hannah nickt mir zu.

»Hat mich gefreut, Sie kennenzulernen, Imogen«, sagt sie. »Es ist nur schade, dass es unter diesen Umständen war. Ich freue mich schon auf die Zusammenarbeit mit Ihnen.«

»Ganz meinerseits«, lüge ich.

Als sich die Tür hinter Hannah Gilbert schließt, wendet sich Florence Maxwell zu mir.

»Tut mir leid. Hannah ist kein schlechter Mensch. Sie ist eigentlich eine nette Frau und eine gute Lehrerin. Nur wenn es um Ellie Atkinson geht, scheint sie ein bisschen voreingenommen. Ich weiß nicht genau, was sonst zwischen den beiden vorgefallen ist – Hannah behauptet ständig, Ellie würde sich schlecht benehmen. Aber anscheinend konnten Sie zu ihr durchdringen, und darüber bin ich froh.«

Ich bezweifle sehr, dass das stimmt, will jedoch nicht hinterlistig wirken. Und ich werde Hannah Gilbert weit besser im Auge behalten können, wenn ich sie mir zur Freundin mache, nicht zur Feindin.

»Tja, nach einem Schock können wir alle schnell mal überreagieren. Es war nett von ihr anzubieten, dass sie mit Ellie redet.« Ich stehe auf. »Jetzt muss ich wirklich ins Büro zurück.

Es ist meine erste Woche, und ich habe schrecklich viel durchzuarbeiten.«

Florence nickt. »Natürlich.« Sie reicht mir die Hand. »Es hat mich sehr gefreut, Imogen. Vielen Dank, dass Sie hier waren. Soll ich Ihnen eine E-Mail schreiben, wann Sie mit Ellie sprechen können?«

»Das wäre nett, danke.« Ich suche in ihrem Gesicht nach Hinweisen, dass sie das dürre, schmuddelige Mädchen wiedererkennt, das sich früher vor ihren Sportstunden gedrückt hat, aber offensichtlich hat die Schule Imogen Tandy längst vergessen – der ganze Ort vielleicht. Zu meinem Erstaunen versetzt es mir einen kleinen Stich. Bin ich ernsthaft traurig, weil mich ein Dorf, das ich gehasst habe, vergessen konnte? Oder ist es eher die Erkenntnis, dass fünfzehn Jahre im Leben eines Mädchens so wenig bedeuten können?

»Oh, nur eines noch«, sagt Florence Maxwell, als ich schon halb an der Tür bin. Ich drehe mich um.

»Hatte Emily irgendwas über Ellie gesagt, bevor sie wegging? In ihrem Übergabeprotokoll?« Ihre Beiläufigkeit klingt sehr gekünstelt.

»Wir haben keine Übergabe gemacht«, antworte ich. »Sie war schon fort, als ich ankam. Wie es scheint, hatte sie es recht eilig, wegzuziehen und zu heiraten. Ich habe ihre Notizen, aber ehrlich gesagt hatte ich nicht das Gefühl, dass sie mit Ellie sehr weit gekommen war.«

Ist das Erleichterung, was sich für einen Augenblick auf ihrem Gesicht spiegelt, oder habe ich es mir nur eingebildet? Und es ist auch schon wieder verschwunden, als sie sagt: »Richtig, ja. Nun, hoffentlich kommen Sie ein bisschen weiter.«

»Das werde ich bestimmt«, antworte ich. In Wahrheit bin ich mir derzeit bei gar nichts sicher, und das schon nicht mehr, seit wir die Ortseinfahrt passierten.

# Kapitel 27

*Ellie*

Die Tür des Klassenzimmers schwingt auf, und sie blickt hin. Ihr Bauch verkrampft sich, als sie sieht, dass ihre Lehrerin, Miss Gilbert, auf sie zukommt. Sofort springt Ellie auf, und ihre Worte überschlagen sich, ehe sie sich bremsen kann.

»Ich war das nicht, okay? Ganz ehrlich, ich …«

»Hör mir zu, Ellie.« Miss Gilbert kommt näher und hockt sich auf die Kante eines Tisches. Ihre Stimme ist weicher, als Ellie erwartet hätte – und sie sieht fast freundlich aus. »Ich weiß, dass du für das verantwortlich bist, was heute passiert ist.« Miss Gilbert spricht ruhig und leise, fast als würde sie Ellie eine Änderung im Stundenplan oder die Essensauswahl zum Mittag mitteilen. »Ich kann es nicht beweisen, und deshalb wird nichts weiter unternommen. Aber eines sollst du wissen. Wenn du nochmal so eine Nummer abziehst, werde ich dafür sorgen, dass ich Beweise finde. Ich werde dafür sorgen, dass du von dieser Schule fliegst und dich deine Pflegeeltern zurück zum Sozialdienst schicken.«

Ellie reckt nur ihr Kinn vor. »Ich sage doch, ich war das nicht. Das war nicht meine …«

»Nicht deine Schuld? Wie es scheint, passieren dir eine Menge Sachen, die nicht deine Schuld sind.« Miss Gilberts letzter Satz hängt in der Luft, und Ellie weiß genau, was sie meint. Das Feuer. »Doch ich bin nicht so blind oder naiv wie einige andere Lehrer hier. Unsere Direktorin mag sich weigern zu glauben, dass die Pechsträhne, die dich verfolgt, mehr ist als reiner Zufall, aber ich kenne die Wahrheit. Schlechte Dinge passieren schlechten Menschen, Ellie, und du sollst wissen, dass du mir nichts vormachst. Ich weiß nicht, wie du das mit den Spinnen abgezogen hast, aber ich werde dich von jetzt an auf Schritt und Tritt beobachten, solange du hier bist. Und ich werde dafür sorgen, dass es nur noch kurze Zeit ist.«

Ellie fixiert Miss Gilbert mit ihren dunklen Augen und würzt ihre Worte mit jeder Unze Hass, die sie in diesem Moment empfindet: »Meinetwegen beobachten Sie mich ruhig, Miss Gilbert. Aber seien Sie vorsichtig, denn ich habe das Gefühl, dass ich noch sehr viel länger hier sein werde als Sie.«

# Kapitel 28

*Imogen*

»Wie war es heute?«

»Oh Gott, Dan, es ist schlicht furchtbar, wie sie dieses Mädchen behandeln!« Mir läuft ein Schauer über den Rücken, wenn ich daran denke, was ich heute erlebt hatte. Es ist sieben Uhr abends, ich bin eben zur Tür herein, und alles tut mir weh. Ich hatte schon gehört, dass das Frühstadium einer Schwangerschaft anstrengend sein kann, aber das hier ist lächerlich. Muss es wirklich sein, dass ein Kind auszutragen heißt, in Tränen auszubrechen, weil der Seifenspender im Bad leer ist? Dan gibt mir einen Becher grünen Tee, und als ich hineinsehe, dreht sich mir der Magen um. Jetzt gerade könnte ich morden für ein Glas Wein.

»Die Lehrerin, Hannah Gilbert, ist komplett schwachsinnig«, erzähle ich ihm und stelle den Tee auf die Arbeitsfläche. »Es ist, als hätte sie einen Groll gegen dieses Mädchen, diese Elfjährige! So was habe ich noch nie erlebt.« Ich verziehe das Gesicht und ringe vor lauter Erschöpfung mit den Tränen.

»Hey, ganz ruhig. Komm her.« Er nimmt mich in die Arme, und ich vergrabe mein Gesicht an seiner warmen Brust. Ohne Vorwarnung schluchze ich in seinen Pullover. Nach wenigen Minuten löse ich mich von ihm und wische mir mit dem Ärmel die Wangen ab.

»Und die Fallnotizen sind das reinste Chaos, ein Haufen wirrer Papiere. Diese Emily war offensichtlich eine Eigenbrötlerin und eine faule Socke. Sie hat es eindeutig raus, nur das Allernötigste zu tun, dann ist sie abgehauen, um zu heiraten, und jetzt kann ich mich um ihre Baustellen kümmern. Was das betrifft, benehmen sich übrigens alle richtig seltsam. Und wer gibt denn seinen Job auf, um zu heiraten? Ich glaube, dass sie gefeuert wurde und jeder Angst hat, darüber zu reden. Was ein schlechter Scherz ist, denn die reden sonst über alles. Immerzu. Mir war nie bewusst, wie schlimm es sein kann, in einem Großraumbüro zu arbeiten.« Ich seufze. »Habe ich einen riesigen Fehler gemacht?«

Dan schüttelt den Kopf. »Natürlich nicht. Du musst nur nach allem wieder dein Vertrauen in dich aufbauen. Denkst du, dass du diesem Kind helfen kannst? Dieser Ellie?«

»Ich hatte nicht mal die Chance, sie zu sprechen«, gestehe ich. »Aber ja, ich werde mein Bestes geben. Selbstverständlich werde ich das.«

»Dann ist es kein Fehler, oder? Wenn dieser Job bedeutet, dass du auch nur einem Kind hilfst, das bisher keine Hilfe bekommen hat, kann es nicht verkehrt sein.«

Ich denke an meine Schulzeit zurück, wie anders mein Leben hätte verlaufen können, wenn es da bloß jemanden gegeben hätte, der mir die Hilfe geboten hätte, die ich Ellie anbieten kann. »Du hast recht. Du hast immer recht.« Lächelnd strecke ich mich nach oben und küsse ihn. »Danke.«

»Dafür bin ich da. Trink deinen Tee, und ich massiere dir die Füße. Hier sollte es entspannter für dich sein, nicht noch stressiger als dein alter Job.«

Ich lasse die Schultern hängen. »Ich weiß«, sage ich seufzend. »Tut mir leid. Sicher wird alles gut, wenn ich mit den Fällen auf dem Laufenden bin. Die Stelle war länger unbesetzt, und soweit ich es mitbekommen habe, hat in der Zeit keiner irgendwas getan.« Ich hebe eine Hand, als Dan mir meinen Becher geben will. »Oh bitte, Dan, ich will keinen grünen Tee! Ich bin schließlich nicht krank.«

Dan sieht kreuzunglücklich aus, und sogleich bereue ich meine Worte, finde aber auch keine, um mich zu entschuldigen. Ich könnte ihm den wahren Grund für meine Gereiztheit verraten: all die Hormone, die diese unterirdische Laune verursachen. Er wäre so entzückt, dass er mir meine schnippische Art sofort verzeihen würde. Doch ich bringe mich nicht dazu, es zu sagen.

Verdammt, Imogen, schimpfe ich mit mir, als er nickt und aus dem Raum geht. Mein Kopf pocht. Wie kann es sein, dass du so lange schon versuchst, anderen zu helfen, dich aber nicht dazu bringen kannst, ihm zu geben, was er sich wünscht?

# Kapitel 29

*Ellie*

Ellie sitzt auf einer Bank in der hintersten Ecke des Schulhofes und nimmt ein Notizbuch hervor. Die Mittagspausen sind qualvoll, womöglich noch schlimmer als der Unterricht, wenn sie sich zumindest einbilden kann, sie wäre in ihrer alten Schule bei ihren früheren Freundinnen und würde Zettel mit den Namen von Jungen weiterreichen, in die sie verknallt sind, verziert mit Herzen und Kringeln.

Nun blickt sie zum Sportplatz, wo ein paar Jungen Fußball spielt und eine Gruppe Mädchen ihnen kichernd zusieht. Warum hat sie keine Freundinnen? Warum kann dies hier nicht leichter für sie sein, wie es das früher war? Vor dem Brand. Vor ... allem. Vielleicht stimmt das, was sie sagen, was sie flüstern, wenn sie denken, Ellie hört sie nicht. Vielleicht ist sie böse. Kannst du Sachen geschehen lassen, indem du sie bloß willst? Und falls ja, hatte sie gewollt, dass ihre Eltern sterben? Sie war wütend auf sie gewesen, das ist wahr. Aber sie hatte sich nie ein Leben ohne sie vorgestellt. Hatte sie dies hier ausgelöst? Der Gedanke, dass alles irgendwie ihre Schuld ist, ist beinahe mehr, als sie erträgt. Und wenn es wahr ist, wenn sie eine Art böser Freak ist, darf sie für den Rest ihres Lebens niemandem je wieder nahe sein. Denn auch Leute, die sich total lieben, streiten manchmal – ihre Eltern hatten sich hin und wieder gestritten, sich aber immer wieder vorm Einschlafen vertragen und geküsst. Und wenn es bis dahin zu spät wäre? Was, wenn sie ihnen bereits wehgetan hatte, bevor sie eine Chance hatte, sich mit ihnen anzufreunden? Nein, es war leichter, sich von Leuten fernzuhalten, sich mit keinem anzufreunden und vorerst vor allem niemanden zu lieben. Nur bis das alles geklärt war. Wahrscheinlich nie, denkt sie, obwohl sie wirklich nicht weiß, wie lange es dauert – oder wie sie das regeln soll.

# Kapitel 30

*Imogen*

Ich sehe durch den Einwegspiegel in der Tür zum Beratungsraum. Das Mädchen auf dem Stuhl draußen ist eindeutig dasselbe, dem letzte Woche unterstellt wurde, eine Schulfreundin auf die Straße gestoßen zu haben. Ellie ist kleiner als die anderen Elfjährigen, die ich in der Schule gesehen habe, und sieht dünner aus, obwohl ich nicht sicher bin, wie das sein kann. Sie ist nicht wegen Verwahrlosung im Pflegesystem, und soweit ich es den Fallnotizen entnehme, die Florence Maxwell mir geschickt hat, gab es vor oder nach dem Brand keine Hinweise auf Vernachlässigung. Ihr langes dunkles Haar ist sauber, ihre Fingernägel sehen gepflegt aus, keine Anzeichen von mangelnder Hygiene. Trotzdem stimmt etwas mit ihr nicht. Ich öffne die Tür und setze mein freundlichstes Lächeln auf. »Ellie? Du kannst jetzt reinkommen.«

Das Mädchen wirkt wie jemand, der zum Zahnarzt muss oder zu etwas ähnlich Unangenehmen gezwungen wird. Daran bin ich gewöhnt. Für Kinder stehen Gemeindebedienstete auf einer Stufe mit Ärzten, Lehrern oder Polizisten. Es gilt, sie zu fürchten, bis man sicher ist, nicht in Schwierigkeiten zu stecken. Als ich sie genauer ansehen kann, wird mir klar, warum Ellie kleiner wirkt als die anderen – ihre Schuluniform ist mindestens eine, wenn nicht zwei Nummern zu groß. Nicht so viel, dass sie um sie herumschlackert oder man es überhaupt auf Anhieb bemerkt, aber sie vermittelt die Illusion, dass Ellie zierlicher ist als ihre Mitschülerinnen. Der Gedanke ist herzzerreißend, dass ein solch junger Mensch alles verliert, was er liebt – alles, was in dem Alter sicher scheint, das Zuhause, die Kleidung, die Familie. Keine Elfjährige rechnet damit, dass ihr all das so grausam genommen werden könnte.

»Möchtest du dich auf eines der Sofas setzen? Oder würdest du dich am Schreibtisch wohler fühlen?«

Ellie nickt zum Schreibtisch, und ich erwidere ihr Nicken. »Kein Problem. Setz dich. Kann ich dir etwas zu trinken anbieten?«

Sie fixiert ihren Schoß und sagt nichts. Ich erinnere mich an die einzigen Worte, die ich sie während des Zwischenfalls in der Stadt sagen hörte. *Sie sollten wirklich keine Lügen erzählen. Früher hätte man Ihnen die Zunge rausgeschnitten.* Sie wiederzusehen beschert mir erneut jenes Frösteln, das ich an dem Nachmittag empfand.

»Erinnerst du dich noch von neulich an mich, Ellie? Von dem Unfall, den deine Freundin in der Stadt hatte?«

Ellie nickt. »Sie ist nicht meine Freundin.«

»Wie geht es dir jetzt mit dem, was passiert war? Ist mit dir alles okay?«

Schweigen. Ich beschließe, das Thema nicht weiterzuverfolgen. Wir können in späteren Sitzungen auf den letzten Samstag zurückkommen.

»Weißt du, warum ich dich heute um ein Gespräch gebeten habe?«

»Wegen der Spinnen.«

»Nein, ich wurde schon gebeten, mit dir zu reden, ehe irgendwas davon geschah. Du hast schon mit Psychologen gesprochen, nicht wahr?«

Ellie nickt. »Die wollten alle bloß über meine Gefühle reden.«

»Tja, ich hoffe, dass du diejenige sein wirst, die das Reden übernimmt.« Ich lächle, versuche, ermutigend auszusehen, doch sie reagiert nicht. »Ich werde dich sicher nicht drängen, über irgendwas zu sprechen, bei dem dir nicht wohl ist. Ich bin nicht hier, um hinterher deinen Lehrern oder deinen Pflegeeltern von dieser Unterhaltung zu berichten. Ihnen erzähle ich nichts von dem, was du in unseren Gesprächen sagst. Dies soll nichts als ein Ort sein, an dem du das Gefühl hast, über alles reden zu können, ohne zu befürchten, dass du Ärger bekommst. Es geht nicht darum, jemandem die Schuld für etwas zu geben, das passiert ist. Ich bin keine Lehrerin. Und keine Polizistin«, ergänze ich.

Das Mädchen sieht mich ungerührt an, gibt durch nichts zu erkennen, ob es mir glaubt oder nicht. Ich fahre unverdrossen fort.

»Gibt es etwas, über das du reden möchtest, Ellie?«

Als sie nichts sagt, weder den Kopf schüttelt noch nickt, spreche ich noch sanfter.

»Wie wäre es, wenn wir mit der Schule anfangen? Gehst du gerne dorthin?«

»Früher schon.«

Ellies Stimme ist leise, als würde sie erstmals versuchen zu reden. Ich warte einige Sekunden.

»Aber jetzt nicht mehr?«

Ellie zuckt mit den Schultern. Nach einer langen Pause sagt sie: »Die mögen mich hier nicht.«

»Die Kinder?«

»Die Lehrer.«

Ich merke auf. »Wie kommst du darauf, dass sie dich nicht mögen?«

»Weil ich nicht wie die anderen blöden Kinder bin, die sie unterrichten.«

Ich nicke langsam und versuche, nicht schockiert zu wirken. Das Traurige ist, dass sie recht haben könnte. Die klügsten Kinder sind oft die, die am meisten missverstanden werden.

»Fällt dir jemand Bestimmtes ein, von dem du denkst, dass er oder sie dich nicht mag – du brauchst mir nicht zu sagen, wer es ist. Aber überleg doch bitte, wie diese Person zu dir ist, dass du denkst, sie würde dich nicht mögen.«

»Es ist, wie sie mich anguckt. Als wenn ich anders wäre. Als wenn«, sie stockt. »Als wenn sie Angst vor mir hätte.«

Ich glaube zu erahnen, wen Ellie beschreiben könnte. Ich erinnere mich noch an den ängstlichen Gesichtsausdruck von Hannah Gilbert, als sie über das Mädchen sprach, und mein Gefühl, dass da etwas war, was sie nicht sagen wollte.

»Was glaubst du, warum deine Lehrerin Angst vor dir haben könnte?«

»Die Leute haben immer Angst vor Sachen, die sie nicht verstehen. Das ist nicht meine Schuld, sondern ihre.«

»Ganz richtig, Ellie, es ist nicht deine Schuld, und das darfst du nicht vergessen. Kannst du mir von zu Hause erzählen?«, frage ich. Ellies Miene verfinstert sich.

»Ich habe kein Zuhause. Keiner wollte mich.«

Das hatte ich befürchtet. Nach dem Feuer hatte der Sozialdienst versucht, Ellie bei Verwandten unterzubringen, doch anscheinend hatte sie in England nur sehr wenige, und die waren alles andere als erpicht gewesen, eine Elfjährige aufgebrummt zu bekommen. Ihre einzige lebende Großmutter – die Mutter ihres Vaters – lebt in Frankreich und reist viel, was kein Leben für ein Kind ist, das Stabilität braucht, wie sie gesagt hatte. Und der Onkel lebt mit seiner Familie in Neuseeland; er hatte seine Nichte nie kennengelernt und kam nicht einmal zur Beerdigung seiner Schwester. Ellies Eltern waren sehr beliebt gewesen, hatten viele Bekannte, aber nur wenige enge Freunde und keine, die in der Lage waren, ein Kind aufzunehmen. Die Schwester ihrer Mutter hatte drei eigene Kinder und war nicht gewillt, ein weiteres aufzunehmen, das sie kaum kannte. Mich wundert immer wieder, wie oft Kinder im Pflegesystem landen, weil jeder um sie herum denkt, jemand anders sollte die Verantwortung übernehmen.

»Nun, ich weiß, dass das nicht stimmt«, sage ich. »Aber solche Dinge sind sehr viel komplizierter, als du oder ich uns vorstellen können.« Verschwörerisch neige ich mich vor. »Ich bin nicht mal sicher, ob die Leute, die die Regeln machen, sie richtig verstehen.«

»Ich glaube nicht, dass Sie eine Ahnung davon haben, was ich verstehe.«

Ich lächle angestrengt und erinnere mich daran, wie verlassen Ellie sich gefühlt haben musste, als niemand sie aufnehmen wollte. Wie einsam. Kein Wunder, dass sie feindselig ist. »Wie ist es da, wo du im Moment lebst? Wie behandeln dich deine Pflegeeltern?«

»So, wie man eine Giftschlange behandeln würde«, antwortet sie. Ihre dunklen Augen fixieren mich, und ich rutschte unbehaglich auf meinem Stuhl hin und her. Der Blick des Mädchens ist sehr intensiv. »Als würden sie sich für mich interessieren, sich allerdings nicht zu nahe an mich ran trauen. Wie Miss Gilbert, aber weniger gemein.«

Ich denke daran, dass Ellies Pflegemutter in der Stadt nicht herbeigestürzt war, um Ellie zu verteidigen. Was hatte sie gesagt? *Was hast du mit Naomi gemacht?* Sie konnte sie nicht verteidigen, weil sie glaubte, dass Ellie Naomi geschubst hatte. Was ihre sichtliche Erleichterung erklären würde, als ich gegenüber dem Polizisten schwor, ich hätte das Mädchen Augenblicke zuvor ein ganzes Stück entfernt stehen gesehen. Und das andere Mädchen hatte es bestätigt …

»Wer ist das andere Mädchen, das an dem Samstag bei dir war? Ist sie«, ich schaue kurz in meine Notizen, »Mary?«

Ellie nickt.

»Und wie kommst du mit Mary aus?«

»Sie ist die Einzige, die mich nicht wie eine Idiotin behandelt«, antwortet Ellie achselzuckend. »Und sie hasst Billy genauso wie ich.«

»Billy?«

Ellie wird wieder mürrisch. »Er wohnt auch bei uns, aber er ist nicht Marys richtiger Bruder. Er ist so wie ich. Seine Mum ist eine totale Versagerin, und ihn will auch keiner. Was mich aber nicht wundert, denn er ist schrecklich.« Sie verstummt abrupt, als würde ihr bewusst, dass sie mehr als ein Wort gesagt hatte – und etwas, das sie nicht hätte sagen sollen.

»Ist schon gut.« Ich lächle. »Du musst dir keine Sorgen machen. Wie ich schon sagte, kannst du mir wirklich alles erzählen, und ich verrate es auch keinem. Das darf ich gar nicht. Ich würde mächtigen Ärger bekommen.«

»So was sagt ihr immer, aber ich weiß, dass Sie es jemandem sagen würden, wenn ich Ihnen erzählen würde, dass ich was Schlimmes gemacht habe.«

»Okay, was Schlimmes angeht, gilt Folgendes. Ich bin ein bisschen wie ein Priester. Bist du schon mal einem Priester begegnet?«

»Oh, ich darf nicht in die Kirche«, antwortet Ellie. »Falls ich in Flammen aufgehe.«

Unwillkürlich ringe ich nach Luft. Dann sehe ich das Blitzen in Ellies Augen und klappe den Mund wieder zu.

»Ellie Atkinson, war das ein Witz?«

Ellie zuckt mit den Schultern und grinst ganz leicht. Sie ist wirklich recht hübsch, wenn sie nicht so ernst dreinblickt.

»Tja, ich bin ein bisschen wie ein Priester, nur jünger und hübscher ...«

»Und nicht so kahl«, sagt Ellie. Ich lache.

»Nein, definitiv nicht so kahl. Und wie einem Priester

kannst du mir einige schlimme Sachen erzählen, ohne Ärger zu bekommen. Aber wenn es etwas richtig Schlimmes ist, wenn ich denke, du könntest jemanden verletzt haben oder in Zukunft verletzen, müsste ich es meinem Chef sagen. Denn es gibt Dinge, die zu wichtig sind, um sie für sich zu behalten, nicht wahr?«

Ellie sagt nichts. Sie scheint über das nachzudenken, was ich gesagt habe, es im Kopf durchzugehen, als wäre es ein Vertrag, den sie zu unterzeichnen überlegt.

»Wenn du zum Beispiel«, fahre ich fort, »mir erzählen würdest, dass du die Spinnen in Miss Gilberts Schreibtisch ...«

»Was ich nicht war«, fällt sie mir empört ins Wort.

»Es ist nur ein Beispiel.« Ich hebe beide Hände. »Okay, wie wäre es damit? Wenn du mir erzählst, du hättest Juckpulver in Miss Gilberts Unterhose getan ...«

Ellie verdreht die Augen.

»Oder Schnecken in Mr. Harris' Gummistiefel ...«

»Das würde er wahrscheinlich mögen. Wie wäre es, wenn ich den Zucker im Lehrerzimmer gegen Salz tausche?«

Ich rümpfe die Nase. »Nun, das müsstest du mir eindeutig erzählen – ich nehme von dem Zucker in meinen Tee! Aber wenn du mir solche Dinge wie über Miss Gilberts Unterhosen erzählen würdest, könnte ich nicht versprechen, nicht zu lachen. Doch ich kann versprechen, dass ich sie keinem erzähle. Würdest du mir hingegen erzählen, dass du eine Grube in Miss Gilberts Garten gebuddelt und mit Laub zugedeckt hast ...«

»Müssten Sie es der Polizei sagen«, beendet Ellie den Satz.

Ich nicke. »Oder zumindest Miss Gilbert und ihrer Katze.«

»Okay.« Ellie erwidert mein Nicken. »Ich überlege es mir.«

»Mehr will ich gar nicht, als dass du darüber nachdenkst.« Ich lächle.

»Darf ich dir nur noch eine Frage stellen, bevor du zurück in den Unterricht gehst?«

Ellie sieht wieder misstrauisch aus und zuckt verhalten mit den Schultern.

»Du hast doch gesagt, dass Mary nett zu dir ist?«

Noch ein Nicken.

»Ich frage mich nur, ob du mit Mary über Sachen reden kannst, die in der Schule passieren. Vielleicht könntest du, falls du vor unserem nächsten Treffen jemanden zum Reden brauchst, mit ihr sprechen.«

»Könnte ich«, sagt sie. »Aber wozu soll das gut sein?«

»Manchmal ist es einfach schön, jemanden zu haben, dem man Sachen erzählen kann, selbst wenn es nicht sofort irgendwas ändert. Es mag schwer zu glauben sein, aber allein jemandem zu sagen, dass man sich mies fühlt, kann es schon ein bisschen besser machen.«

»Ich weiß, wie ich mich besser fühlen würde«, antwortet Ellie, als wäre es von Anfang an klar gewesen. »Wenn jede Einzelne von ihnen bestraft wird.«

# Kapitel 31

*Imogen*

Ich halte vor dem Haus und schalte den Motor aus. Dann betrachte ich den ungepflegten Vorgarten mit dem Plastikspielzeug, das vollständig ausgeblichen und verlassen unter einem weißen PVC-Fenstersims liegt. Ich atme ein paarmal tief durch und versuche, mir die Leute vorzustellen, die ich hinter jenen Mauern vorfinde, weil ich dringend vorbereitet sein möchte.

Ich wappne mich innerlich, steige aus dem Wagen, schreite den kurzen Weg zur Haustür entlang und klopfe scharf. Als nach Minuten nichts passiert, klopfe ich erneut. Schließlich geht die Tür auf, und das junge Mädchen, das ich an dem Tag in der High Street gesehen hatte, steht vor mir. Sie lächelt, als sie mich sieht. Erkennt sie mich als die Frau wieder, die sich an jenem Tag für Ellie eingesetzt hatte? Nun bin ich froh, dass ich etwas gesagt hatte, auch wenn Dan dauernd meint, ich sollte öfter mal den Mund halten.

»Hi, bist du Mary? Ich heiße Imogen und möchte deine Mutter besuchen.«

Das Mädchen nickt und macht die Tür weiter auf. »Ja, klar. Mum ist drinnen. Sie hätte selbst geöffnet, aber, na egal, kommen Sie rein. Sie ist in der Küche.«

Sie dreht sich um und geht voraus durch den Flur und in eine Küche, in der Sarah Jefferson hektisch sämtliche Oberflächen abwischt. Die Frau blickt auf, als ich hineinkomme, und sieht erhitzt und abgehetzt aus.

»Guten Morgen.« Sarah wischt sich die Hand vorn an ihrer

Jeans ab und schüttelt meine, die ich ihr reiche. »Entschuldigung, wir hatten hier einen kleinen Unfall.«

Dem säuerlichen Gestank von verbranntem Plastik und Kabeln nach zu urteilen, scheint mir das mehr als ein kleiner Unfall gewesen zu sein. Andererseits steht es mir nicht zu, über sie zu urteilen. Ich musste noch nie für ein Kind sorgen, von dreien ganz zu schweigen. Noch dazu dürften zwei von ihnen eine echte Herausforderung sein. Was wusste ich schon, ob »Unfälle« wie dieser in einem Familienhaushalt nicht normal waren? Sarah muss bemerkt haben, dass ich stutze, denn sie erklärt sofort verlegen lächelnd: »Durchgeknallte Sicherung.«

»Ich bin Imogen Reid«, sage ich matt, obwohl ich mich bereits am Telefon vorgestellt hatte. Die arme Frau wirkt, als sei das Letzte, was sie sich in Ihrem Haus wünscht, eine Gemeindemitarbeiterin.

»Sarah Jefferson.« Sie zeigt zu dem kleinen Esstisch in der Ecke. »Setzen Sie sich doch. Was möchten Sie trinken?«

»Kaffee – das heißt, haben Sie zufällig koffeinfreien?«

Sarah sieht mich an, als hätte ich um einen Liter Cider gebeten. »Tut mir leid, nein, ich glaube nicht, aber ich kann Mary bitten, welchen im Laden zu holen.«

Schnell schüttle ich den Kopf. »Nein, das ist doch nicht nötig. Tee wäre nett, wenn Sie welchen dahaben.«

Der Wasserkocher hatte schon mal gekocht, und ich habe den Eindruck, dass Sarah perfekt auf meinen Besuch vorbereitet gewesen war, ehe wenige Momente zuvor geschah, was immer hier geschehen sein mochte. Während sie zwei Becher Tee zubereitet, beobachte ich sie, nehme ihre schicke, aber lässige Kleidung wahr, die sauberen Fingernägel und das ordentlich zurückgebundene Haar. Abgesehen von neuen Flecken an der Wand ist die Küche sauber und aufgeräumt, alles vollkommen akzeptabel. Es sieht nach dem normalen Zuhause einer

Familie aus, wie das, in dem Pammy aufgewachsen war, und Lichtjahre von dem entfernt, in dem ich groß wurde.

»Wir sind uns schon mal begegnet«, sage ich, als Sarah die Teebecher zum Tisch bringt. »In der Stadt, erinnern Sie sich? Mein Mann hätte beinahe Ellies Schulfreundin angefahren.«

Es dämmert Sarah, und sie wird rot.

»Natürlich, entschuldigen Sie! Ich habe Sie gar nicht gleich wiedererkannt, dachte bloß, dass Sie mir bekannt vorkommen. Die ganze Situation war ein bisschen ...« Sie sucht nach dem passenden Wort.

»Heftig?«, schlage ich vor. »Ja, war es. Wir waren gerade hier angekommen, und ich fühlte mich furchtbar wegen dem, was passiert war.«

»Es war ja nicht Ihre Schuld.« Sarah zieht die Brauen zusammen. »Diese Frau ...«

»Naomi Harpers Mutter?«

»Ja, ich fand, dass sie einen Riesenaufstand wegen nichts gemacht hat. Die Polizei war sogar hier, um uns mitzuteilen, dass sie noch mal mit Naomi gesprochen hatten und sie mehr oder minder gesagt hat, dass sie auf dem Kantstein umgeknickt und gestolpert war. Sie hat Quatsch gemacht, möchte ich wetten. Man weiß ja, wie diese Kinder sind. Und Madeline hat, finde ich, wirklich völlig unmöglich reagiert.« Sie wird verlegen, als wollte sie auf keinen Fall sorglos klingen. »Ich meine, natürlich war sie erschüttert. Hätte Ihr Mann nicht so schnell gebremst, es hätte weiß Gott was passieren können! Da wäre wohl jeder außer sich gewesen.«

Nicht jeder hätte eine Elfjährige des versuchten Mordes bezichtigt, denke ich, nicke aber nur. »Es war eine aufwühlende Situation. War mit Ellie hinterher alles okay?«

Sarah zögert. »Sie war sehr still, hat kaum darüber geredet.

Das macht sie gern, müssen Sie wissen, alles in sich hineinzufressen, bis ... na ja, sie redet nicht über ihre Gefühle.«

»Bis was?«, hake ich nach. »Sie sagen, dass sie alles in sich hineinfrisst, bis ...«

Sarah schüttelt den Kopf. »Ach, nichts. Hin und wieder tickt sie ein wenig aus, doch damit haben wir gerechnet, wenn man bedenkt, was sie durchgemacht hat.«

»Ist Ellie jemals gewalttätig?«

»Nein!«, antwortet Sarah schnell. Zu schnell, denke ich. »Ich habe nie gesehen, dass sie in irgendeiner Form Gewalt ausgeübt hat.«

Mir entgeht ihre sorgfältige Wortwahl nicht, doch darauf gehe ich nicht ein. »Wissen Sie, warum ich hier bin, Mrs. Jefferson? Die Schule dachte, dass es Ellie guttun könnte, mit jemandem zu reden, einer Psychologin. Es gab einige Zwischenfälle in der Schule ...«

»Bitte, sagen Sie Sarah zu mir. Und ich nehme an, Sie beziehen sich auf diese Sache mit den Spinnen?« Sarah schnaubt. »Lächerlich, zu behaupten, dass das Ellie war! Ich meine, woher hätte sie denn so viele Spinnen haben sollen? Es ist ja nicht so, als könnte man in eine Zoohandlung gehen und kurz mal ein paar Hundert Spinnen kaufen. Oder glauben die, sie hätte die herbeibeschworen wie eine Märchenfigur? Hält sie diese Lehrerin jetzt auch noch für die Spinnenflüsterin?«

»Auch noch?«

Anscheinend fühlt Sarah sich ertappt. »Na, es ist diese Lehrerin, mit der Sie mal reden sollten, Hannah Gilbert. Die will alle glauben machen, dass Ellie eine Art Verbrecherin ist. Erzählt jedem im Ort, sie wäre seltsam und würde sich Geschichten ausdenken. Ellie hat nie auch nur ein Wort über sie verloren – weiß der Himmel, was sie getan hat, um die Lehrerin gegen sich aufzubringen. Sie hat schon so viel durchgemacht, da ist es wirklich nicht fair, dass sie schon in den ersten paar Wochen zum Problemkind abgestempelt wird.«

»Wie versteht sie sich mit den anderen beiden Kindern hier im Haus? Mary und Billy, nicht wahr?« Ich erinnere mich, wie Ellie den Jungen bei unserem ersten Gespräch beschrieben hat. *Er ist schrecklich …*

»Gut«, antwortet Sarah, muss jedoch meinen skeptischen Blick bemerken, denn sie relativiert ihre Antwort. »Ich meine, natürlich streiten die sie sich mal, aber welche Kinder tun das nicht? Und bei diesen Kindern ist das immer ein bisschen auffälliger, dieses Lechzen um Aufmerksamkeit und so.«

»Haben Sie schon viele Pflegekinder gehabt?«

»Oh ja.« Sarah plustert sich auf vor Stolz. »Wir haben in den letzten fünf Jahren an die zwanzig Kinder aufgenommen. Manche bleiben länger als andere, aber solange sie hier sind, sehen wir sie alle als unsere an. Und einige von denen haben viel mehr Ärger gemacht als Ellie«, vertraut sie mir an. »Weshalb ich ja überrascht war, als die Schule Place2Be wegen ihr zu Rate zog. Wir haben schon einige Wutprobleme bei Kindern allein bewältigt.«

»Es sind nicht nur die Wutprobleme, derentwegen wir hier sind«, sage ich. »Offensichtlich ist Ellies Situation ein wenig anders als die von Kindern, die aus der Obhut ihrer Eltern genommen wurden. Allein nach den Unterhaltungen mit ihren Lehrern und Ellie bin ich persönlich der Meinung, dass Ellie nach dem Tod ihrer Familie nicht die angemessene Therapie bekommen hat. Das ist nicht Ihre Schuld«, füge ich schnell hinzu, als Sarah merklich in sich zusammensackt. »Sie hätte schon lange bevor sie überhaupt zu Ihnen kam noch mehr Therapiestunden gebraucht. Ich habe in ihre Akte gesehen, und es scheint, als wäre sie irgendwie durchs Netz geflutscht.« Ich erwähne nicht, dass das häufiger vorkommt, als man sich vorstellen würde. Da bei der staatlichen Gesundheitsversorgung immer weiter gekürzt wird, tun sich dort mehr Lücken denn je auf. Und so kommt es leicht vor, dass ein stilles Mädchen ohne Vorgeschichte von Missbrauch oder Verhaltensauffälligkeiten schlicht durch die Maschen fällt.

»Meine erste Empfehlung wird sein, dass Ellie zusätzliche Therapiestunden bei einem qualifizierten Trauerbegleiter bekommt.«

»Können Sie das nicht machen?«

»Nun, theoretisch bin ich qualifiziert, Therapien anzubieten, aber die sind in meiner gegenwärtigen Funktion nicht vorgesehen. Ich habe früher privat als Kinderpsychologin gearbeitet«, ergänze ich, und mir ist peinlich, wie dringend ich dieser Frau erklären möchte, dass ich wirklich qualifiziert bin. *Man beachte, dass du ihr nicht erzählst, warum du das nicht mehr machst.* »Ich bin nur hier, um Empfehlungen auszusprechen und Überweisungen auszustellen.« Das klingt sogar in meinen eigenen Ohren erbärmlich, und mir ist nicht wohl dabei, wie sehr ich mir wünsche, selbst dieser Familie helfen zu können. Ich will Ellies Namen nicht auf eine Liste für eine weitere Therapie schreiben, nur damit er immer wieder zugunsten von Kindern übersprungen wird, die angeblich Schlimmeres durchgemacht haben oder eine Bedrohung darstellen. »Ich sorge dafür, dass sie die Hilfe bekommt, die sie braucht«, füge ich lahm hinzu. »Versprochen.«

»Aber Ellie hat uns erzählt, dass sie schon mit Ihnen geredet hat und Sie versprochen haben, wieder mit ihr zu reden. Ich glaube, sie mag Sie, auch wenn sie nicht viel sagt.« Bedenkt man, dass sie glaubt, Ellie würde keine Gefahr darstellen, und behauptet, angeblich schon weit Schlimmeres erlebt zu haben, scheint Sarah Jefferson furchtbar wild darauf, dass Ellie umgehend Hilfe bekommt. Mir wird unwohl bei der Erinnerung, bald wieder mit Ellie zu reden. Ich bin so daran gewöhnt, Fälle längerfristig zu übernehmen anstatt nur provisorisch, dass mir nicht mal bewusst gewesen war, was für ein unmögliches Versprechen ich da gab.

Nein, du wusstest genau, was du tust, sagt mir eine fiese kleine Stimme in meinem Kopf. Da ist etwas an dem kleinen Mädchen, weshalb du ihm unbedingt helfen willst, und du hast dieses Versprechen absichtlich gegeben.

»Nun, ich kann sicher noch einmal mit Ellie sprechen, wenn Sie möchten«, höre ich mich sagen. »In meiner gegenwärtigen Funktion, meine ich.« Ich habe schon genug Informationen, um ihr die Empfehlung zu geben, die sie braucht, also besteht kein Grund, warum ich noch mal mit ihr reden sollte. Aber ich weiß auch, dass niemand im Büro die Stirn runzeln wird, wenn ich noch ein Gespräch mit Ellies Fallnummer in den Kalender eintrage. Niemand achtet darauf, wie viele Sitzungen nötig sind, um einen Fall abzuschließen, oder fragt nach Protokollen oder gar Notizen zu den Gesprächen. »Aber ich kann ihren Fall nicht so übernehmen, wie ich es in meinem alten Job getan hätte.« *Den ich sensationell vergeigt habe.* Tatsächlich bin ich nicht mal sicher, ob ich es aushalte, diese Seite des Lebens zu sehen, diese netten, normalen Menschen, die zusätzliche Hilfe dringender brauchen als sonst jemand, sie aber wahrscheinlich nicht bekommen werden, weil sie etwas zu wenig auf dem Konto haben, um sie sich leisten zu können, und in ihrer Fallakte etwas zu wenig Brandstiftungen stehen, um sie zur Priorität zu machen. Andererseits können wir es uns nicht leisten, wegzuziehen und wieder zur Miete zu wohnen, weshalb wir hier sind. Ich muss das hinbekommen.

»Das wäre großartig.« Sarahs Stimme holt mich zurück an den Küchentisch. »Wenn es Ihnen nichts ausmacht? Unter uns …« Sie blickt sich um, als suchte sie nach irgendwelchen Aufnahmegeräten. »Ich habe das Gefühl, dass ich bei ihr ein bisschen versage. Ich hatte mich so gefreut, als wir hörten, dass wir wieder ein kleines Mädchen bekommen, eine Schwester für Mary. Das haben wir uns immer gewünscht – nun, das *hatten* wir, sollte ich wohl besser sagen.« Sie greift zum Kühlschrank hinter sich, zieht ein Foto von der Front und reicht es mir. Auf dem Bild ist ein Baby, dem Aussehen nach nur wenige Tage alt und eingehüllt in eine rosa Babydecke.

»Das ist Mia«, sagt Sarah und zeigt überflüssigerweise auf das Foto. »Sie war unser zweites Baby. Mary war drei, als sie geboren wurde. Wir verloren sie einige Tage, nachdem das Foto gemacht wurde. Sie bekam eine Infektion, gegen die sich ihr kleiner Körper nicht wehren konnte.«

»Das tut mir sehr leid.« Ich gebe ihr das Foto so schnell zurück, wie ich kann, ohne dass es unhöflich oder gefühllos wirkt. Noch eine Familie, die verloren hat, was ich wegzuwerfen überlege. *Nenn es beim Namen. Abtreiben.* Automatisch wandert meine Hand zu meinem Bauch. Als ich es merke, reiße ich sie rasch weg und hoffe, dass Sarah es nicht gesehen hat.

»Sie wäre jetzt im selben Alter wie Ellie«, sagt sie mit einem wehmütigen Unterton. »Also verstehen Sie vielleicht, warum ich gehofft hatte, dass Ellie sich für mich wie eine Tochter anfühlen würde. Doch sie war von Anfang an so kalt, so distanziert.«

»Sie hat Schreckliches durchgemacht«, murmle ich.

»Natürlich. Und ich hatte ja auch nicht erwartet, dass es sofort so sein würde«, lenkt Sarah ein. »Ich dachte nur, mit der Zeit ...« Seufzend nimmt sie ihren Becher auf und trinkt den letzten Schluck von ihrem Tee. »Sie ist einfach so ganz anders, als ich mir vorgestellt hatte, dass Mia wäre. Sie ist so still, so seltsam manchmal. Ab und zu ertappe ich mich dabei, wie ich mir wünsche, ich könnte hören, was sie denkt, und dann bekommt sie diesen komischen Gesichtsausdruck, und ich bin froh, dass ich es nicht kann.«

»Was meinen Sie?«

Sarah neigt sich vor. »Ich meine, dass sie mir Angst macht. Manchmal«, schränkt sie hastig ein. »Nur manchmal. Wir haben hier schon eine Menge Kinder gehabt«, wiederholt sie, was sie mir schon gleich zu Beginn unserer Unterhaltung gesagt hatte. Das ist keine zwanzig Minuten her, und sie hatte versichert, andere Kinder hätten »viel mehr Ärger gemacht als Ellie«. »Und einige von ihnen hatten einen Schaden, hier drinnen, verstehen Sie?« Sie tippt sich an den Kopf. »Andere waren gewalttätig, und manche, wie Billy, können ein bisschen verschlagen sein. Bei den meisten liegt es daran, wie sie aufgezogen wurden ... oder, besser gesagt, eben nicht aufgezogen wurden. Wenn sie sich selbst überlassen waren, sich nur auf sich oder größere Geschwister verlassen konnten, damit sie Essen hatten oder zur Schule kamen. Die kommen her und wissen zunächst gar nicht, was sie mit einem normalen Haus und normalen Eltern anfangen sollen. Aber Ellie ist anders. Es ist, als wüsste sie genau, wie sie nach außen sein muss, doch innen ist nichts. Als wäre sie hohl. Und die Sachen, mit denen sie herausrückt, hören sich für mich manchmal nach einem viel älteren Kind an.«

Ich nicke ermutigend, während ich entsetzt feststelle, dass mir der Mund wässrig vor Übelkeit wird. Lieber Gott, bitte lass mich hier nicht kotzen!

»Und sie hat entsetzliche Albträume«, fährt Sarah fort, die nichts von meinem Unbehagen mitbekommt. »Sie schreit und schreit, und sogar wenn ich sie wecke, schreit sie weiter, als könnte sie immer noch sehen, was in ihrem Albtraum war. Und dann, nach den Albträumen, passiert es.«

»Passiert was?« Ich schlucke verzweifelt bemüht, meine

überwältigende Übelkeit zu verdrängen. Schließlich war ich hergekommen, um genau dies hier zu hören. Nicht die Standardsätze, die sie meiner Vorgängerin aufgetischt haben dürfte, sondern was wirklich in diesem Haus und in der Schule los war.

»Eben schlimme Dinge. Es ist jedes Mal etwas anderes – ein toter Vogel auf der Terrasse, ein explodierendes Elektrogerät. Mein Föhn, der Mixer ...« Sie zeigt zu dem Mixer auf der Arbeitsfläche. »Letzte Woche hat Billy mir einen Topf aus dem Schrank geholt, und als er ihn rauszog, war er voller Regenwürmer. Würmer!« Sie senkt die Stimme und beugt sich näher zu mir. »Ich meine, wie zum Himmel kommen denn Würmer in Töpfe? Die kriechen doch nicht einfach alleine ins Haus und machen es sich in Küchenschränken gemütlich, oder?«

»Wie kommen Sie darauf, dass Ellie damit zu tun hatte? Ich meine, wenn Billy die ... die gefunden hat.« Ich versuche, mir nicht einen Topf voller schleimiger, kriechender, sich ineinander verschlingender Würmer vorzustellen. »Verzeihung, ich ... dürfte ich bitte mal Ihr Bad benutzen?«

»Gleich oben die Treppe rauf.« Sarah wirkt überrascht von der plötzlichen Unterbrechung, doch mir bleibt keine Zeit mehr, es ihr zu erklären. Ich springe auf und fliehe aus der Küche.

# Kapitel 32

*Imogen*

Ich hocke mich zurück auf die Fersen und wische meinen Mund mit dem Ärmel ab. Dann streiche ich mir das Haar aus der Stirn und kneife die Augen zu, um die Tränen aufzuhalten. Es ist ein Albtraum. Nicht nur hasse ich es von jeher, mich zu übergeben, sondern es lässt mich auch noch unprofessionell aussehen und ruiniert wahrscheinlich meine Chance, jemals mehr darüber herauszufinden, was mit Ellie los ist. Es hat lange genug gedauert, bis Sarah überhaupt anfing, jede Kleinigkeit, die im Haus schiefging, der Elfjährigen anzulasten – länger als Hannah Gilbert brauchte, die recht schnell mit ihren wüsten Theorien herausrückte –, aber letztlich hatte sie es mir gesagt. Ich kann ziemlich klar erkennen, was das Problem ist, und es ist nicht Ellie Atkinson.

Während ich aufstehe und mein Aussehen im Spiegel überprüfe, überlege ich hastig, was mein nächster Schritt sein sollte. Ich muss mir diese Frau warmhalten, wenn ich weiter Zugang zu Ellie haben möchte, was bedeutet, dass ich ein bisschen mitspielen sollte, nicht allzu ungläubig aussehen darf, wenn sie behauptet, dass Ellies Albträume ihren Mixer zum Explodieren brachten. Bei dem Gedanken muss ich schmunzeln, obwohl es eigentlich nicht witzig ist. Es sind Kleinigkeiten wie diese, wenn Leute eins und eins zusammenzählen und auf drei kommen, die langfristig Schaden anrichten und sogar zu Gewalt führen können. Offensichtlich haben sie hier beschlossen, eine Elfjährige für alles verantwortlich zu machen, was im Haus nicht stimmt, und übersehen die Tatsache, dass noch zwei andere Kinder da und ebenso fähig sind, Mixer mittels Gedankenkraft hochgehen zu lassen. Bei der Regenwurmnummer tippe ich allerdings auf Billy, denn gewöhnlich wollen Kinder dabei sein, wenn die Früchte ihrer Arbeit geerntet werden.

Ich öffne die Badezimmertür und blicke in das Zimmer nebenan, wo ich hoffe, Ellie zu sehen. Stattdessen sehe ich das Mädchen, das mir aufgemacht hatte. Mary sitzt an einem Schreibtisch voller buntem Papierkram und schreibt etwas auf apfelförmige Post-its.

»Hi«, sage ich und sehe die Treppe hinunter, ob Sarah mich vielleicht sucht. »Macht es dir etwas aus, wenn ich kurz reinkomme?«

Mary schaut auf und schüttelt den Kopf. »Sind Sie wegen Ellie hier?«

Ich nicke. »Ja, eure Lehrerinnen denken, dass sie ein bisschen Schwierigkeiten hat, sich einzufügen. Du scheinst sie recht gut zu kennen, was meinst du?«

Für einen Moment wirkt Mary geschockt, dass jemand allen Ernstes nach ihrer Meinung fragt. Dann zieht sie die Brauen zusammen. »Ich meine, wenn die sie mal in Ruhe lassen würden, anstatt ihr für alles die Schuld zu geben, was auf der Welt nicht stimmt, würde sie auch mehr mit ihnen reden.«

Mich überrascht nicht, dass die reifste Einschätzung der Situation von einer Fünfzehnjährigen kommt, auch wenn ich es ein wenig traurig finde.

»Also glaubst du nicht, dass Ellie schuld an den Sachen ist, die passiert sind? Den Spinnen im Pult der Lehrerin? Dem explodierenden Mixer? Den Würmern?«

Mary schnaubt. »Wenn Ellie sich an der Gilbert für das Abkanzeln ihres Projekts rächen wollte, wäre sie doch nicht so blöd, genau das auszusuchen, worum es bei ihrem Projekt ging! Sie ist noch klein, aber dazu ist sie zu schlau. Und wir alle wissen, dass das mit den Würmern Billy war, nur sind Ellie und ich zu nett, um ihn zu verpetzen. Wir hatten ihn voller Matsch gesehen, einen Tag, bevor er die Würmer in dem Topf ›gefunden‹ hat.«

»Und der Mixer?«

Mary sieht mich mitleidig an. »Erzählen Sie mir nicht, Sie denken auch, dass Ellie Geräte allein mittels Gedankenkraft hochgehen lassen kann. Ja, hier sind ein paar Sicherungen durchgeknallt, aber glauben Sie mir, das ist nicht passiert, weil meine Pflegeschwester einen schlimmen Traum gehabt hat. Es ist schon richtig erbärmlich, all das Getuschel und die ängstlichen Blicke, die sie sich hier auf der Straße einfängt. Die Leute sollen doch eigentlich Erwachsene sein. Und jetzt springt meine Mum anscheinend auch noch darauf an und erzählt Ihnen von jedem einzelnen Problem, das wir hier im letzten Jahr mit der Elektrik hatten. Sie müsste die zuständigen Leute bei der Kreisverwaltung anrufen, nicht den Sozialdienst.«

Lächelnd berühre ich Marys Arm. »Danke, dass du mit mir geredet hast. Du bist Ellie eine sehr gute Freundin, so viel steht fest. Sie hat Glück, jemanden wie dich auf ihrer Seite zu haben.«

Ich drehe mich zur Tür und will hinausgehen, als Mary leise fragt: »Und Sie? Sind Sie auf ihrer Seite? Sie lassen sie nicht einfach im Stich, oder?«

Ich wende mich wieder zu dem Mädchen um. Ihr Blick ist ein stummes Flehen. Dieses Mädchen hat schon viel zu viele Sozialarbeiter, viel zu viele Staatsbedienstete kommen und auf Nimmerwiedersehen verschwinden gesehen.

»Nein«, sage ich und hoffe schon jetzt, dass ich meine Worte nicht bereuen werde. »Ich gehe nirgendshin.«

# Kapitel 33

*Ellie*

Ellie rennt den Korridor entlang so schnell sie kann, schwenkt die Arme, und ihre Schultasche schlägt ihr schmerzhaft in die Seite. Sie kann sie immer noch hören. Das Lachen und die höhnischen Bemerkungen ... und dann die Schreie.

Sie ist sich immer noch nicht ganz sicher, was passiert war. Eben noch hatte Tom Harris sich über ihre abgewetzten Schuhe und ihre Secondhand-Schultasche lustig gemacht, im nächsten Moment lag er auf dem Boden und wand sich vor Schmerz. Das riesige Gemälde stand in dem Korridor, um wieder an die frisch gestrichene Wand gehängt zu werden, und dann, als Ellies Wut in ihr brodelte und kochte, sie innerlich verbrannte, war es auf Tom gefallen. Kann sie das gewesen sein? Sie hört seine Stimme jetzt noch, ätzend und spöttisch. Und als er sie gefragt hatte, ob sie auch schon ein Assi war, *bevor* ihre Eltern starben, hatte sie wirklich die Fassung verloren. Sie hatte angefangen zu schreien, und das Geheul hallte wie eine Sirene durch den Gang. Und dann war ihr klar geworden, dass es nicht das Echo ihrer Schreie war, was sie hörte, sondern alle anderen auch schrien. Da hatte sie die Augen geöffnet und gesehen, was sie getan hatte. Und sie war losgerannt, einfach immer weitergelaufen. Nun kracht sie durch die Glastüren am Ende des Gangs und hinaus in die frische Luft. Sie beugt sich vor, stützt die Hände auf die Knie und atmet tief ein. Das war's. Sie ist erledigt.

Sie hat keine Ahnung, wie lange sie schon im kalten, nassen Gras unter dem Baum kauert. Als sie aufhörte zu rennen und sich beruhigte, hatte sie schließlich begriffen, dass sie nirgendshin konnte, und war auf einem Flecken gelandet, der für die Vorschule reserviert war, damit die Kinder hier Käfer sammeln und Rindenabdrücke machen konnten. Der Bereich ist überwuchert und unordentlich – der einzige Platz auf dem Schulgelände, an dem Ellie sich sicher fühlt, obwohl ihnen streng verboten ist, hierherzugehen. Aber sie schätzt, dass das heute ihre geringste Sorge ist.

Es ist Miss Maxwell, ihre Direktorin, die sie schließlich dort findet, vor Kälte bibbernd und tränenüberströmt. Sie konnte nicht lange fort gewesen sein, doch es fühlt sich an, als wäre sie schon eine Ewigkeit allein.

Die Direktorin kniet sich neben sie in das nasse Gras, legt eine Hand auf ihre Schulter und sagt sanft: »Es wird Zeit, dass du wieder zurück in die Schule kommst, Ellie.«

Wütend schüttelt Ellie den Kopf. Sie geht nicht dahin zurück. Niemals. »Die hassen mich«, sagt sie. »Jeder hasst mich.« *Und ich will ihnen allen wehtun.*

Nun schüttelt Miss Maxwell den Kopf. »Niemand hasst dich, Ellie«, sagt sie so langsam und ruhig, als würde sie mit einem Kleinkind reden. »Wir möchten dir nur helfen.«

»Ich habe Tom nichts getan«, sagt Ellie, auch wenn ihr im selben Moment bewusst wird, dass sie nicht weiß, ob es wirklich stimmt. »Jedenfalls glaube ich das nicht. Wenn doch, wollte ich das nicht.« Sie weiß, dass sie sich damit erst recht schuldig anhört. Was für eine Irre weiß nicht, ob sie ein Gemälde in einem großen Holzrahmen auf jemanden gekippt hat? »Geht es ihm gut?«

»Lass uns drinnen darüber reden«, sagt Miss Maxwell. »Komm bitte mit, Ellie. Hier draußen ist es kalt. Du musst auch niemanden sehen, versprochen. Wir gehen direkt in mein Büro und unterhalten uns dort.«

Wieder schüttelt Ellie den Kopf, diesmal noch energischer. »Ich will nicht mit Ihnen reden. Ich will mit keinem von Ihnen reden. Ich weiß, was Sie alle über mich denken. Ich will mit Imogen reden.«

Florence Maxwell wirkt beinahe erleichtert. »Wenn du das möchtest, Ellie, hole ich Imogen. Ich rufe sie sofort an, wenn du mit nach drinnen kommst. Du hast nur ein T-Shirt an und erfrierst hier draußen noch.«

Ein erfrorenes Kind von verbrannten Eltern, denkt Ellie. Eis und Feuer. Vielleicht soll es so sein. Vielleicht ist ihr Herz jetzt für immer gefroren, und sie soll hier im Gras liegen, bis ihre verbrannten Eltern sie holen kommen.

Aber dann läutet die Schulglocke, und Miss Maxwell steht auf.

»Komm, Ellie, wir sollten los. Wir gehen hinten durchs Lehrerzimmer rein. Du willst doch nicht, dass dich die anderen Kinder hier draußen im Gras sehen, oder?«

Schweren Herzens richtet Ellie sich auf. *Heute nicht, Mum. Ich weiß, dass ich bald zu dir komme, aber nicht heute.*

# Kapitel 34

*Imogen*

»Die Umstände sind ein bisschen unglücklich, fürchte ich.« Florence Maxwell geht in ihrem Büro auf und ab, nagt innen an ihrer Wange und schüttelt immer wieder den Kopf. Sie sieht blasser aus als das letzte Mal, dass ich sie gesehen habe, und, sofern das möglich ist, noch beunruhigter. »Tom Harris' Eltern sind sofort mit ihm zur Notaufnahme gefahren, nur um sicherzugehen, und Ellies Pflegemutter ist auf dem Weg hierher. Ich bin wirklich froh, dass Sie so schnell kommen konnten. Sie will nur mit Ihnen reden.«

»Kein Problem«, antworte ich, frage mich jedoch, ob es wirklich keines ist. Als Florence im Büro anrief, hatte ich mir kaum die Zeit genommen, meinen Computer herunterzufahren, bevor ich mir meine Handtasche schnappte und nach draußen stürmte. Gewiss hat Edward nichts dagegen, dass ich meinen Arbeitsplatz verlassen habe, um herzukommen. Immerhin hatte es bei Florence nach einem Notfall geklungen. »Was ist passiert?«

»Das lässt sich schwer sagen. Die Kinder stehen alle unter Schock, und sie scheinen sich nicht einig. Das Einzige, worin sie alle übereinstimmen, ist, dass Tom Ellie getriezt hat. Wie es sich anhört, war er ziemlich gemein, auch wenn mir keiner erzählte, was genau er zu ihr gesagt hat. Dann ist Ellie durchgedreht, und das Gemälde stürzte auf Tom. Sie wissen ja, wie Kinder sind. Einige schwören Stein und Bein, dass sie es umgestoßen hat, andere sagen, dass es von allein umgekippt ist. Sie können sich nicht mal darauf einigen, wo sie gestanden hat. Sogar diejenigen, die überzeugt sind, dass sie es umstieß, erinnern sich, dass sie auf der anderen Seite des Korridors stand. So oder so ist es ein Albtraum für die Schule. Dieses Wandbild hätte nie dort an die Wand gelehnt sein dürfen, wo es auf ein Kind kippen kann.«

»Für den Jungen ist es aber auch ein Albtraum«, murmle ich, und Florence besitzt den Anstand, beschämt dreinzublicken.

»Ja, natürlich.«

Mir kommt ein Gedanke. »Sie haben mich hoffentlich nicht hergerufen, damit ich versuche, Ellie ein Geständnis zu entlocken. Sie wissen ja, dass das nicht meine Aufgabe ist.«

Florence sieht aus, als wäre ihr die Idee durchaus gekommen, hätte jedoch schon befürchtet, dass ich genauso reagieren würde. »Ja, das verstehe ich. Und da es keinen Beweis für eine böswillige Tat gibt, habe ich entschieden, die Sache als Unfall zu behandeln – vorausgesetzt, dass meine Unterhaltung mit Tom und seinen Eltern keine neuen Erkenntnisse ergibt.« Sie seufzt. »Ehrlich, ich möchte einfach nur sicher sein, dass mit Ellie alles okay ist, obwohl ich im Moment unsicher bin, ob ich mir Sorgen um sie oder um jeden in ihrer Nähe machen soll.«

# Kapitel 35

*Imogen*

»Ich habe das Bild nicht auf Tom gekippt«, ist das Erste, was Ellie sagt, als ich den Beratungsraum betrete. Sie ist aufgesprungen, sobald ich die Tür öffnete, und hat trotzig die Arme vor der Brust verschränkt. Doch selbst in dieser Toughes-Mädchen-Pose wirkt Ellie so winzig, dass ich sie in die Arme nehmen und ihr die Zuneigung schenken möchte, die sie so dringend braucht. Ich weiß, wie es ist, über Tage, Wochen, Monate ohne etwas so Schlichtes wie eine Umarmung auszukommen. Für normale Kinder in normalen Familie zählen Umarmungen zu den Dingen, die sie für selbstverständlich nehmen. Die Regeln sind aus einem Grund da, Imogen, ermahne ich mich. Aber wider besseres Wissen – und im Widerspruch zu meinem derzeit ohnedies schon dürftigen Urteilsvermögen – durchquere ich den Raum, schlinge die Arme um Ellies Schulter und drücke sie so fest an mich, dass ich fühlen kann, wie sie am ganzen Körper zittert.

»Ich weiß, dass du es nicht warst.« Ich löse die Umarmung und halte Ellie auf Armeslänge. »Es war nicht deine Schuld. Das Bild hätte überhaupt nicht dort stehen dürfen. Es war ein Unfall, sonst nichts. Ein Unfall.«

»Das wissen Sie nicht.«

»Wenn du mir sagst, dass du es nicht warst, genügt mir das. Ehrlich, Ellie, was kann ich tun, damit du mir glaubst, dass ich dir vertraue?«

»Ich weiß einfach nicht, warum, sonst nichts.« Sie schiebt ihr

Kinn vor, und es erinnert mich an jemanden. Sie erinnert mich an mich. »Warum sollen Sie mir vertrauen? Keiner sonst macht das. Vielleicht haben die recht und Sie unrecht. Vielleicht sollten Sie mir auch nicht trauen.«

Sie ist nur pedantisch, testet, wie weit meine Loyalität reicht, das weiß ich einfach. Dennoch klingen ihre Worte eher wie eine Drohung als eine kindische Laune, und ich bekomme eine Gänsehaut auf den Armen.

»Tja, das Risiko werde ich wohl eingehen müssen«, sage ich ruhig und beobachte sie. Ihre Miene gibt nicht preis, was in ihr vorgeht, und sie erwidert meinen Blick so intensiv, dass ich die Erste bin, die wegsieht. Ich drehe mich um, gehe zum Schreibtisch und hocke mich auf die Kante. Ellie wendet sich um und betrachtet die Bücher auf dem Regal hinter ihr. Als sie wieder spricht, klingt sie beiläufig, und ich verstehe fast nicht, was sie sagt.

»In anderen Umständen sollten Sie keine Risiken eingehen.«

Falls Herzen einen Schlag auslassen können, tut meines es gerade. »Was hast du gesagt?«

Ellie dreht sich wieder zu mir und sieht so unschuldig aus, dass ich nicht erkenne, ob es echt oder gespielt ist. »Ich habe gesagt, dass Sie in anderen Umständen keine Risiken eingehen sollten.«

Ich nicke, und meine Überreaktion ist mir peinlich. Natürlich habe ich mich verhört. Unmöglich kann sie »anderen Umständen« gesagt haben. Denn das würde bedeuten, dass sie von dem Baby weiß. Und das wäre unmöglich.

# Kapitel 36

*Ellie*

Ellie beobachtet die wild schlagenden Mottenflügel im Glas und fragt sich, ob sie bald sterben wird. Mit ihren elf Jahren hat Ellie schon mehr Erfahrungen mit dem Tod gemacht als irgendjemand sonst, den sie kennt, aber sie fürchtet sich nicht vor ihm. Nein. Ihre Eltern sind tot, und sie leiden jetzt nicht mehr, oder? Sie sind entweder im Himmel, zusammen mit ihrem kleinen Bruder, oder sie sind nichts, Staub, Asche. Sogar nichts muss besser sein als das Leben, das sie jetzt hat. Wut wallt in ihr auf. Sie fühlt sich wie die Motte, die ihre Flügel zornig gegen das Glas schlägt. Und jeder draußen sieht bloß zu, ist neugierig, was sie als Nächstes tun wird. Dabei weiß sie das selbst nicht einmal.

Ellie hebt das Glas ein klein wenig an, um Luft hineinzulassen; gerade so viel, dass die Motte etwas atmen kann. Sie ist noch nicht bereit, das einzige Ding gehen zu lassen, das sie nicht verlassen kann. Das Tier darf noch nicht sterben, aber sie weiß, dass sie die Motte früher oder später befreien oder sterben lassen muss. Es wird nicht leicht, zuzusehen, wie die Motte fröhlich durchs Fenster fliegt, während Ellie hier in diesem Leben steckenbleibt, aber sie ist auch nicht sicher, ob sie die Motte ersticken lassen kann. Schließlich hat sie noch nie irgendwen oder irgendwas getötet. Jedenfalls bisher nicht.

Sie denkt an das Abendessen heute, als Billy der Fiesling sie die ganze Zeit mit seiner Gabel pikte und hoffte, sie würde sich wehren, damit sie Ärger bekam. Billy schien nie zufrieden, wenn nicht irgendwer Ärger hatte, und es machte ihm anscheinend nicht mal etwas aus, wenn er selbst es war. Es war nervig gewesen, so wie wenn ihr kleiner Bruder Riley früher schrie, weil er müde war, anstatt einfach einzuschlafen. Aber als sie sich weigerte, sich auf sein blödes, kindisches Verhalten einzulassen, hatte Billy nachgelegt. Zuerst zischte er bloß Dinge wie, dass sie keine Familie und keine Freunde hatte, also auch nichts Schlimmeres als die Kinder in der Schule. Mary hatte ihm in den Arm geknufft und ihm einen warnenden Blick zugeworfen. Wenigstens einer erkannte, wie er wirklich war. Sarah betete ihn ja geradezu an.

Dann, als das Abendessen fast ohne Zwischenfall vorbei war, hatte Billy Sarah angesehen und so süßlich wie es nur ging gefragt: »Soll ich den Geschirrspüler einräumen?«

Sarah strahlte, als hätte er ihr angeboten, die ganze Woche lang das Haus zu putzen.

»Danke, Billy. Wären die Mädchen doch nur so hilfsbereit!« Sie hatte gelacht, als wäre es ein Scherz, aber Mary hatte zu Ellie gesehen und die Augen verdreht. Ellie hatte gegrinst, weil sie sich freute, an dem Scherz beteiligt zu werden, sich wie ein Familienmitglied zu fühlen, bis Billy an ihr vorbeiging und zischte: »Ellie soll das lieber nicht machen. Wenn sie so blöd ist wie ihre Mutter, sind wir morgen früh alle tot.«

Sie durchfuhr eine Wut, dass es sie beinahe umwarf. Solch eine Wut hatte sie nie für möglich gehalten, hatte sie in ihrem ganzen Leben nicht empfunden. Ehe sie überlegte, was sie tat, als würde ihr Körper jemand anderem gehören, stürzte sie sich auf den Jungen, schlang die Finger um seinen Hals und stieß ihn gegen den Tisch, dass das ganze Ding wackelte. Es spielte keine Rolle, dass sie zwei Jahre jünger war als er oder selbst klatschnass höchstens die Hälfte von ihm wog. In dem Moment hatte sie die Kraft eines erwachsenen Mannes gehabt.

Billys Pupillen weiteten sich vor Angst, als ihm bewusst zu werden schien, dass er zu weit gegangen war.

»Halt dein dreckiges kleines Maul«, fauchte Ellie, deren Mund so dicht vor seinem Gesicht war, dass ein Speicheltropfen auf Billys Wange landete. Ihre Stimme klang nicht mal wie ihre, und ihr war, als könnte diese neue, diese andere Ellie ihm die Luftröhre zerquetschen, indem sie einfach nur daran dachte. »Bevor es dir jemand für immer stopft.«

Der ganze Tisch, der eben noch starr vor Schreck war, brach in Hektik aus. Mary rief: »Ellie, aufhören!«, während Sarah sie anschrie, Billy loszulassen, und Mark mit einem Satz neben ihr war und ihre Finger vom Hals des Jungen löste. Billy sackte keuchend zu Boden. Sofort war Sarah bei ihm und drückte seinen Kopf an ihre Brust, als wäre er ein Baby. Ellie blinzelte und betrachtete alles voller Entsetzen. Was war geschehen? Wie war das gekommen? Sie blickte hinab auf ihre Hände, die eben noch so stark gewesen waren und jetzt furchtbar zitterten.

»Du gehst auf dein Zimmer, junges Fräulein!«, schrie Sarah und sah Ellie giftig an. »Und komm ja nicht vor morgen früh wieder raus!«

Ellie floh aus dem Zimmer, ohne sich noch einmal umzusehen, vorbei an Mary, die völlig außer sich in der Tür stand.

# Kapitel 37

Billy öffnet die Augen und fragt sich, was ihn aus dem Schlaf geschreckt hat. War es das Geräusch der Tür gewesen, die geschlossen wurde? Wahrscheinlich nur Mrs. Jefferson, die kommt, um ihm Gute Nacht zu sagen und ihm noch einen Kuss vorm Schlafengehen zu geben. Das tut sie immer. Es ist ein bisschen komisch, findet er, und er ist nicht ganz sicher, ob er es mag. Seine eigene Mum hat so etwas nie getan. Bei ihr ging er immer allein ins Bett, nachdem er Abendessen für sich und seine Brüder gemacht hatte. Es fühlt sich eigenartig an, all diese Leute um sich herum zu haben, die Sachen für ihn tun wollen und nicht erwarten, dass er alles selbst macht. Es ist fast zu schön, um wahr zu sein, und er weiß, dass es nicht anhalten wird. Tut es nie. Er wird bald weitergeschickt werden, wenn diese Leute ihn satthaben.

Er bekommt es einfach nie richtig hin, kann sich nicht so anpassen, wie es anscheinend die anderen Kinder können. Er hat ja nie gelernt, in einer normalen Familie zu sein, und sehnt sich danach, dass alles wieder wie früher ist. Als er und seine Brüder sich gegenseitig ärgerten, im Spaß gegeneinander kämpften und manchmal so fies zueinander waren. Aber sie hatten sich unglaublich geliebt, und sie wussten, wenn einer von ihnen die anderen brauchte, wären sie da. Die komischen Leute, bei denen er untergebracht wurde, sind nett. Sie geben ihm alles, was er braucht. Er bekommt regelmäßige Mahlzeiten, hat ein schönes, warmes Bett und muss nie auf stinkenden Laken liegen oder auf dem Fußboden schlafen, weil er vergessen hat, die Mülltonnen rauszustellen. Warum vermisst er seine Mum trotzdem so sehr? Wenn dies hier das perfekte Leben ist, warum will er dann nach Hause? Und er wird nach Hause gehen. Wenn er nur schrecklich genug ist, werden sie beschließen, dass keiner ihn will und es besser für ihn ist, zu seiner eigenen Familie zurückzugehen. Seine Mum mag eine Versagerin sein, aber sie ist ihm vertraut und bei ihr fühlt er sich sicher. Zu Hause hatte er nie das Gefühl, er würde da nicht hingehören.

Wie spät ist es? Seine Lippen fühlen sich trocken an wie bei einer Erkältung, und er will sie mit der Zunge lecken. Doch seine Zunge will nicht über seine Lippen wischen, will überhaupt nicht aus seinem Mund kommen. Es ist, wie wenn man die ganze Nacht geschlafen hat und noch so müde ist, dass man die Augen am nächsten Tag nicht richtig öffnen kann. Jetzt sind es jedoch seine Lippen, die nicht aufgehen. Er zieht mit den Fingern an ihnen und wimmert vor Schmerz und Panik, als sich winzige Hautfetzen ablösen. Er versucht zu schreien, um Hilfe zu rufen, aber es kommt kein richtiger Laut heraus, weil er den Mund nicht öffnen kann. Tränen brennen in seinen Augen, und er wirft sich aus dem Bett, rennt zur Tür und auf den Flur. Im Haus ist alles still bis auf das dumpfe Echo von Stimmen aus dem Fernseher im Wohnzimmer unten. Mr. und Mrs. Jefferson sind noch wach. Billy läuft zur Treppe, atmet tief durch die Nase, scheint aber nicht schnell genug atmen zu können. Wenn er nicht mehr Luft bekommt, wird er garantiert sterben. Auf der dritten Stufe von oben stolpert er, verliert das Gleichgewicht und poltert nach unten. Sein Kopf knallt gegen die Wand, und Schmerz explodiert darin. Billy fühlt ein dünnes Blutrinnsal von seinem Mund herablaufen. Die Tür zur Diele fliegt auf, und Mrs. Jefferson steht unten.

»Billy!«, schreit sie. »Was zur …« Sie kniet sich neben ihn, sieht sein verängstigtes Gesicht. »Wieso ist deine Lippe …?«

Sie streicht mit einem Finger über die blutende Stelle an seinem Kinn, und in ihrem Gesicht spiegelt sich blankes Entsetzen, als sie begreift. Es ist dieser Blick, der Billy die größte Angst macht. Wenn Erwachsene so gucken, steckt man in echten Schwierigkeiten.

»Mark!«, schreit sie. »Mark, komm sofort her! Ruf einen Krankenwagen! Tu irgendwas!«

# Kapitel 38

*Imogen*

Ich habe mich mit Sarah im einzigen Café im Ort verabredet – eine strategische Wahl meinerseits, denn ich wusste schon in dem Moment, in dem ich ihren Anruf annahm, was sie sagen würde. Ich umklammere einen Becher koffeinfreien Kaffee, der so fade ist wie die Karodecke aus Plastik, als könnte er mir Schutz geben.

»Sie war es, das weiß ich.« Sarah reibt sich erschöpft mit der Hand über die Augen. »Sie glauben mir nicht, stimmt's?«

»Was spielt es für eine Rolle, ob ich Ihnen glaube oder nicht?« Ich blicke durch das Café-Fenster zu den beiden Mädchen, die sichtbar unglücklich draußen im Wagen sitzen und auf Sarah warten. »Wenn Sie Grund zu der Annahme haben, dass Ellie es war, müssen Sie mit ihrer Sozialarbeiterin und möglichweiser auch der Polizei sprechen.«

Zufällig glaube ich ihr nicht. Die Ellie, die ich kenne, würde keinem Jungen die Lippen mit Sekundenkleber zukleben. Das würde sie einfach nicht.

»Sie kennen sie kaum«, sagt Sarah vorwurfsvoll. »Sie hat nichts zu Ihnen gesagt, oder? Sie wissen nichts darüber, wie sie wirklich ist. Wozu hat Florence Sie eigentlich da mitreingezogen?«

Ich seufze. Die Zwischenfälle mit Ellie häufen sich jetzt erheblich, und ich weiß, dass ich den Fall abgeben muss. Diese neueste Behauptung geht weit über den Zuständigkeitsrahmen von Place2Be hinaus. Aber ich hatte mir selbst versprochen, diesem Mädchen zu helfen, und bislang habe ich das Gefühl, ich hätte noch nichts für es getan.

»Florence Maxwell hatte mich auf Anraten von Ellies Sozialarbeiterin in die Schule gerufen, damit ich Ellie die Unterstützung und Anleitung gebe, die sie möglicherweise nirgends sonst bekommt.« Falls Sarah die Spitze bemerkt, sagt sie nichts dazu, und mir kommt es vor, als sei sie so sehr mit ihren eigenen Problemen beschäftigt, dass ich ihr ebenso gut auf den Kopf zusagen könnte, sie hätte Ellie komplett im Stich gelassen, und sie würde mit einem »Hm« reagieren.

»Das ist nicht fair. Etwas muss wegen des Mädchens unternommen werden, und wenn es keiner von den Zuständigen tut ...« Sarah bricht ab.

Ich hebe eine Hand. »Bitte, beenden Sie den Satz nicht in meiner Anwesenheit. Hören Sie.« Wieder seufze ich. »Mrs. Jefferson, ich werde Ihnen keine Beweise für Ellies Schuld liefern, weil ich ganz einfach keine habe. Im Bericht des Krankenhauses steht, dass Billy früher an dem Abend mit Sekundenkleber gespielt hatte. Es waren Spuren davon an seinen Händen, und er gab zu, nicht sicher zu wissen, ob er sich über den Mund gewischt und Kleber auf seine Lippen bekommen hatte. Er weiß hingegen bestimmt, dass niemand ihm seine Hände abgewischt hat. So schwer es für Sie zu akzeptieren sein mag ... vor allem vor dem Hintergrund, dass Billy wirklich nicht unbeaufsichtigt mit Sekundenkleber spielen sollte ...«

»Stand in dem Bericht, was sie beim Abendessen zu ihm gesagt hatte?« Sarah ignoriert die Andeutung, dass Billys schauriger Unfall höchstwahrscheinlich ihrer Unachtsamkeit anzulasten ist. Anscheinend kann ich nichts sagen, um ihr begreiflich zu machen, dass sie einiges an Verantwortung für das übernehmen muss, was vorletzte Nacht passierte. »Haben Sie sie danach gefragt?«

»Ellie sagte, dass es einen Streit gab ...«

»Ja, bei dem sie ihm sagte, er soll seinen Mund halten, bevor sie ihm ihn für immer stopft. Dann wacht er auf, und sein Mund ist zugeklebt! Sagen Sie mir, dass das Zufall ist, Mrs. Reid.«

»Es war eine unglückliche Wortwahl, keine Frage ...«

»Ach, vergessen Sie's.« Sarah nimmt ihr Handy vom Tisch und steht so schnell auf, dass ihr Stuhl beinahe umkippt. Ihr Gesicht ist rot und ihr Kinn so angespannt, dass ich den Eindruck habe, sie würde die Zähne zusammenbeißen, um nichts zu sagen. »Sie sind offensichtlich auf der Seite des Mädchens.«

»Ich bin auf niemandes Seite, Mrs. Jefferson«, erwidere ich und bleibe ausnahmsweise gelassen. »Hier geht es nicht darum, für jemanden Partei zu ergreifen. Ellie ist eindeutig ein intelligentes Mädchen, und mein Job ist es, ihr die Unterstützung zu verschaffen, die sie braucht.«

»Und was ist mit der Unterstützung, die wir brauchen?«

»Ich werde Ellies Sozialarbeiterin nichts von dem sagen, was Sie mir heute erzählt haben. Es ist klar, dass Sie eine emotional aufgeladene Zeit durchmachen. Aber ich werde in meinem Bericht schreiben, dass ich empfehle, Ellie in eine andere Pflegefamilie zu geben, weil Sie nicht die besondere Pflege bieten können, die sie momentan braucht. Nach dem, was Sie mir heute gesagt haben, bin ich nicht mehr hundertprozentig zuversichtlich, dass Ellie noch länger in Ihrer Obhut sein sollte.«

Sarah sieht geschockt aus. »Wollen Sie sagen, dass sie in meiner Obhut nicht sicher ist? Versuchen Sie anzudeuten, dass ich ihr etwas tun könnte?«

Ich fixiere sie mit einem strengen Blick. »Ihre genauen Worte waren ›Etwas muss wegen des Mädchens unternommen werden, und wenn es keiner von den Zuständigen tut ...‹« Ich lasse die Worte im Raum stehen, wie Sarah es einige Momente zuvor getan hat, und sie treffen ins Schwarze.

»Ich habe nicht gemeint … Ich habe nicht gesagt …«, stammelt sie. »Selbstverständlich würde ich dem Mädchen nichts tun.«

»Ich hätte gedacht, dass Sie froh sind, wenn ich empfehle, Ellie woanders unterzubringen. Ist es nicht das, was Sie wollen?«

Wenn ich mich nicht täusche, sehe ich etwas wie Furcht über ihre Züge huschen. »Es ist nur, dass früher, wenn Leute sie wütend gemacht haben …«

»Sie wollen doch nicht unterstellen, dass Ellie, sollte sie woanders hinkommen, Ihnen etwas tun könnte? Ist Ihnen bewusst, wie lächerlich das klingt? Sie ist ein elfjähriges Mädchen.«

Sarah zeigt mit dem Finger auf mich. »Erzählen Sie mir nicht, was lächerlich ist«, faucht sie. »Sie haben es ja nicht miterlebt. Sie waren nicht dabei.«

Ich lächle und mache mich bereit, etwas Herablassendes zu sagen.

»Grinsen Sie mich nicht so an!«, schreit Sarah. Einige Leute im Café drehen sich zu uns um. »Sie tun so arrogant, als wären Sie so erfahren und hätten auf alles eine Antwort, dabei sind Sie kaum aus der Pubertät raus. Tja, eines Tages werden Sie es am eigenen Leib erfahren. Eines Tages werden Sie herausfinden, wie sie ist, und dann werden Sie sich bei mir entschuldigen kommen. Ich hoffe nur, dass es nicht zu spät für Sie sein wird.« Sarah steht auf und geht aus dem Café, ohne sich von mir zu verabschieden. Ich bin so verwundert, dass ich ihr nur sprachlos hinterherstarren kann.

# Kapitel 39

*Ellie*

Ellie sitzt hinten im Wagen, den Kopf an das kühle Fensterglas gelehnt. Sie kann ihre Pflegemutter in dem Café mit Imogen reden sehen. Während sie die beiden beobachtet, fühlt sie, wie ihre Hoffnung schwindet, als wäre sie ein Tumor, der ihr entfernt wird. Sie fragt sich, was ihre Pflegemutter zu der Frau sagt. Was es auch sein mag, sie weiß, dass es nichts Gutes ist. Sarah gibt ihr immer noch die Schuld für das, was mit Billy passiert ist, trotz dem, was die Ärzte laut Mary gesagt haben.

»Jetzt wird sie mir nicht mehr helfen«, murmelt Ellie. Mary, die vorn sitzt und Kopfhörer trägt, dreht sich um.

»Hast du was gesagt, Ellie?«, fragt Mary sie.

Ellie schüttelt den Kopf. »Nein, ist egal«, antwortet sie elend. »Es war nichts.« Doch es war nicht nichts. Wenn Ellie mit Imogen zusammen war, hatte sie endlich wieder das Gefühl gehabt, es kehre etwas Hoffnung in ihr Leben zurück. Als wäre jemand auf ihrer Seite. Die Frau hatte ihr das Gefühl gegeben, dass sie unmöglich für die Dinge verantwortlich sein konnte, die passiert waren, seit sie in den Ort zog. Als gäbe es so etwas wie das Böse nicht und würden einen insgeheime Verwünschungen nicht zu einem schlechten Menschen machen. Jetzt ist es, dank Sarah, vorbei, und jeder, der eine Rolle spielt, hält sie für durch und durch verdorben. Sie wird wieder verlassen werden, denn hier hat sie keine Chance mehr. Wie eine sich windende, zuckende Schlange reckt die Wut ihr Haupt.

# Kapitel 40

*Imogen*

Die Dunkelheit umfängt mich, und Hand in Hand mit ihr kommt die Kälte. Ich erschaudere unwillkürlich, ziehe meinen Mantel fester um mich und gehe ein wenig schneller. Die Bäume und Sträucher zu beiden Seiten des Wegs bewirken, dass einem die Dämmerung wie mitten in der Nacht vorkommt, und nicht zum ersten Mal wünsche ich mir, ich hätte den helleren Weg gewählt. Der wäre zehn Minuten länger gewesen, aber dafür ist dort die Wahrscheinlichkeit geringer, dass mir Schattengestalten in den Büschen auflauern oder ich stolpere und in etwas lande, was früher mal ein Kanal war und nun einem überwucherten Sumpf ähnelt. Ich betrachte den grünen Algenteppich auf dem schwarzen Wasser und beschließe, dass ich in Zukunft ein bisschen länger auf mein heißes Getränk vor dem Kamin warten werde. Nach dem, was heute Morgen mit Sarah Jefferson war, sehne ich mich mehr denn je danach, mir ein extragroßes Glas Wein einschenken zu dürfen. Noch so eine Sache, für die ich mich bei dem Baby bedanken darf.

Dass sich die Stille um mich herum verdichtet hat, bemerke ich in dem Moment, in dem sie von einem Knacken im Gebüsch links von mir durchbrochen wird. Ich stocke kurz, blicke mich in die Richtung um, aus der das Geräusch kam, und da ich keine unmittelbare Gefahr erkenne, gehe ich weiter. Meine Füße sind taub in den unpraktischen hohen Schuhen, und ich befehle ihnen, sich schneller zu bewegen. Hier gibt es nichts, wovor man sich fürchten muss, sage ich mir. Da ist nichts. Geh einfach nicht wieder diesen Weg.

Noch ein Knacken in den Büschen, und ich stoße einen leisen Schrei aus. Mich hat immer fasziniert, wie leicht sich der Verstand von der Umgebung beeinflussen lässt, und ich versuche, mich auf den psychologischen Aspekt zu konzentrieren – über unbewusste Reaktionen nachzudenken lässt mich wieder klar denken und beruhigt mein pochendes Herz. Es hilft allerdings nicht, als ich die Stimme höre.

»Imogen.«

Es ist ein tiefes Flüstern irgendwo hinter meiner linken Schulter. Ich drehe mich um, froh, dass jemand, den ich kenne, den Rest des Wegs mit mir geht, aber da ist niemand. Mein Herz hämmert in meiner Brust, und ich schaue zu den Büschen, suche nach Hinweisen, dass jemand mir einen Streich spielt. Doch die Stille scheint noch dichter als zuvor, und um mich herum regt sich nichts. Du bist wirklich dumm, verfluche ich mich. Du bist eine dumme Nuss, die Stimmen hört.

Dennoch schiebe ich die Hand in die Tasche und nehme das dicke Kunststoffgehäuse meines Autoschlüssels zwischen die Finger. Ich wünsche mir inständig, ich hätte jetzt meinen Wagen bei mir, doch ich hatte mich morgens von Dan beim Café absetzen lassen. Mein Behelfsklappmesser fest in der Hand, drehe ich mich wieder um und gehe entschlossen weiter. Die Scham ob meiner Furcht treibt mich vorwärts.

»Hilf mir. Bitte, hilf mir.«

Eine Kinderstimme, die schwach und hilflos aus den dunklen Bäumen hinter dem Gebüsch kommt. Ich zucke zusammen. Bilde ich mir das nur ein? Ich fürchte mich davor, etwas zu unternehmen, aber ich würde es mir nie verzeihen, wenn ich einem Kind, das hörbar in Schwierigkeiten steckt und sich durchs Unterholz bewegt, nicht helfen würde.

Ich bleibe stehen, warte ab, ob ich die Stimme wieder höre, sie besser orten kann. Währenddessen hole ich mein Handy aus der Manteltasche und tippe »Dan« auf dem Display an. Ich halte das Telefon auf Abstand zu meinem Ohr, bis es aus meiner Hand ertönt: »Hallo? Immy?«

»Dan.« Nun halte ich es an mein Ohr und flüstere. »Ich bin auf dem Rückweg am Kanal entlang ...«

»Oh Mann, Im, ich habe dir doch gesagt, dass du da nicht langgehen sollst. Hast du schon vergessen, wie sie da einer Frau die Handtasche geklaut haben, erst letzten ...«

»Ich weiß, aber jetzt bin ich hier«, unterbreche ich ihn zischend. Ich ärgere mich über mich selbst, weil ich diesen Weg gewählt habe, obwohl Dan ausdrücklich dagegen gewesen war, bin aber auch genervt von ihm. Hätte er mir nicht wie üblich gesagt, was ich tun soll, wäre ich wahrscheinlich von selbst darauf gekommen, dass dieser Weg keine gute Idee ist. So fiel meine Entscheidung zum Teil auch, weil ich ihm beweisen wollte, dass ich kein Kind bin. Und sieh dir an, wie das für dich ausgegangen ist, denke ich reumütig.

»Hör zu, ich habe ein Kind gehört, zwischen den Bäumen. Es ruft um Hilfe. Ich muss hingehen und nachsehen, aber ich wollte, dass jemand weiß, wo ich bin ...«

»Auf keinen Fall machst du das, Imogen.« Dan hört sich wütend an, und ich kann mir vorstellen, wie rot er wird. »Geh weiter. Ich schnappe mir meine Jacke und komme dir entgegen.«

Meine Wangen glühen. »Du musst mich nicht holen kommen, Dan. Ich bin zweiunddreißig. Meine Mutter hatte schon aufgehört, mich zur Schule zu bringen, als ich nicht mal zehn war.« Jede Angst, die ich noch vor Minuten empfand, hat sich mit dem Telefonat verflüchtigt. Nun bin ich nur noch sauer auf meinen Mann.

»Ist dir klar, dass diese Gangs Kinder für solche Sachen benutzen? Um Frauen in die Wälder zu locken, damit sie sie ausrauben und … geh weiter, Imogen, *bitte*.«

Das letzte Wort klingt so verzweifelt, dass ich unweigerlich weich werde. »Okay. Ich kann jetzt sowieso nichts mehr hören. Sicher waren es bloß irgendwelche Kinder aus dem Dorf, die Verstecken spielen oder so.« Noch während ich es sage, weiß ich, dass es nicht stimmt. Spielende Kinder sind laut und polternd, rufen und krachen durchs Unterholz. Sie bitten nicht leise um irgendwas. Trotzdem wirkt Dan nun so erleichtert, dass ich überzeugt bin, richtig zu handeln, indem ich nicht in den Wald gehe.

»Danke. Soll ich dir jetzt entgegenkommen? Wir könnten uns auf dem Weg ein paar Pommes frites mitnehmen.«

»Mmm, hört sich gut an.« Ich gehe weiter, beruhigt von Dans Stimme an meinem Ohr.

»Okay, bin schon unterwegs. Wie weit bist du am Kanal?«

Ich schaue mich um. »An der alten Bank vorbei und gleich …«

Meine Worte bleiben mir im Hals stecken, als der Hieb auf meinen Rücken durch meinen Brustkorb hallt und ich in das schmutzige, eiskalte Wasser des stillgelegten Kanals stürze.

# Kapitel 41

*Imogen*

Ich huste keuchend und versuche, mich nach oben zu bringen. Meine Lunge brennt, ich brauche frische, saubere Luft, doch ich ertrinke in dreckigem Brackwasser. Algen kriechen meine Kehle hinab, schlingen sich um meine Luftröhre und ziehen mich tiefer unters Wasser. Ich kann die Augen nicht öffnen, weil klebriger brauner Schlamm auf sie drückt, und verzweifelt bemühe ich mich, ihn wegzuwischen. Doch jedes Mal ist sofort neuer Schlamm da. Der letzte Atem entweicht meinen Lippen, und mir ist bewusst, dass es gleich vorbei ist. Ich sterbe. Als mein Körper mit dem letzten bisschen Leben kämpft, das er noch hat, höre ich eine Stimme. Es ist die Stimme, die mich in die Tiefe zieht, und sie gehört einem kleinen Mädchen. »Ich habe nur Hilfe gebraucht«, singt sie, aber nun erkenne ich nicht genau, ob es ein Mädchen oder ein Junge ist. Ein Junge. »Ich brauchte jemanden, der mir hilft ...«

»Imogen!« Feste Arme packen mich bei den Schultern und drücken sie. Ich huste wieder, strecke die Finger nach den Armen aus, die mich halten, klammere mich an sie, als könnten sie mich davor bewahren, in die schlickige Tiefe des alten Kanals gezogen zu werden.

Auf einmal wird mir klar, dass ich nicht mehr nass bin. Und meine Augen sind nicht mehr von Schlamm verklebt. Meine Lunge brennt immer noch, aber sie ist nicht mehr voller Wasser, sondern voller sauberer, klarer Luft.

»Imogen, kannst du mich hören?«

Ich öffne die Augen und schließe sie gleich wieder vor dem grellen weißen Licht, das auf meine Netzhaut trifft. Ich vergrabe das Gesicht an Dans Brust und lasse mich sanft von ihm wiegen, bis das Pochen hinter meinen Augen nachlässt und meine Atmung langsamer wird. Wenig später spricht eine andere Stimme, eine weibliche.

»Imogen? Imogen, ich bin Dr. Harding. Können Sie mich hören? Können Sie die Augen aufmachen, Imogen?«

# Kapitel 42

*Imogen*

Ich drehe mich im Bett um und rücke hin und her, um eine bequeme Position zu finden. Nachdem ich mein Kissen aufgeschüttelt und eine Kuhle in die Mitte geboxt habe, versuche ich, wieder hineinzusinken. Mit geschlossenen Augen bemühe ich mich, alles auszublenden, meine Gedanken neu zu fokussieren, damit sie nicht ganz so weit im Vordergrund sind. Doch gerade als sie zu einem dumpfen Brummen verblassen, gleiten die Worte durch meinen Kopf, und da sind sie wieder. *Ich brauchte jemanden, der mir hilft...* Ich bin wieder wach, hellwach, höre sie so deutlich, als würden sie mir ins Ohr geflüstert. Aber es ist niemand hier bei mir im Zimmer. Das weiß ich genauso, wie ich weiß, dass sich jene Worte meinem Unterbewusstsein eingegraben haben, zusammen mit dem dichten, schmutzigen Wasser, das nach meinem Hals und meiner Lunge greift. Das Wasser ist bloß die Erinnerung eines Traums, denn zum Glück habe ich nichts von dem verpesteten Kanalwasser geschluckt. Dennoch möchte ich schwören, den kalten nassen Schlamm und das Seegras zu fühlen, wie sie sich meine Luftröhre hinunter und um meine Lunge winden, sodass ich nicht mehr atmen kann.

Ich schwinge die Beine unter den warmen Decken vor, richte mich auf und ziehe meinen Morgenmantel über. Mein Brustkorb entspannt sich ein wenig, und meine Atmung wird wieder normal, als ich durch den Flur tapse und unterwegs überall Licht mache.

Die Uhr unten in der Diele zeigt 21:15 – also habe ich ein paar Stunden geschlafen –, aber ich habe keine Ahnung, was mich so abrupt aufgeweckt hat. Dan ist um sieben Uhr weggefahren, um sich mit dem Redakteur der Lokalzeitung auf einen Drink im hiesigen Pub zu treffen. Dan hatte ihn wegen einer Idee für eine regelmäßige Kolumne über das schillernde Leben eines Autors angesprochen, und wie sich herausstellte, hatte er ein paar von Dans Büchern gelesen und bezeichnete sich als Fan.

»Ich dachte, wir müssen uns keine Gedanken mehr über Geld machen, da ich jetzt wieder arbeite«, hatte ich eingewandt, als er es vorhin erwähnte. Zwar habe ich nichts dagegen, wenn er an anderen Projekten arbeitet – es ist schön, wenn er sich auf etwas anderes konzentrieren kann, und diese Sache könnte ihm neue Möglichkeiten eröffnen –, aber seit dem Zwischenfall am Kanal wird mir ganz anders bei dem Gedanken, allein im Haus zu sein.

»Es geht nicht um das Geld, Baby. Es ist nur, na ja, ich fühle mich ein bisschen einsam, wenn ich den ganzen Tag hier hocke, während du bei der Arbeit bist.« Er sah verlegen aus, als wäre es ein Zeichen von Schwäche, zu gestehen, dass er Gesellschaft braucht. »Ich dachte, das könnte mir hin und wieder etwas zwischenmenschlichen Kontakt bescheren.« Ich war mir egoistisch und mies vorgekommen, als er rasch sagte, er würde selbstverständlich bleiben, wenn ich es wollte, diese Kolumne sei ihm nicht so wichtig wie ich und könne warten. Ich weiß genug über die Welt des Journalismus, um zu begreifen, dass »ein anderes Mal« ungefähr so verlässlich ist wie »irgendwann« oder »in Zukunft«.

»Nein, natürlich musst du hingehen«, hatte ich mit einem Lächeln gesagt, von dem ich inständig hoffte, dass es nicht so gekünstelt aussah, wie es sich anfühlte. »Mir geht es gut. In ein paar Tagen gehe ich wieder zur Arbeit, und du brauchst etwas, womit du dich beschäftigen kannst, wenn du mich nicht mehr umsorgen musst.«

Ich muss zugeben, dass mein Mann eine fantastische Krankenschwester wäre. Seit der Entlassung aus dem Krankenhaus, am Vormittag nach meinem Sturz in den Kanal, hat er mich unermüdlich umsorgt. Sie hatten mich über Nacht dortbehalten – zur Beobachtung, sagten sie, aber mir war klar gewesen, dass es eher deshalb geschah, weil sie mitten in der Nacht niemanden greifbar hatten, der Entlassungspapiere unterschreiben konnte. Am nächsten Morgen jedenfalls befanden sie mich für fit genug, um nach Hause zu gehen, solange sich jemand um mich kümmerte. Dieser Aufgabe verschrieb Dan sich mit einer Verve, als hätte er einen Vertrag mit Blut unterzeichnet. Es erdrückte mich beinahe. Zum Glück hatten sie mir erzählt, dass es dem Baby gut ging, als er zum Telefonieren draußen war. Ich weiß nicht, was ich getan hätte, hätte er es so erfahren.

In der Küche blinzle ich, als ich das Licht eingeschaltet habe, und schaue mich um. Alles ist normal, so wie ich es zurückgelassen hatte, als ich nach oben ging, um mich hinzulegen. Warum ist mir dann so mulmig? Offensichtlich ist hier unten nichts, das mich aufgeweckt haben kann. Keine Teller sind im Spülbecken verrutscht, kein Leergut ist umgekippt. Es ist kein beruhigender Gedanke, dass ich wahrscheinlich von meinen Albträumen geweckt wurde.

Stoisch ignoriere ich die Stockfinsternis vor dem Küchenfenster und nehme mir vor, bei nächster Gelegenheit ein Rollo zu besorgen, während ich die Kühlschranktür öffne, um den Orangensaft herauszunehmen, den Dan eigens für mich vorhin vom Laden geholt hatte. Voller Vitamin D, hatte er stolz verkündet. Ich nehme einen Schluck direkt aus dem Karton und muss mich beherrschen, nicht über meinen Ungehorsam zu kichern – Dan würde sich schon bei der Vorstellung schütteln, dass ich direkt aus der Packung trinke. Wenn ich den restlichen Saft mit nach oben nehme, sollte ich unbedingt auch ein Glas mitnehmen, sonst wird geschimpft. Ich stoße die Kühlschranktür mit dem Ellbogen zu, und der Saftkarton rutscht mir aus der Hand. Kalter, klebriger Orangensaft sprüht vom Fußboden auf und überschwemmt meine Füße, was ich jedoch kaum wahrnehme. Ich schreie gellend, als ich das blasse Gesicht erblicke, das an das Küchenfenster gepresst ist.

# Kapitel 43

*Imogen*

Das Gesicht entfernt sich vom Küchenfenster in Richtung hintere Terrassentüren. Mit einem Aufschrei drücke ich die Klinke – abgeschlossen. Ich laufe durch zum Esszimmer. Dort sind die Vorhänge vor den Flügeltüren zugezogen, und ich habe keine Ahnung, ob Dan sie abgeschlossen hat oder nicht. Aber ich bringe mich auch nicht dazu, die Vorhänge zurückzuziehen und mich dem zu stellen, wer immer da draußen sein mag. Stattdessen schnappe ich mir meine Handtasche mit dem Handy darin vom Esstisch und schließe die Tür hinter mir. Ich schaue mich nach irgendwas um, womit ich die Esszimmertür blockieren kann. Selbst wenn die Terrassentüren offen sind, muss ich denjenigen, der da draußen ist, nicht ins ganze Haus lassen.

Wer ist da draußen? Ich versuche, mir das Gesicht am Fenster in Erinnerung zu rufen, blass und blutleer mit tiefliegenden schwarzen Augen – allerdings könnte es auch meine Einbildung oder mein Spiegelbild gewesen sein. Ich fahre zusammen, als ich ein Pochen an der Flügeltür höre. Mein Herz rast, während ich probiere, die große Mahagoni-Anrichte vor die Tür zu ziehen. Sie ist zu schwer, voll mit Nans alten Sachen, und lässt sich nicht bewegen. Wenn an die Türen geklopft wird, heißt das zumindest, dass sie verriegelt sein müssen. Sonst wäre der, wer immer das sein mag, schon drinnen. Als das Klopfen verstummt, überprüfe ich die Haustür. Sie ist ebenfalls verschlossen.

Draußen herrscht Stille, was schlimmer ist als das Klopfen am Glas. Ohne Geräusche kann ich nicht einschätzen, wo mein potenzieller Angreifer sein mag und wo ich folglich sein sollte. Ich hole das Handy aus der Tasche, wische die letzten Anrufe durch und tippe »Dan« an. Mir wird flau, als ich die Automatenstimme der Mailbox vernehme, die mich auffordert, eine Nachricht nach dem Piepton zu hinterlassen.

»Dan, ich bin's. Keine Panik, aber rufst du mich bitte an, wenn du das hier hörst?«

Ich lege auf und starre das Telefon in meiner Hand an. Soll ich die Polizei rufen?

Und ihnen was erzählen? Dass jemand an die Tür klopft? Wie peinlich wäre es, wenn die Polizei vorfährt und Dan draußen antrifft, der seine Schlüssel vergessen hat und dessen Handy-Akku leer ist. Oder Pammy oder Lucy von der Arbeit, die mir mein Portemonnaie oder meine Strickjacke bringen oder etwas ähnlich Harmloses, das mich wie die letzte Idiotin dastehen ließe. Ich atme einige Male tief durch und sage mir, dass ich erst herausfinden muss, wer draußen ist, bevor ich Hilfe rufen kann. Sogar meine Mailbox-Nachricht an Dan fühlt sich ein bisschen blöd an, als sei ich ein hilfloser Teenager in einem Horrorfilm. Ich wappne mich, öffne die Esszimmertür und rechne halbwegs damit, dass mich dahinter jemand mit einem Tranchiermesser erwartet.

Du hast zu viele Gruselfilme gesehen, blöde Nuss.

Ja, und würde ich dies hier gerade in einem sehen, ich würde meine Figur anschreien, die Polizei zu rufen und ja nicht die bescheuerten Vorhänge zurückzuziehen.

Doch dies ist kein Gruselfilm, und die Wahrscheinlichkeit, dass ich in meinem eigenen Zuhause in winzige Stücke tranchiert werde, so viel muss selbst ich zugeben, ist überaus gering.

Im Esszimmer ist niemand. Trotzdem gehe ich, ehe ich die Vorhänge aufziehe und mich dem stelle, was auf der anderen Seite sein mag, vorsichtig in die Küche. Dabei vermeide ich es, zum Fenster zu sehen, während ich ein Messer aus dem Block ziehe. Als ich doch einen Blick zur Seite wage, sehe ich dort nichts als ein tintig schwarzes Viereck und die Spiegelung meines eigenen Gesichts. Ich nehme das Messer mit ins Esszimmer und lösche auf dem Weg alle Lichter. Es besteht kein Grund, mich selbst zu beleuchten, falls immer noch jemand dort draußen ist.

Nachdem ich noch ein paarmal tief Luft geholt habe, halte ich das Messer vor mich und reiße die Vorhänge zurück.

Der Garten hinten sieht leer aus. Keine Spur von einer Gestalt draußen. Ich drücke mich gegen das Fenster, suche die Schwärze nach irgendwelchen Anzeichen von Bewegung ab, aber da ist nichts. Ich puste die Luft aus, die ich angehalten hatte, seit ich den Vorhang zurückzog, und lasse ihn wieder fallen. Wer auch dort draußen gewesen sein mochte, er ist weg.

Mit dem Messer in der Hand kehre ich ins Wohnzimmer zurück. Mein Handy liegt still auf der Mahagoni-Anrichte. Kein Blinken, also hat Dan meine Nachricht wohl noch nicht abgehört. Ich will mich aufs Sofa setzen, als an die Haustür gepocht wird.

Innerhalb einer Sekunde bin ich da. Mir reicht es jetzt, mich zu gruseln. Ich will endlich wissen, wer um diese Zeit um mein Haus herumschleicht. Kinder, die mir Angst einjagen wollen? Ich fingere linkisch mit dem Sicherheitsriegel, und als die Kette greift, ziehe ich die Tür auf und trete zurück, sobald ich die Gestalt draußen auf der Veranda sehe.

»Mrs. Reid«, Hannah Gilbert kommt aus dem Schatten, »es tut mir furchtbar leid, dass ich Sie erschreckt habe. Ich hätte nicht ans Küchenfenster gehen dürfen, aber vorne hat keiner aufgemacht und ich ... Entschuldigen Sie.«

Ich spüre, wie mein Puls langsamer wird. An der Lehrerin ist nichts bedrohlich, und ich komme mir ein bisschen blöd vor, als ich die Tür wieder schließe, um die Kette abzuziehen. Erst während ich richtig öffne, wird mir bewusst, dass ich noch das Messer in der Hand habe. Hannah Gilbert bemerkt es, ehe ich das Ding verstecken kann.

»Oh Gott, ich habe Ihnen wirklich Angst gemacht«, sagt Hannah und legt eine Hand an ihre Brust. »Das tut mir so leid.«

»Muss es nicht«, sage ich und lege das Messer auf das Telefontischchen hinter der Haustür. »Neues Haus, mitten auf dem Lande – ich bin noch ein wenig schreckhaft. Es liegt an den vielen Jahren in der Stadt, vermute ich. Stimmt etwas nicht?«

Hannah sieht an mir vorbei in den Flur. »Ich, ähm, ich hatte gehofft, dass ich kurz mit Ihnen reden könnte. Macht es Ihnen etwas aus, wenn ich reinkomme?«

»Nein, nur zu.« Ich mache die Tür weit auf und bedeute der Lehrerin hereinzukommen – kann aber nicht umhin, in die Dunkelheit hinter ihr zu spähen, für alle Fälle.

Nachdem ich die Tür wieder geschlossen habe, fällt mir auf, wie zittrig Hannah Gilbert wirkt. Kein Wunder, dass mich ihr Gesicht zu Tode erschreckt hatte. Selbst drinnen im Licht ist sie bleich und hat dunkle violette Ringe unter den Augen. Ich dachte, ich sollte diejenige sein, die vor zwei Tagen knapp dem Tod im Kanal entgangen ist, aber Hannah sieht aus, als hätte sie eine ganze eigene Nahtoderfahrung hinter sich.

»Kann ich Ihnen etwas anbieten?«, frage ich, um die seltsame Anspannung aufzulockern. Anscheinend hat Hannah nun, da sie hier ist, nicht den geringsten Schimmer, was sie sagen soll. »Tee? Kaffee? Wein?«

Hannah nickt. »Ein Glas Wein wäre super, danke.«

Ich gehe voraus in die Küche, wo keine zehn Minuten zuvor

ihr Gesicht gegen das Fenster gepresst war. Dort schenke ich ihr ein Glas Weißwein und mir ein Glas Wasser ein. Ich bemerke, dass Hannahs Hand zittert, als sie das Glas entgegennimmt.

»Wollen Sie nichts?«, fragt sie, führt das Glas an ihre Lippen und trinkt einen Schluck. Ich schüttle den Kopf.

»Ich nehme Schmerzmittel«, biete ich als Erklärung an.

»Ja, ich habe gehört, was am alten Kanal passiert ist. Geht es Ihnen gut?«

Ich nicke und frage mich, wer sonst noch von meinem peinlichen Sturz gehört hat. »Ja, danke. Ein dummer Unfall.«

»Hm«, sagt Hannah, hakt aber nicht nach. Wir gehen zurück ins Wohnzimmer, wo ich sie stumm bitte, sich zu setzen.

»Ist Ihr Mann nicht zu Hause?«

»Nein, er hat ein Arbeitstreffen. Worüber wollten Sie mit mir reden?«

Nun, da sie meine volle Aufmerksamkeit hat, scheint Hannah fast zu verlegen, um etwas zu sagen.

»Ich bin nicht ganz sicher, wie ich das sagen soll«, beginnt sie.

»Warum reden wir nicht einfach offen miteinander, Hannah. Ich darf Sie doch Hannah nennen?« Die Lehrerin nickt. »Und sagen Sie Imogen. Vergessen wir die Probleme bei der Arbeit, und erzählen Sie mir einfach, was Ihnen genügend zusetzt, dass Sie im Dunkeln zu mir nach Hause kommen, obwohl Sie wissen, dass ich bald wieder in der Schule sein werde.«

Hannah überlegt offenbar, ehe sie verhalten nickt.

»Okay, na gut. Ich bin hier, weil ich von dem gehört habe, was Ihnen passiert ist. Und ich habe auch von Ihrer, ähm, Diskussion mit Sarah Jefferson im Café nur Stunden vorher gehört.«

»Tja, in diesem Ort sprechen sich Neuigkeiten schnell herum.« Es fällt mir schwer, nicht bissig zu klingen. Dies war eines der Dinge, mit denen ich schon früher meine Schwierigkeiten hatte – dass in Gaunt jeder denkt, ihn ginge alles etwas an. In London ist es nicht so. Dort könnte man jemanden vor seiner Haustür erschießen, und solange das Blut nicht an das Nachbarsfenster spritzt, würde keiner etwas sehen.

Hannah ist immerhin so freundlich, verlegen auszusehen. »Ich kenne eine Menge Leute.«

Warum habe ich das Gefühl, dass dieser Satz mehr als eine Antwort auf meine Bemerkung ist? Man muss mich nicht daran erinnern, dass Hannah in diesem Ort mehr Leute kennt als ich. Selbst diejenigen, die ich früher mal kannte, wissen nicht, dass ich zurück bin, und es würde sie auch nicht die Bohne interessieren.

»Was hat meine Diskussion mit Sarah Jefferson mit meinem Sturz in den Kanal zu tun?«

Hannah trinkt noch einen Schluck von ihrem Wein, um sich auf das vorzubereiten, was sie als Nächstes sagen will. Nach einer spannungsgeladenen Pause antwortet sie: »Sind Sie sicher, dass Sie gestürzt sind?«

Hiermit hatte ich gerechnet, trotzdem werde ich ein bisschen rot, weil sie so direkt fragt.

»Es war dumm von mir, dort allein im Dunkeln langzugehen. Ich kenne die Gegend nicht sehr gut, und mir war nicht klar, wie nahe der Pfad am Kanal ist. Dort ist alles überwuchert von Gräsern und Unkraut ...«

»Wissen Sie, wie viele Leute in den letzten acht Jahren aus Versehen in den Kanal gefallen sind? Einer. Ein Junge, der als Mutprobe darüber springen wollte. Und Sie wollen mir weismachen, dass Sie vollkommen nüchtern dort reingefallen sind, am selben Tag, an dem Sie einen Streit mit Ellie Atkinsons Pflegemutter hatten?«

»Wollen Sie andeuten, dass Sarah Jefferson mich in den Kanal gestoßen hat? Wie? Hat sie sich einfach von hinten an mich herangeschlichen, ohne dass ich irgendwas gehört oder gesehen habe, und mich hineingestoßen, weil ich ihre Pflegetochter nicht für wahnsinnig erklären will?«

»Nein, nicht Sarah.« Hannahs dunkle Augen fixieren meine, und ihre Stimme ist fest.

»Moment mal, Sie meinen Ellie?«, frage ich entrüstet. »Kann sie sich jetzt auch noch unsichtbar machen, zusätzlich zum Gedankenlesen?«

Ich sage nichts von der Stimme, von der ich schwöre, dass ich sie vor meinen Sturz gehört habe. Hinterher, während ich mich erst im Krankenhaus und dann hier zu Hause erholte, wurde mir bewusst, dass es sich um ein lächerliches Fantasiegespinst handelte. Mein Verstand hatte schlicht mit meiner Angst auf dem dunklen, unbekannten Weg gespielt.

»Ich weiß, dass Sie Ellie mögen«, übergeht Hannah meine spöttische Frage. »Aber sogar Sie müssen sehen, dass Leuten, die sie wütend machen, schlimme Sachen zustoßen. Ich dachte, wenn Sie es erstmal am eigenen Leib erlebt haben, begreifen Sie …«

»Begreife ich was? Dass sie besessen ist? Der Teufel? Ihnen ist klar, wie albern sich das anhört, nicht wahr, Miss Gilbert? Ellie ist ein elfjähriges Mädchen! Was Sie alle ihr hier antun, was Sie hier aus ihr machen – das ist unmenschlich!« Ich fühle, dass sich über Wochen aufgestaute Wut und Frust in mir bündeln, sich aufbäumen wie ein wildes Tier. »Ellie muss wirklich gerettet werden, aber nicht vor mir, sondern vor Ihnen allen! So etwas habe ich in meinem ganzen Leben noch nicht gesehen!«

Hannah steht auf, stellt ihr Glas zu schwungvoll auf den Tisch und ist so rot vor Zorn oder Scham, dass ich mich frage, ob sie auf mich losgehen will. Das soll sie ruhig versuchen, dann schlage ich ihr ins Gesicht.

»Ich merke, dass dies hier keinem von uns etwas bringt«, sagt Hannah, die eindeutig Mühe hat, einen ruhigen Ton zu wahren. »Ich hatte gehofft, dass wir uns wie zwei erwachsene Menschen unterhalten können. Dass Sie nach dem, was Sie erlebt haben, imstande wären, sich für die Möglichkeit zu öffnen, dass Sie sich in dem Mädchen irren. Aber nein.« Nun wird sie lauter, verliert den Kampf gegen ihre Gefühle. »Sie sind offensichtlich zu blind, zu ignorant und zu arrogant, um zu erkennen, dass in diesem Ort Dinge vorgehen, die sich jenseits dessen abspielen, was man sehen oder beweisen kann. Dinge, die sich nur fühlen und glauben lassen, wenn man bereit ist, sie zu fühlen und zu glauben. Ich hätte mehr von Ihnen erwartet, Mrs. Reid. Doch ich gestehe, dass ich da wohl falschlag.«

Während sie spricht, durchquert sie das Zimmer und ist an der Haustür, als mein Handy auf der Anrichte zu klingeln anfängt. Ich beachte es nicht und rausche hinter Hannah her, die schon die Tür geöffnet hat und hinaus in die Dunkelheit tritt.

»Dass Sie da wohl falschlagen?«, rufe ich ihr nach. »Und ob Sie da wohl falschliegen, wenn Sie denken, dass ich mich Ihrer kleinen Hexenjagd auf ein Mädchen anschließe, das bereits durch die Hölle gegangen ist! Sie alle hier machen mich krank, und ich werde alles tun, was ich kann, damit Ellie vor euch Irren sicher ist!«

Hannah Gilbert bleibt mitten auf der Einfahrt stehen und dreht sich zu mir um. Ihre Absätze knirschen im Kies. Sie kommt zurück, direkt auf mich zu, bis ihr Gesicht nur noch Zentimeter von meinem trennen. Ich weigere mich zurückzuweichen, zucke nicht einmal. Mein Herz pocht, als Hannah mit zusammengebissenen Zähnen spricht.

»Sie tun mir leid, Mrs. Reid. Sie und Ihre Kleingeistigkeit.

Ich bin hergekommen, um Sie zu warnen, dass keiner vor dem sicher ist, wozu dieses Mädchen fähig ist. Aber ich sehe, dass Sie meine Sorge ignorieren und ich bei Ihnen nur auf taube Ohren stoße. Lassen Sie mich Ihnen trotzdem eines sagen: Sie müssen sehr vorsichtig sein. Sie müssen sehr gut aufpassen, und vor allem, legen Sie sich nicht mit Ellie Atkinson an. Denn wenn Sie das tun – und ich meine wenn, nicht falls –, werden sich Ihre Ignoranz und Ihre Weigerung, irgendwas außerhalb Ihrer ach so normalen Welt für möglich zu halten, rächen. Sie sollten lieber hoffen, dass Sie dann noch am Leben sind und bereuen können, nicht auf mich gehört zu haben.«

Bevor ich irgendeine Antwort formulieren kann, marschiert Hannah Gilbert in die Nacht davon.

# Kapitel 44

*Ellie*

Ellie sieht, dass Mary unruhig und zappelig ist. Sie bewegt sich vom Fußboden aufs Bett, vom Bett zum Stuhl und wieder zurück zum Fußboden, nimmt ein Foto von ihr und ihren Eltern auf und stellt es ohne erkennbaren Anlass vom einen Ende des Schreibtisches auf das andere. Marys Zimmer ist sauber und ordentlich. Alles hat seinen Platz, und der Fotorahmen wirkt komisch auf seinem neuen Platz.

»Was ist mit dir?«, fragt Ellie schließlich und bemerkt, dass Mary bei dem plötzlichen Geräusch in der Stille zusammenzuckt. »Du benimmst dich verrückt.«

Mary stößt ein kurzes Quieken auf, als könnte sie nicht fassen, dass Ellie *sie* verrückt nennt. »Nichts«, krächzt sie. »Alles bestens.«

Das hatte Ellie schon mal gehört. Ihre Mum hatte in demselben harschen Ton gesprochen, wenn ihr Dad irgendwas Unsinniges gesagt hatte. *Ich habe nichts. Lass es gut sein, Martin.* Ihr Dad war nicht so dumm gewesen, weiter nachzufragen, und das ist Ellie jetzt auch nicht. Wenn sie erst ein bisschen länger dasitzen und das Schweigen unerträglich wird, wird Mary von allein zu reden anfangen, werden ihre Worte in ihr Tropfen für Tropfen in ein verstopftes Waschbecken fallen, und, wenn keiner den Abfluss freimacht, am Ende überlaufen. Was sie auch bald tun.

»Ich habe Mum über diese Frau von Place2Be reden gehört.« Und wie Wasser hören die Worte nicht auf zu fließen, lassen sich nicht zurück ins Waschbecken befördern. »Über die, die hier war, Imogen. Sie hatte einen Unfall.«

Ellie setzt sich kerzengerade auf dem Bett auf. Dann ist Mary deshalb so kribbelig heute Abend? »Was für einen Unfall? Wann?«

Mary dreht sich zu ihr um, und es sieht aus, als würde es ihr schwerfallen, weshalb sie es bisher vermieden hat. Sie starrt Ellie mit einem Laserblick an, und was sie sagt, klingt überhaupt nicht nach Mary, sondern wie die Bemerkungen von Miss Gilbert und Sarah, wenn sie denken, keiner hört mit. »Hast du wieder die Träume gehabt, Ellie? Hast du von Imogen geträumt?«

»Nein«, antwortet Ellie, ehe sie überlegen kann, ob es gelogen ist. Wenn sie ehrlich sein soll, erinnert sie sich nicht an ihre Träume. Sie wacht von kaltem Schweiß bedeckt auf, ihre Brust röchelnd von der Anstrengung, gegen Rauch und Dämpfe zu atmen. Aber manchmal ist da mehr. Manchmal brechen jetzt Gesichter von Menschen durch die Flammen, die sie kennt, die sie traurig gemacht oder schlecht behandelt haben. Menschen, die sie in diesen Träumen gern leiden sehen möchte. Aber in echt? Sie war noch nicht mal fähig gewesen, die Motte zu töten. Stattdessen hatte sie geschluchzt, als sie das Fenster öffnete und zusah, wie sie torkelnd in die Freiheit flog.

# Kapitel 45

Sie kann keine Flammen sehen, was jedoch nicht heißt, dass sie sicher ist. Dicke Rauchklumpen kratzen in ihrem Hals, brennen in ihren Augen, als wollten sie Ellie vollständig einnehmen. Sie versucht, nach ihrer Mutter zu rufen, aber der Laut verfängt sich in ihrer Kehle. Die Luft ist sengend heiß, und ihr ganzer Leib fühlt sich an, als würde sie selbst brennen.

Wo sind alle? Sind sie entkommen, Mum, Dad, Riley und Plum? Haben ihre Eltern überhaupt versucht, nach ihr zu suchen? Oder hatten sie bloß an sich und das Baby gedacht, das sie so sehr liebten?

Jetzt kann sie nichts mehr sehen. Weder ihr Bett mit der Überdecke in Türkis, Rosa und Flieder noch den Schreibtisch, den ihr Dad abgeschmirgelt und weiß lackiert hatte. Alles wird vom Qualm versteckt, als hätte jemand einen grauen Marker genommen und es übermalt. Sie stolpert nach vorn und streckt eine Hand aus, um sich abzustützen. Sie fühlt Stoff zwischen ihren Fingern. Das Fenster! Sie hat es zum Fenster geschafft! Nachdem sie die Vorhänge aufgerissen hat, blickt sie in den Garten, der vollständig dunkel ist. Alles sieht so normal aus, stockduster und starr wie ein Bild. Wie kann das sein? Wie kann alles so normal sein, wenn drinnen im Haus alles zu Ende geht?

Ellie hämmert gegen das Fenster, obwohl sie schon weiß, dass es sinnlos ist. Es ist niemand hinten im Garten. Da sind keine Scharen von Schaulustigen oder Feuerwehrleuten, die gekommen sind, um die Familie zu retten. Es ist, als wäre sie der letzte Mensch auf der Welt.

Nun übernimmt der Rauch, füllt ihre Lunge mit jedem Atemzug, den sie zu nehmen versucht. Könnte sie ihren Mund doch nur zustöpseln. Bald wird sie so voller brennender Luft sein, dass kein Platz mehr zum Atmen ist. Sie ist ein kluges Mädchen. Mit ihren elf Jahren weiß sie, was geschieht, wenn kein Raum mehr für Luft übrig ist. Sie zieht an dem Vorhang, hält ihn sich vor den Mund und die Nase, damit kein Rauch hereinkommt, und hämmert wieder gegen das Fenster.

Sie weiß nicht, wie spät es ist. Sie war in der Nacht wach geworden, weil sie mal auf die Toilette musste, und wunderte sich, dass es so warm im Zimmer war. Dann hatte sie die dünnen Rauchfahnen gesehen, die sich unten an der Tür kräuselten. Ihr erster Gedanke war, die Tür zu öffnen und nachzusehen, woher der Rauch kam. Doch die Vorstellung, lodernde orangefarbene Flammen zu sehen, hatte ihr solche Angst gemacht, dass sie rückwärtsgestolpert und gegen das Bett gefallen war. Jetzt ist es zu spät. Der Rauch hat die Tür eingenommen, und das Fenster ist ihre einzige Hoffnung.

Ihre vor Schweiß glitschigen Hände rutschen vom Fensterriegel, als sie versucht, ihn nach oben zu reißen. Sie probiert es erneut und stellt entsetzt fest, dass der Fenstergriff abgeschlossen ist. Ihre Mum hält alle Fenster verriegelt aus Furcht, dass ihre Kinder hinausklettern und in den Tod stürzen könnten. Nun wird genau das Ellie umbringen. Sowie sie an ihre Mum denkt, schluchzt sie laut, und dann schreit sie. Warum kommen sie nicht? Warum haben sie sie jetzt verlassen?

Ellie stellt einen Fuß auf das Bücherregal und zieht sich zu dem kleinen Fenster oben hinauf. Die oberen Fenster sind es, die Mum öffnet, wenn sie frische Luft in die Zimmer lassen will. Sie sind nicht groß genug, dass ein kleines Kind hindurchpasst, weshalb Mum die Riegel selten abschließt. Auch heute Abend hatte sie es nicht. Ellie bricht beinahe in Tränen aus, als das Fenster aufgeht, und reckt sich höher, um gierig nach Luft zu schnappen. Doch jetzt ist es, als sei ihre Lunge zu klein, als hätte die schlechte Luft übernommen und zu wenig Platz für die gute gelassen. Ihr Hals brennt, und ihr Schrei kommt wie ein Raspeln heraus, während ihre Finger an dem Plastikrahmen des Fensters abzurutschen drohen, sodass sie zurück in das rauchige Zimmer fällt.

In der Ferne hört Ellie Sirenen heulen. Sie kommen! Ihre Mum und ihr Dad müssen aus dem Haus entkommen sein, die Feuerwehr gerufen haben, und jetzt kommen sie Ellie retten. Sie fragt sich gar nicht erst, warum ihre Eltern auf dem Weg nach unten nicht einfach ihre Tür aufgemacht haben, um sie zu holen, oder warum sie nicht gehört hat, dass sie schrien oder nach ihr riefen. Alles wird gut, wenn sie erst wieder in den Armen ihrer Mum ist, wenn ihr im Krankenhaus alles erklärt wird, während sie nachsehen, ob es ihr gut geht, und die schlechte Luft durch gute ersetzen.

Die Sirenen sind nun direkt vorm Haus, und die Welt scheint wieder zum Leben zu erwachen. In den Häusern hinter ihrem gehen Lichter an, und Leute öffnen Vorhänge, um zu sehen, was los ist. Innerhalb von Sekunden verstummen die Sirenen, und es gibt ein Krachen an der Haustür, gedämpfte Stimmen auf der Treppe. Ellie möchte zu ihrer Tür rennen und sie aufwerfen, hat aber zu große Angst, ihre einzige Quelle für gute Luft zu verlassen.

Ihre Finger, mit denen sie sich an den Fensterrahmen klammert, zittern und wollen aufgeben, doch sie hält fest. Dieses kleine Loch ist ihre einzige Verbindung zur richtigen Welt, nicht dem Albtraum, der ihr Zuhause übernommen hat. Als der Mann in der schwarzen Jacke und der gelben Hose mit der Maske vorm Gesicht in ihr Zimmer stürmt, muss er ihre Finger einzeln von dem Rahmen lösen, ehe sie endlich an seine Brust fällt und die Augen fest zukneift, um die Hölle auszusperren, die sich hinter ihrer Tür auftut.

# Kapitel 46

Fröstelnd zieht Hannah ihre Ärmel weiter nach unten, weil ihre Hände eiskalt sind. Warum hat sie ihre verdammten Handschuhe nicht angezogen? Sie hatte es so eilig gehabt, aus dem Haus zu kommen, weg von ihrem Mann und seinen nervigen Fragen. Zum Glück hatte sie daran gedacht, sich trotz aller Eile eine Jacke überzuziehen. Und sowieso wäre sie bald drinnen, wo sie eine Ölheizung hatten – und andere Wege, sich warmzuhalten.

Abermals fröstelt sie, diesmal aus Vorfreude, nicht weil der Wind sie selbst durch die Jacke kneift, die sie trägt. Das zwischen ihnen – Hannah hasst das Wort »Affäre«, weil es so verurteilend ist – hat erst vor ein paar Monaten angefangen, und jedes Mal, wenn sie sich treffen, ist es so aufregend, dass ihr Dinge, wie sich mitten in der Nacht in ein verlassenes Gebäude zu schleichen, worauf sie mit ihrem eigenen Mann niemals gekommen wäre, nicht das Mindeste ausmachen. Vielmehr findet sie es hochgradig spannend. Ein Anflug von Schuldbewusstsein überkommt sie: Wäre sie bei Sam ein wenig offener für Abenteuer gewesen, würde dies hier vielleicht nicht geschehen. Aber diesen Gedanken verscheucht sie gleich wieder, denn sie will sich diese Sache nicht von ihrem Mann verderben lassen.

Hannah schiebt den schwarzen Müllsack beiseite, der vor das zerbrochene Fenster getackert ist, dessen Klebeband sich unten allerdings gelöst hat, sodass er gegen den einstmals weißen Plastikrahmen flappt, und späht nach drinnen in den dunklen Raum. Beim ersten Mal hatte sie ihren Fuß gegen das kaputte Regenrohr gestemmt und sich nach oben geschwungen, voller Panik, dass das Rohr nachgeben und sie mit einem gebrochenen Bein enden könnte – oder, schlimmer noch, im Rahmen des zerborstenen Fensters entdeckt würde, ein Bein angezogen, das andere ausgestreckt wie eine groteske Ballerina. Inzwischen ist sie geübt, und selbst mit dem von Regen und Schmutz rutschigen Fenstersims schafft sie es, sich ohne große Mühe nach oben und drinnen zu ziehen. Einmal war sie nur halb nach drinnen gelangt und hatte sich das Knie am Rahmen angeschlagen – noch jetzt verzieht sie das Gesicht bei der Erinnerung an den stechenden Schmerz, der sie noch über Tage als dumpfes Pochen geplagt hatte. Auf der anderen Seite des Fensters steht ein Pouf – noch eine ihrer Ideen, nachdem sie zum ersten Mal drinnen vom Fensterbrett springen musste –, und sie ist froh, als ihre Füße den weichen Hocker berühren. Noch ein Aufstemmen, dann schwingt sie ihr anderes Bein hinüber und steigt nach unten.

Wenn es eines gibt, woran Hannah sich bei diesen nächtlichen Treffen nie gewöhnen kann, ist es die vollkommene Dunkelheit, die sie in der verlassenen Wohnung antrifft. Wenn Evan vor ihr da ist, hat er normalerweise diese batteriebetriebenen Teelichte an, die ihnen den Weg leuchten; aber für die Nächte, in denen sie als Erste kommt, hat sie sich angewöhnt, die hellste Taschenlampe mitzubringen, die sie besitzt. Heute ist eine der Nächte, und sie schaltet die Taschenlampe ein, um sie auf der Suche nach den Teelichten umherzuschwenken. Evan war so besorgt gewesen, was flammensichere Beleuchtung anging, wofür sie ihn zärtlich verspottet hatte, doch als er sie eines nach dem anderen einschaltete, musste sie zugeben, dass sie ziemlich romantisch waren, sogar wie richtige Kerzen flackerten. Jetzt hingegen stellt sie verärgert fest, dass nur noch drei von ihnen gehen.

»Oh Mist«, raunt sie vor sich hin, und alle Sentimentalität ist dahin. Na, er hätte sowieso seine Taschenlampe dabei, und solange die Teelichte oben funktionieren, ist ihr egal, ob die hier unten brennen.

Als Evan ihr zum ersten Mal den verlassenen Wohnblock gezeigt hatte, war Hannah beeindruckt und ein wenig überrascht von seinem Wagemut gewesen. So etwas Außergewöhnliches hatte sie von dem schüchternen, linkischen Mathelehrer nicht erwartet. Seine Augen hatten geleuchtet, als er ihr erzählte, wie dieses Haus für baufällig erklärt und quasi über Nacht jeder einzelne Mieter evakuiert wurde, ohne dass man ihnen eine alternative Unterkunft sowie Transport- oder Lagermöglichkeiten für ihre Sachen anbot. Und hier war es nun, wie die *Mary Celeste*, ein makabrer Schnappschuss von Leben in diesem kleinen slumgleichen Gebäude.

Hannah geht zur Tür der Wohnung, in die sie eingestiegen ist, und flucht, als sie mit dem Fuß gegen einen Becher stößt, der neben dem Sofa auf dem Fußboden steht. Es ist nicht alles ganz genauso wie auf der *Mary Celeste*, wo noch Mahlzeiten auf den Tischen standen, doch es ist eindeutig, dass wenige der Bewohner eine Putzrunde einlegten, bevor sie das sinkende Schiff verließen. Der Becher rollt über das Laminat, und sein Scheppern klingt laut in der Stille.

Ein mattes Poltern aus dem Korridor lässt Hannah zusammenzucken.

»Evan?« Sie steht in der Wohnungstür, zögert, allein in das kalte, leere Treppenhaus zu gehen, und blickt hinauf. »Hallo?«

Ein weiteres dumpfes Pochen hallt durch den Treppenaufgang: das Geräusch einer Tür, die leise geschlossen wird. Also ist er dort oben. Hannah runzelt die Stirn. Evan kam ihr nie wie der Typ vor, der gern Spielchen treibt, andererseits hatte sie ihm früher auch nicht zugetraut, dass er verlassene Gebäude erkundet. »Idiot«, murmelt sie, schmunzelt kurz und geht auf die Haupttreppe zu.

Die meisten anderen Wohnungstüren sind noch verschlossen, nur hier und da wurde schon eine von den hiesigen Jugendlichen eingetreten, die drinnen Party gemacht und, den Hinterlassenschaften auf dem Boden nach zu urteilen, Drogen genommen hatten. Deshalb benutzen Evan und sie eine der Wohnungen im obersten Stock; dorthin ist es den anderen Leuten, die den leeren Block nutzen, zu weit. Einmal, als sie in der Wohnung waren, hatten sie eine Gruppe Jugendlicher durch dasselbe Fenster hereinklettern gehört, durch das sie eine Stunde zuvor eingestiegen waren. Beide waren sie erstarrt vor Angst, denn würden sie entdeckt, stünde mehr auf dem Spiel als ihre Würde. Miss Gilbert und Mr. Hawker, die sich in einem verlassenen Wohnblock versteckten? Hannah erschauderte bei dem Gedanken, welche Geschichte hier rumginge. Sie beide würden ihre Jobs verlieren, und wahrscheinlich wäre es auch das Aus für ihre Ehen. Sie mussten zwei Stunden warten, während die Kinder – viele der Stimmen hatte Hannah erkannt – immer lauter und forscher wurden. Irgendwann durchstöberten sie sogar die Wohnung direkt unter ihrer. Hannah dachte, dass Evan überlegte, sich eher aus dem Fenster zu stürzen, als ertappt zu werden.

In das Treppenhaus zu gehen ist, als würde man durch eine Eiswand schreiten. Wie konnte es drinnen kälter als draußen sein? Die Dunkelheit ist hier weniger dicht, und das Mondlicht wirft fahle Streifen an die Wand. Während Hannah die Treppe hinaufgeht, wird es mit jedem Stockwerk finsterer um sie.

Hannah stockt der Atem, als sie Schritte auf der Treppe direkt über sich hört.

»Hör auf mit dem Quatsch, Evan«, ruft Hannah in die Stille hinauf. »Ich bin kurz davor, umzudrehen und wieder nach

Hause zu gehen.« Sie hofft, dass es ernst gemeint klingt, auch wenn es das nicht ist. Sie hört eine Art Kichern oder Schnauben, vielleicht auch ein Hüsteln über sich, und erstmals, seit sie durch das kaputte Fenster gestiegen ist, kommen ihr Zweifel. Was, wenn das oben nicht Evan ist? Was, wenn dieses Verhalten so untypisch für ihn ist, weil es gar nicht von ihm kommt? Die Teelichte waren schließlich nicht angeschaltet gewesen, und jetzt denkt sie an noch etwas anderes, das fehlt. Evans Geruch. In diesen muffigen, abgestandenen Fluren überlagert sein Duft gewöhnlich jeden Winkel. Heute Abend jedoch kann sie ihn gar nicht riechen.

»Evan?« Ihre Stimme ist jetzt eher ein lautes Flüstern als ein Rufen. Da sie nichts als Stille erntet, tastet sie nach dem Geländer, um zurück nach unten zu gehen, und als sie sich umdreht, hallt eine klare Stimme von den Wänden über ihr.

»Hannah.«

Hannah erstarrt. Dieses Schwein! Sie grinst und geht weiter nach oben, wo Evan auf sie wartet. Sie verzieht das Gesicht angesichts ihrer Angst Sekunden zuvor. Was hatte sie denn gedacht? Niemand sonst weiß, dass sie heute Abend hier ist – und hätten sich Hausbesetzer in den Block eingenistet, dann sehr viel wahrscheinlicher in einer der unteren Etagen. Welcher Hausbesetzer steigt schon gerne Treppen?

Im obersten Stockwerk herrscht Grabesstille. Die Wohnung Nummer 17 scheint auf sie zu warten: Die Tür steht einen Spalt weit offen, so wie sie es schon tut, seit Evan sie zum ersten Mal hier herumführte. Er musste sie aufbrechen, hatte er ihr erzählt, obwohl die Vorstellung, dass ihr Liebhaber mit der Schulter gegen eine Tür rammte, genauso witzig war wie die von einem Trupp Hausbesetzer in Trainingshosen, die zum Aufwärmen Treppen liefen.

»Okay, du kannst jetzt rauskommen.« Hannah macht sich

darauf gefasst, dass Evan hinter der zersplitterten Tür vorgesprungen kommt. Es wäre peinlich, sollte er sehen, wie sie wegen irgendwelcher Schatten zusammenzuckt. Für eine Sekunde steht sie vor der Wohnungstür, holt tief Luft und stößt sie auf.

»Ha!«, ruft sie in den leeren Flur. »Ach, mein Gott nochmal, Evan«, murmelt sie, denn inzwischen ist sie das Spiel gründlich leid. Ihr bleiben nur wenige Stunden, bevor Sam sich fragt, wo sie ist, und das weiß Evan. Warum kostbare Zeit mit Versteckspielen vergeuden? Sicher wird ihre Schülerin Emma sie decken, sollte Sam jemals fragen, aber darauf möchte sie es lieber nicht ankommen lassen.

Hannah erschrickt, als sie Stimmen aus dem Wohnzimmer hinten hört. Nein, keine Stimmen. Musik. Das Transistorradio, das Evan mitgebracht hatte, als bei ihrem zweiten Besuch hier der Strom abgeschaltet war. Bis dahin war es wie ein Treffen in einem Hotel gewesen, wenn auch von der schmuddeligen Sorte, aber wenigstens hatten sie Licht gehabt. Einen Fernseher natürlich nicht, doch sie waren ja nicht dort, um Netflix zu gucken, und die Leute zwei Türen weiter hatten einen CD-Player dagelassen. Nun kommt blecherne Musik aus dem kleinen Radio, nur leise, aber besser als Stille. Sie geht zum Wohnzimmer, als sie es allerdings betritt, ist dort niemand. Nur das Radio, aus dem eine langsame Ballade tönt. Hannah geht hin und schaltet es aus. Dann macht sie kehrt, um die Wohnung zu verlassen. Dabei widersteht sie dem Drang, sich noch mal umzusehen. Sie geht nach Hause – soll Evan sich heute Abend ohne sie vergnügen. Hannah will schon die Wohnungstür hinter sich zuziehen, da hört sie, wie die Musik hinter ihr wieder angeht.

## Kapitel 47

*Imogen*

Ich wische meinen Mundwinkel ab und streiche mir das Haar aus dem Gesicht. Dann halte ich die Hände unter den kalten Strahl und schöpfe mir Wasser ins Gesicht, bevor ich es mit dem warmen Handtuch von der Wandheizung abtrockne. Anschließend lehne ich mich eine Minute an die Badezimmerwand, ehe ich zurück zu Dan ins Wohnzimmer gehe. Das Feuer lodert – Dan bekommt wahrlich den Dreh mit dem Landleben raus –, und die Hitze raubt mir fast den Atem.

»Alles okay?«, fragt Dan, als ich mich wieder zu ihm aufs Sofa setze und versuche, normal auszusehen.

»Ja, es ist nur ziemlich heiß hier drinnen. In der alten Wohnung war ich es gewohnt, einige Schichten mehr zu tragen.«

»Ich weiß.« Dan grinst stolz. »Unsere Heizkosten in diesem Jahr werden wahnsinnig niedrig sein. Ich könnte mich an dieses Leben gewöhnen, du nicht?«

»Muss ich wohl«, antworte ich gedankenverloren. »Mein Job ist jetzt hier. Wir müssen jemand holen, der den Hauswert schätzt.«

Vielleicht ist es das, was mit mir nicht stimmt, denke ich, während ich beobachte, wie Dan die Fernbedienung nimmt und anfängt, sich durch die Sender zu schalten. Vielleicht stresst es mich bloß, wenn ich daran denke, das Haus zu verkaufen und endgültig wegzuziehen. Ich sehe ja, wie gut Dan sich an das Landleben anpasst, und muss mich damit abfinden, dass es kein Probelauf mehr ist. Er liebt es hier und will bleiben.

Womöglich ist es auch die Belastung einer Schwangerschaft, von der ich meinem Mann nichts sagen kann. Vielleicht höre ich deshalb Stimmen und falle in Kanäle.

Ein Klingeln tief im Haus lässt uns beide zusammenzucken. Dan runzelt die Stirn.

»Ist das unseres? Ein bisschen spät für einen spontanen Anruf, oder? Hast du die Nummer hier im Büro hinterlassen?«

»Ich erinnere mich nicht mal an sie«, antworte ich und stehe vom Sofa auf. »Und ich weiß nicht mal, wo das bescheuerte Telefon ist. Woher kommt das?«

»Es klingt nach der Diele.«

Ich öffne die Tür zur Diele, und mit einem flauen Gefühl fällt mir wieder ein, wo die Telefonbuchse ist: in der Kammer unter der Treppe.

Unter der Treppe bei mir zu Hause gibt es eine kleine Kammer. In der gibt es Licht, aber die Birne ist so schwach und staubverkrustet, dass sie nur einen matten Schein bringt. Dort sind zwei abgewetzte Kissen, die ich in einem Container vor dem übernächsten Haus gefunden habe, vier Bücher und eine dicke Häkeldecke, die meine Mutter mir geschenkt hat. Aber das Allerbeste in meinem Versteck ist das Foto.

Sie sitzen auf einer alten Holzbank, deren einst leuchtend blaue Farbe vom Wetter ausgewaschen ist und abblättert. Sein Arm ist so lässig um ihre Schulter gelegt, dass ich kaum glauben kann, dass dies dieselbe Frau ist, die bei der Berührung ihrer Tochter zusammenzuckt. Sie haben beide Shorts an, sie ein lachsrosa Trägertop dazu, er ein weißes Polohemd, und beide halten große Eiswaffeln in der Hand, aus denen Schokoladenstangen ragen wie winzige Fahnenmaste. Jedes Mal, wenn ich das Bild ansehe, kann ich fast die Sonne auf meinem Rücken fühlen, die Seeluft riechen, das Eis schmecken. Der Wind hat meiner Mutter das Haar hinten leicht aufgeweht, doch entweder merkt sie es nicht oder es kümmert sie nicht, denn sie lächelt – nein, sie strahlt richtig –, und das macht das Foto zu meinem wertvollsten Besitz. Obwohl ich so jung bin, macht es mich traurig, dass mein Liebstes auf der Welt nicht mal mir gehört. Ich hatte das Bild in einem Stapel in einem Karton gefunden, der im Schrank meiner Mutter stand, und konnte nicht verhindern, dass meine Finger es hinter meinen Hosenbund schoben.

»Hallo?«

Die Leitung ist so still, dass ich die verdammten automatischen Callcenter und ihre verfluchten Multiwahl-Computer in Verdacht habe. Meine Hand zittert noch von der Erinnerung an die Tage, an denen ich mich unter der Treppe hier versteckte, und mich nun wieder in die Kammer zu bücken lässt meine Knie weich werden. Ich will schon auflegen, als ich eine sanfte Stimme wimmern höre.

»Imogen?«

Mein Herz pocht. »Ja? Hallo? Wer ist da?«

Doch aus unerfindlichem Grund weiß ich sofort, dass es Ellie Atkinson ist. »Ellie?«

»Da ist eine Frau. Sie läuft. Sie hat Angst, solche Angst.«

Ellies Stimme ist heiser, kommt in kurzen Stößen, ein Trommelfeuer von Worten.

»Wer rennt, Ellie? Ist es jemand, den du sehen kannst? Wo bist du?«

Ich frage nicht, woher sie diese Nummer hat oder warum sie mich anruft und nicht die Polizei. Das sind Fragen für später. Die Dringlichkeit in Ellies Stimme macht mir Angst.

»Da ist ein Mann mit einer Maske, und er jagt sie. Ich kann die Treppen sehen, aber sie denkt, dass sie es nicht schafft. Sie wird sterben. Sie wird sterben!«

»Wer, Ellie? Welche Frau denkt, dass sie sterben wird? Wo bist du?« Ich kann das Telefon nicht auflegen, und weil es ein Festanschluss ist, kann ich auch nicht loslaufen und Ellie suchen. Ich muss das Mädchen beruhigen und es in Sicherheit wissen, bevor ich den Hörer lange genug hinlegen kann, um zu ihr zu gelangen.

»Ich bin draußen. Sie ist nicht hier. Sie ist irgendwo anders. Da ist es dunkel. Man kann die Hand vor Augen nicht sehen. Ich habe Angst.«

*Irgendwo anders.* »Wie kannst du sie sehen, Ellie? Wo bist du?«

»Weiß ich nicht. Es ist ein Haus. Ich kann es in meinem Kopf sehen.«

Nun ist Ellies Stimme ruhiger, monoton, als wäre sie in einer Art Trance. Ich fühle, wie mein Herzschlag langsamer wird. Träumt sie? Ist sie aus einem Albtraum aufgewacht?

»Ist jemand bei dir, Ellie? Ist jemand in der Nähe, der dir helfen kann?«

»Ich muss nach Hause«, sagt Ellie, und ich höre ihre Verwirrung. »Ich muss zurück, weg von hier.«

»Okay, gut«, ermutige ich sie. »Wo bist du jetzt? Bist du in der Nähe von deinem Haus?«

»Hier ist ein Baum. Ich bin im Garten, glaube ich. Hinter Sarahs Haus. Es ist okay. Sie werden kommen und mich holen. Sie sind drinnen.«

»Kannst du die Frau noch sehen? Den Mann mit der Maske?«

»Nein.« Ellie stockt, als würde sie sich umschauen. »Ich glaube, sie sind weg. Ich muss diesmal davongekommen sein.«

»Diesmal? Hast du sie schon mal gesehen?«

»Ich glaube, ja. Ja, glaube ich.«

Ich höre eine Stimme im Hintergrund. Jemand ruft Ellies Namen. Eine junge Mädchenstimme. Mary? Ich bin maßlos erleichtert. Wenn Mary da ist, wird sie Ellie in Sicherheit bringen.

»Ich muss gehen«, flüstert Ellie. »Sagen Sie keinem, dass ich die Frau gesehen habe. Die werden mich sonst für wahnsinnig halten. Sie denken, dass ich verrückt bin.«

»Du bist nicht verrückt, Ellie. Du musst Sarah erzählen, was du gesehen hast. Ich helfe dir. Sie können dir Hilfe besorgen.«

Es entsteht eine Pause, und für einen Moment denke ich, dass Ellie das Telefon fallengelassen oder aufgelegt hat. Dann spricht sie wieder: »Ich brauche keine Hilfe. Ich habe ja Sie.« Und dann ist die Leitung tot.

# Kapitel 48

Hannah hört das leise Klopfen von Schritten hinter sich, zu leicht, um von einem erwachsenen Mann zu sein. Sie blickt sich um und sieht flüchtig jemanden den Flur hinunterlaufen. Verfluchte Kinder! Sie rennt zur Tür und hofft, denjenigen zu erwischen, der die Treppe runterläuft, doch als sie auf den Flur kommt, ist dort niemand. Verdammt, sie bleibt nicht hier, um sich zum Narren halten zu lassen. Evan darf sich heute Abend selbst befriedigen. Das ist ihm vielleicht eine Lehre, künftig keine blöden Versteckspiele mehr zu veranstalten. Als sie oben an der Treppe ist, hört sie ein leises Fauchen von einer der Wohnungstüren hinter ihr. Sie will sich umdrehen, doch ehe sie es kann, trifft sie eine Schulter am Rücken, und sie stürzt die erste Treppe hinab. Ihr Kopf knallt gegen die unterste Stufe und jagt einen dröhnenden Schmerz durch ihren Schädel. Sie liegt auf dem kalten Treppenabsatz, hört ihren dumpfen Puls im Kopf, kann sich jedoch nicht auf die Beine zwingen. Zu allem Unglück hat sie auch noch ihre Taschenlampe verloren. Beweg dich, befiehlt sie sich. Mach schon, verflucht. Wer immer da oben ist, will sie nicht nur erschrecken, sondern ihr etwas tun.

Sie nutzt die Stufen, um sich unsicher aufzurappeln, und greift mit schweißnassen Händen nach dem Geländer. Es ist gut. Da ist niemand hinter ihr. Hannah stolpert die nächste Treppe hinunter zum zweiten Absatz, wo noch mehr leere Wohnungen sind. Plötzlich kommt ihr ein Gedanke, bei dem sich ihr Magen umdreht: Was ist, wenn sie zu mehreren sind? Was ist, wenn auf dieser Etage auch jemand auf sie wartet?

Sie schwankt, stützt sich an der Wand ab und macht einige Schritte nach vorn. Hier ist es stockdunkel, und alle Wohnungstüren auf diesem Stockwerk sind geschlossen, sodass kein Funken Mondlicht auf den Gang dringt und ihr den Weg leuchtet. Dieses Mal hört Hannah ihren Verfolger nicht mal, fühlt lediglich die Hände an ihren Schultern, die sie nach vorn stoßen. Ihr Fuß verfängt sich an der Stufenkante, ihr ganzer Körper kippt vorwärts, und sie kann nichts dagegen tun, dass sie das Gewicht ihres Oberkörpers nach unten zieht. Ihre Arme schnellen zur Seite, greifen nach dem Geländer, von dem Hannah weiß, dass es dort ist, doch als sie die glatte Oberfläche fühlt, fällt sie bereits zu schnell, um den Handlauf zu packen. Im Fall schlägt sie auf jeder Stufe auf, mit der Schulter, dem Schienbein, dem Gesicht. Sie spürt, dass ihre Nase explodiert, als sie auf eine Stufenkante knallt, und ihr Arm bricht, weil er in einem unnatürlichen Winkel unter ihr landet.

Für eine Sekunde denkt sie, dass sie aufgehört hat zu fallen, dass ihre Füße wieder Halt gefunden haben und sie steht. Sie hat Schmerzen und braucht Hilfe, aber sie lebt! Es tritt ein Moment ein, in dem sie zuversichtlich ist; ein einzelner Moment, in dem sie sicher ist, dass alles wieder gut wird, bevor ein Schmerz in ihrem Rücken ausbricht, wie sie ihn nie für denkbar gehalten hätte. Sie blickt nicht nach unten, sieht das Kupferrohr nicht, das aus ihrer Brust ragt und von dessen Ende dickes rostfarbenes Blut tropft und eine Lache um ihre Füße bildet, die einen knappen halben Meter über dem Boden sind. Blut sammelt sich in ihrem Mund, rinnt über ihr Kinn. Ihre Augen werden glasig, ihre Gliedmaßen erschlaffen. Es dauert keine drei Minuten, bis Hannah Gilberts Körper in Schockstarre fällt, weitere drei Minuten, bis ihr Herz aufhört, ihr Blut nach draußen auf den Boden zu pumpen, und insgesamt sechs Minuten und zwanzig Sekunden, bis siebenunddreißig Jahre Leben vollständig ausgelöscht sind.

# Kapitel 49

*Imogen*

Ich habe meinen Mantel bereits an, als ich ins Wohnzimmer zurückkehre. Dan blickt auf und runzelt die Stirn, als er sieht, was ich anhabe.

»Wo willst du hin?«, fragt er und steht auf. »Wer war das am Telefon?«

Ich erzähle so schnell wie möglich von dem Anruf, wobei ich mir meine Stiefel anziehe.

»Also willst du hinfahren?«

»Natürlich will ich hinfahren«, antworte ich. Stellt er sich absichtlich dumm? Hat er nicht gehört, was ich eben sagte. »Das ist doch gar keine Frage.«

»Damit ich das richtig verstehe, irgendeine elfjährige Carrie White ruft dich spätabends an und sagt, sie sieht in ihrer Vorstellung einen Mann, der eine Frau jagt, und du hältst es für nötig, sofort zu ihr nach Hause zu eilen?« Dan packt meinen Arm. »Sprich mir nach: Das ist nicht mein Problem.«

Genervt reiße ich mich los. »Sie klang verängstigt, Dan, und sie war draußen. Was ist, wenn ich nichts tue und ihr etwas passiert? Was ist, wenn sie nicht wieder ins Haus geht, sondern irgendwohin wandert, verschwindet? Wie wird das bei der Arbeit aussehen? Wie soll ich dann noch in den Spiegel schauen?«

»Na gut«, antwortet Dan und geht zur Wohnzimmertür. »Aber ich komme mit dir. Und woher hatte sie überhaupt diese Nummer? Hast du ihr die gegeben?«

»Ich habe keine Ahnung«, gestehe ich. »Von mir hat sie die nicht. Ich würde sagen, sie könnte sie online oder in einem Telefonbuch gefunden haben, aber ich habe ihr nie erzählt, wo wir wohnen.« Noch während ich es sage, fallen mir Hannah Gilberts Worte wieder ein, und ich fröstle. *Dieses Mädchen weiß Dinge. Sie weiß Sachen, die sie nicht wissen dürfte.*

»Dann komm.« Ich hole meine Schlüssel hervor, ehe er widersprechen oder mich zu überreden versuchen kann, nicht nach Ellie zu suchen. »Wenn du unbedingt mitwillst, kannst du fahren.«

# Kapitel 50

*Ellie*

Als Ellie die Augen öffnet, ist ihr ganzer Leib starr vor Angst. Sie kann ihre Arme und Beine nicht fühlen. Könnte sie deren Umrisse in der Dunkelheit nicht sehen, würde sie denken, dass sie nicht mehr da sind. Sie kneift die Augen zu vor den Bildern, die plötzlich ihren Kopf fluten, kann sie jedoch nicht ganz aussperren. Und sie kann ihre Ohren nicht vor den Schreien verschließen, die in ihren Gedanken hallen. Ihre Schreie? Oder die von jemand anderem?

Wo ist sie? Ihr Rücken lehnt an etwas Rauem, und sie bibbert vor Kälte. Sie krümmt die Finger, die nasses Gras und matschige Erde fühlen. Sie ist draußen, und als sie ihre Augen zum zweiten Mal öffnet, sind die Bilder fort, ersetzt von einer Reihe Lichter aus den Fenstern der Häuser hinter ihr. Ihre Sicht passt sich an die Dunkelheit an, und sie erkennt, dass sie im Garten ihrer Pflegeeltern ist. Nur hat sie keinen Schimmer, wie sie hergekommen ist. Sie hat ihre Trainingshose und ein Trägerhemd an, darüber eine schlecht sitzende Kapuzenjacke – was sie trug, als sie früher am Abend auf ihrem Bett eingeschlafen war. Ihr Handy ist in ihrer Tasche. Das Tageslicht war eben erst abgeklungen, als sie zuletzt aus ihrem Fenster gesehen hatte. Das muss Stunden her sein, aber an die Zeit dazwischen kann sie sich nicht erinnern. Hatte sie mit jemandem gesprochen? Sie kann sich beinahe erinnern, ihre eigene Stimme gehört zu haben.

Sie muss aufstehen, zurück nach drinnen gehen, wo es warm

und sicher ist. Doch ihre gefrorenen Beine haben keine Kraft, sie aufzurichten, und wenn sie ehrlich sein soll, hat sie auch keine Lust, sich selbst zu retten. Sie überlegt, hierzubleiben und sich ins Nichts gleiten zu lassen. Vielleicht findet sie keiner, bevor es zu spät ist, bevor ihr Körper in dem Matsch versunken ist und ihr Geist ihn bereits verlassen hat. Als sie gerade denkt, dass sie genau das möchte, einfach nicht mehr existieren, den leichten Ausweg nehmen und hier liegen, bis es vorbei ist, hört sie, wie die Hintertür leise geschlossen wird.

»Ellie?« Marys Stimme durchschneidet die Dunkelheit, aber Ellie antwortet nicht. Sie hat sich nicht richtig versteckt, also wird es nicht lange dauern, bis Mary sie findet. Doch vielleicht reicht die Zeit, dass ihr Herz zu schlagen aufhört. Vielleicht gibt Mary auf, wenn sie nicht antwortet.

»Ellie, was machst du hier draußen?« Nun kommt Marys Stimme näher, als sie auf Ellie zuläuft, eindeutig in Panik. Sie kniet sich neben ihre Pflegeschwester und legt eine warme Hand auf ihren Arm. Ellie dreht den Kopf, um sie anzusehen. »Was ist los? Was hast du?«

»Weiß ich nicht«, flüstert Ellie. Ihr Hals brennt von der Anstrengung des Sprechens. »Ich weiß es nicht, Mary.« Ein Schluchzen entfährt ihr. »Ich weiß nicht, warum ich hier draußen bin. Ich erinnere mich nicht. Ich habe Angst.«

Mary legt die Arme um sie und zieht sie an sich. »Kannst du mit mir kommen? Du musst nach drinnen kommen, sonst holst du dir eine Lungenentzündung.«

»Ich will einfach nur hierbleiben, Mary. Meine Mum und mein Dad werden mich holen. Sie haben mir gesagt, dass ich hier auf sie warten soll, und wenn ich weggehe, finden sie mich vielleicht nicht.«

Sogar im Dunkeln kann Ellie sehen, dass Mary verwirrt ist. Sie versteht es nicht, und das wirft Ellie ihr nicht vor. Wie soll sie das auch, wenn ihre Eltern doch hier sind, wenn sie ein ganzes Leben dort hat, wo es hingehört?

»Hör mal, du musst reinkommen. Deine Mum und dein Dad«, Mary zögert, »werden trotzdem wissen, wo du bist. Sie können dich jetzt immer sehen, weißt du nicht mehr? Und wenn du hierbleibst, muss ich meine Mum holen, und die bringt dich sicher ins Krankenhaus. Das willst du doch nicht, oder, Ellie? Ins Krankenhaus kommen?«

Ellie schüttelt den Kopf. Nach dem Feuer hatte sie genug Zeit im Krankenhaus verbracht und will nie wieder in eines, solange sie lebt.

»Du musst es deiner Mum nicht erzählen«, flüstert sie. »Du könntest einfach zu Bett gehen und vergessen, dass du mich gesehen hast. Lass mich hier, Mary. Ich habe keine Angst. Du musst kein schlechtes Gewissen haben – ich will das.«

Mary steht auf, und für einen Moment ist Ellie froh. Sie versteht es! Sie schließt die Augen und lehnt sich zurück an den Baum, als sie hört: »Ich hole Mum.«

»Nein!« Ellie reißt die Augen auf, und Mary dreht sich wieder zu ihr um.

»Dann steh auf und komm mit mir. Ich bringe dich in dein Zimmer, dann ziehen wir dir was Warmes an, und du schläfst bei mir im Bett. Und wenn ich ein Widerwort höre, rufe ich Mum und sie bringt dich direkt ins Krankenhaus.«

Ellie seufzt und nickt zaghaft. Sie ist müde, verängstigt und niedergeschlagen, doch ihr wird ein kleines bisschen wärmer ums Herz, weil sich jemand um sie sorgt. Sie streckt ihre kleine Hand aus, die von einer nicht viel größeren, aber stärkeren umfasst wird. Als Mary sie hochzieht, kann Ellie stehen, und gemeinsam gehen sie zurück zum Haus.

# Kapitel 51

*Imogen*

Es herrscht angespanntes Schweigen, als wir die gewundenen Landstraßen entlangfahren, wo die Scheinwerfer nur wenige Meter vor uns erhellen. Ich merke, dass Dan genervt ist, weil er so spät am Abend aus unserem Haus gezerrt wird, und alles wegen eines, wie er murmelte, »wahrscheinlich albernen Kinderstreichs«. Aber er wird mir nicht lange böse sein. Ehe wir wieder zu Hause sind, wird er sich gefangen haben, und er hätte nicht im Traum daran gedacht, mich allein fahren zu lassen. Es ist einer der Züge, die mich an meinem Mann ärgern. Ich finde einen handfesten Streit hin und wieder ganz gut, und er meidet Konflikte wie ein Verhandlungsführer bei Geiselnahmen. Nicht nur bei mir; Dan ist insgesamt einer der entspanntesten Menschen, die ich kenne. Als wir frisch zusammen waren – und im Grunde bis heute –, erstaunte mich, was für einen beruhigenden Einfluss er auf mich hatte. Es ist so gut wie unmöglich, sich mit jemandem zu streiten, der sich weigert dagegenzuhalten. Doch anstatt auszuloten, wie weit ich ihn bringen konnte, wie ich es in früheren Beziehungen tat, erwischte ich mich dabei, wie ich mich seiner Art beugte. Mein Feuer wurde unterdes weniger gelöscht als umgeleitet. Ich nahm die Leidenschaft, die ich stets für einen guten Streit genutzt hatte, all das Schreien, die Beschimpfungen und die scharfen Worte, die sich nie wieder zurücknehmen ließen, waren sie einmal draußen, und steckte sie in meine Arbeit. Und in Wahrheit mochte er kein Verständnis dafür haben, warum ich

Ellie Atkinson dringend retten wollte, würde es aber auch nicht verurteilen oder mich zu bremsen versuchen. Er würde nicht mal sagen: »Ich habe es dir doch gleich gesagt«, sollte mir diese Geschichte um die Ohren fliegen. Genau wie er es das letzte Mal nicht tat.

Dies ist kein bisschen wie das letzte Mal, sage ich mir. Ganz und gar nicht. Ellie hat mich angerufen. Sie hat mich um Hilfe gebeten. Es wäre grob fahrlässig, diesem Anruf nicht nachzugehen. Doch während ich mir diese Worte vorbete, frage ich mich, ob ich mich selbst überzeugen oder schon mal üben will, wie ich Edward alles erkläre, sollte diese Fahrt jemals bei der Arbeit ans Licht kommen.

»Hier nach links.« Ich zeige nach vorn, und innerhalb von fünf Minuten ist die Straße von Laternen gesäumt, die das Straßenschild der Acacia Avenue erleuchten. »Und noch mal links.«

»Hier ist es gar nicht schlecht.« Dan klingt überrascht, als hätte er erwartet, dass Ellie und ihre Pflegefamilie in einem klassischen sozialen Brennpunkt leben.

»Ellie ist ein nettes Mädchen.« Es kommt ein wenig strenger heraus als beabsichtigt, denn ich koche immer noch wegen Dans Bemerkung über die »elfjährige Carrie White«. Ich hatte ihm nicht mal von Hannah Gilberts Besuch und ihren irrwitzigen Behauptungen über Ellie erzählt. Und ich frage mich, ob er immer noch mit mir zu den Jeffersons fahren würde, wenn ich es getan hätte. »Es ist das letzte Haus, das da.«

Als wir am Ende der Einfahrt halten, schaue ich hinauf zu dem kleinen Zimmer vorn – Ellies Zimmer. Die Jeffersons haben über ihrer Garage ausgebaut, daher weiß ich, dass ihr Haus vier Schlafzimmer hat anstelle von dreien wie alle anderen Häuser hier. Ellies Vorhänge sind zugezogen, und es brennt kein Licht bei ihr. Durch Marys Vorhänge hingegen sieht man den Schein einer kleinen Lampe. Mein Mund fühlt sich an, als hätte ich mit Reis gegurgelt, und ich schlucke, um ein wenig Speichel zu produzieren. Nun, da ich hier bin, habe ich nicht den geringsten Schimmer, was ich sagen soll. Sarah ist wahrscheinlich immer noch sauer wegen des letzten Treffens im Café. Bekommt Ellie Probleme, wenn ich klingle und erzähle, dass sie mich angerufen hat? Würde Sarah meinen Chef anrufen und sich beschweren, dass ich unprofessionell sei?

»Alles okay?«, fragt Dan, und obwohl er genervt von mir ist, legt er eine Hand auf meine Schulter und drückt sie sanft. »Es liegt bei dir. Ich kann wenden, und wir ...«

»Nein.« Ich löse meinen Gurt. »Falls Ellie irgendwas passiert ist, erfahren wir es vielleicht nicht vor morgen früh. Wie könnte ich ... ?« Ich beende den Satz nicht, lasse ihn für einen Moment in der Luft hängen, ehe ich die Autotür öffne. Was immer dies hier auch für meine unglaublich kurze Karriere im Staatsdienst bedeuten mag, Ellie hat mich angerufen, sich hilfesuchend an mich gewandt. Wie könnte ich sie da im Stich lassen?

Draußen ist es nasskalt, und ich hoffe, dass Ellie sicher zu Hause in ihrem Bett liegt und von den Jungs aus ihrer Klasse oder Boygroups träumt, mit deren Postern Mädchen so oft ihre Wände tapezieren.

Die Diele hinter der Haustür ist dunkel, und es scheint auch kein Licht an den Wohnzimmervorhängen vorbei nach draußen. Abgesehen von dem kleinen Lampenschein in Marys Zimmer deutet nichts darauf hin, dass jemand daheim ist. Ich hole mein Handy hervor und schalte das Display ein. 22:25. Sind alle im Bett? Die Mädchen sollten es auf jeden Fall sein, aber vielleicht schlafen auch Sarah und Mark schon. Egal. Ich bin den ganzen Weg hergekommen und kann nicht umkehren, ohne mich vergewissert zu haben, dass es Ellie gut geht.

Nachdem ich einmal tief eingeatmet habe, klopfe ich an die Tür und warte. Minutenlang tut sich nichts. Was mache ich jetzt? Nochmal klopfen? Als es im Haus dunkel bleibt, klopfe ich erneut, diesmal fester, hartnäckiger. Nach einer kurzen Pause geht oben an der Treppe Licht an, und ich höre Schritte, die lauter werden, als der Hausbesitzer – dem Geräusch nach muss es Mark sein – näher kommt.

Unten wird eine Lampe eingeschaltet, und eine Gestalt erscheint hinter dem Milchglas.

»Imogen«, begrüßt Sarah mich mit einer zweifellos gekünstelten Jovialität. Wie kann jemand erfreut sein, nach zehn Uhr abends eine Mitarbeiterin des psychologischen Dienstes vor der Tür zu sehen? Vor allem nach dem Streit, den wir bei unserer letzten Begegnung hatten. Ich bete nur, dass Sarah tatsächlich das Beste für Ellie will. »Stimmt etwas nicht?«

Ich setze ein Lächeln und meinen überzeugendsten verlegenen »Entschuldigen Sie vielmals«-Blick auf.

»Nun, ich hoffe doch, aber Ellie hat mich angerufen, ungefähr vor einer halben Stunde. Ich glaube, sie rief von ihrem Handy an, und es klang, als könnte sie einen Albtraum gehabt haben, doch dann brach die Verbindung ab. Ich hätte angerufen, nur sind meine Akten im Büro, also hatte ich Ihre Nummer nicht zur Hand. Ehrlich gesagt wusste ich nicht recht, was ich tun sollte, wegen neulich im Café ... aber ich könnte nicht schlafen, bevor ich nach nachgesehen habe, ob es ihr gut geht.«

Nun ist es an Sarah, verlegen dreinzublicken. »Oh Gott, das tut mir so leid. Wie lästig für Sie! Ellie ist in Marys Zimmer. Ich bin sicher, dass ich die beiden reden gehört habe, als ich nach unten gekommen bin. Manchmal machen sie das, sich gegenseitig in ihre Zimmer schleichen. Ich habe es nicht verboten, weil es Mary nichts auszumachen scheint, und es ist gut, dass Ellie jemanden zum Reden hat. Sie ...«

»Würden Sie trotzdem kurz nachsehen?«, falle ich ihr ins Wort. »Ich frage nur sehr ungern, aber ich werde viel besser schlafen, wenn ich weiß, dass ich alles getan habe, was ich kann.«

»Sicher«, antwortet Sarah. »Kein Problem. Wollen Sie mit nach oben kommen und mit ihr reden?«

»Nein«, antworte ich hastig. »Mir wäre lieber, dass sie nichts von meinem Besuch erfährt, sofern sie es nicht schon weiß. Sie soll nicht denken, dass ich ihr Vertrauen verletze, indem ich hier aufkreuze.«

»Sicher, ja, ich verstehe, was Sie meinen. Ich sehe schnell nach und frage, ob alles klar ist. Obwohl sie gesehen haben könnte, wie Sie gekommen sind, oder die Tür gehört haben könnte. Die Zimmer gehen beide nach vorne raus.«

Sarah dreht sich um und nimmt jeweils zwei Stufen auf einmal nach oben. Dann höre ich sie sanft klopfen und gleich darauf leise Stimmen.

Ich blicke mich in der Diele um und sehe zwei Paar Kinderturnschuhe neben der Tür, die Sohlen von frischem Matsch verkrustet. Ellies und Marys? Könnte der Matsch noch nass vom Nachmittag sein, oder stammt er von heute Abend?

Sarah kehrt zurück.

»Sie sind beide in Marys Zimmer, und es scheint ihnen gut zu gehen. Ich habe gesagt, ich hätte geglaubt, die Tür gehört zu haben, und wollte nachsehen, ob sie beide im Bett sind. Mary sagte, sie wären nicht draußen gewesen, und es hörte sich an, als würde sie die Wahrheit sagen. Ellies Haar ist nass, doch als ich sie fragte, hat sie gesagt, dass sie geduscht hat. Mary verriet mir stumm, dass sie ins Bett gemacht hatte. Und das ist frisch bezogen.«

»Kommt das häufiger vor?«

Sarah schüttelt den Kopf. »Es ist nicht ungewöhnlich bei

einigen der Kinder, die wir hier haben, aber bei Ellie ist es noch nie passiert. Sie war still, und ich wollte sie nicht bedrängen. Ohne sie gezielt zu fragen, ob sie bei Ihnen angerufen hat ...«

»Nein«, unterbreche ich sofort. »Tun Sie das nicht. Ist schon gut. Wahrscheinlich hatte sie nur einen Albtraum. Am Telefon hörte sie sich etwas abwesend an. Es könnte sein, dass sie gerade erst aufgewacht war.«

Sarah blickt stirnrunzelnd die Treppe hinauf. »Haben Sie ihr Ihre Nummer gegeben?«

»Nein«, gestehe ich. »Und ich bin nicht sicher, woher sie die hat. Aber es war die Festnetznummer, und ich schätze, die lässt sich leicht herausfinden. Ich hatte zwar nicht erwähnt, wo ich wohne, aber es ist auch kein großes Geheimnis, und dies ist ein kleiner Ort.«

Sarah nickt. »Na, dann entschuldige ich mich, dass Sie sich die Umstände gemacht haben, um diese Zeit herzukommen.«

»Ach, ist schon gut«, versichere ich. Nun, da ich weiß, dass Ellie drinnen und in Sicherheit ist, will ich schnellstens weg. Ich kann praktisch schon hören, wie Dan sagt: *Denk dran, was letztes Mal passiert ist, als du dich zu sehr eingemischt hast.* Und Pammys unverblümteres *Halt dich da verdammt noch mal raus und kümmere dich um deinen eigenen Job, du Idiotin.*

»Trotzdem danke. Es ist garantiert nicht einfach, mit solchen Kindern zu tun zu haben.« Sie stößt ein verbittertes Lachen aus. »Gerade ich sollte es wissen. Ich danke Ihnen, dass Sie hergekommen sind, um nachzusehen. Und ich wollte mich wegen neulich im Café entschuldigen. Da hatte ich mich im Ton vergriffen.«

»Ach nein, machen Sie sich deshalb keine Gedanken. Mit jedem gehen mal die Gefühle durch. Tja, dann störe ich Sie nicht länger«, sage ich und wende mich zur Tür. Als ich die Hand an die Klinke lege, spricht Sarah wieder.

»Sie erzählen doch keinem hiervon, oder?« Ihre Stimme zittert ein wenig.

»Nein.« Gleichzeitig frage ich mich, ob ich das hier bereuen werde. »Solange Ellie in Sicherheit ist und Sie ein Auge auf ihre Albträume und das mögliche Bettnässen haben, denke ich nicht, dass jemand von Ellies Anruf heute Abend oder meinem Besuch hier erfahren muss. Sie war ein bisschen durcheinander, aber sie war zu Hause und in keinerlei Gefahr.«

»Danke«, sagt Sarah, und ich nicke. Auf dem Weg durch die Tür versuche ich, nicht zu den schmutzigen Turnschuhen zu sehen.

# Kapitel 52

*Ellie*

Sie hören die Haustür zugehen und wie Sarah erneut die Treppe heraufkommt. Ellie atmet auf. Sarah hat Mary geglaubt, was sie ihr erzählte, und geht wieder ins Bett, ohne nochmals nach den Mädchen zu sehen.

»Wo warst du die ganze Zeit, Ellie?« Marys Stimme ist sanft, als sie Ellie das Haar mit einem Handtuch trockenrubbelt. Sie hat ihr geholfen, sich einen Fleece-Pyjama und einen Bademantel anzuziehen, und jetzt sitzen sie auf Marys Bett. Ellie schüttelt den Kopf.

»Weiß ich nicht. Ich weiß nicht, wie lange ich draußen war oder wie ich dahingekommen bin. Es ist, als wenn ich schlafgewandelt bin oder so. Woher hast du gewusst, dass ich weg bin?«

»Ich wollte dir das hier bringen.« Mary zeigt zu einem Becher Kakao auf ihrem Nachttisch, der längst kalt ist. »Und du warst nicht da. Zuerst habe ich überall im Haus nachgesehen, dann habe ich mich angezogen und bin in den Garten. Da warst du nicht. Ich bin zurück nach drinnen, um dich zu suchen, und da ging der Strahler hinten auf der Veranda an. Als ich wieder nach unten kam und draußen nachsah, hast du unter dem Baum gehockt. Ich hatte solche Angst.«

»Warum hattest du Angst?«

»Ich dachte, jemand hätte dir etwas getan. Ich dachte, du bist …« Sie verstummt. »Und dann, als ich bei dir war, habe ich gesehen, dass deine Augen offen waren, aber du schienst überhaupt nicht da zu sein, wie in einer anderen Welt. Du sahst aus, als wärst du ganz woanders.«

»Ich glaube, das war ich tatsächlich.« Ellie weiß selbst nicht mal, was sie meint. Auch sie hat Angst: Angst vor den Schreien, die sie geweckt hatten, Schreie, von denen sie nun weiß, dass sie in ihrem Kopf waren, und sie hat Angst davor, wo sie gewesen war und warum sie sich nicht erinnert, ihr Bett verlassen zu haben. Und sie hat Angst davor, was sie getan haben könnte.

# Kapitel 53

*Imogen*

Der Himmel ist grau und wolkenverhangen, und die hohe Luftfeuchtigkeit benässt die Gesichter der Trauergäste zusätzlich zu ihren Tränen. Schwarz gekleidete Gruppen stehen dicht zusammen; die Frauen wippen und treten von einem Fuß auf den anderen, um warm zu bleiben. Furcht liegt in der Luft. Nicht dass ich sie sehen, riechen oder auch nur spüren könnte. Sie macht sich in den Mienen der Anwesenden bemerkbar, in den Blicken der Gemeinde, in der Art, wie sie beim Reden ihre Stimmen senken. Jeder im Dorf weiß, wie Hannah dachte, welche Anschuldigungen sie gegen Ellie vorbrachte. Glauben sie, Ellie hatte das getan? Nicht zwingend, vermute ich, aber sie glauben auch nicht, dass es ein Unfall war.

Evan Hawker, der Mathelehrer, mit dem Hannah eine Affäre gehabt hatte, gestand sofort, dass sie sich in dem leeren Wohnblock getroffen hatten, leugnete jedoch hartnäckig, ihr eine Nachricht geschickt zu haben, dass er sie an dem Abend treffen wollte. Die Polizei ermittelt noch, aber es wurde kein Zettel in dem Loch im Baum auf dem Schulgelände gefunden – wo sie sich anscheinend seit zwei Monaten heimliche Botschaften zukommen ließen. Auch auf ihrem Handy wurde nichts entdeckt, und dennoch wäre Hannah laut Evan aus keinem anderen Grund in dem Gebäude gewesen. Evan schafft es nicht einmal, sich bei der Beerdigung sehen zu lassen. Die Tatsache, dass Hannah einen Liebhaber hatte, ist schon skandalös genug, doch dass sie einen solch grausamen Tod starb – zwei Skandale in einem –, das ist mehr, als die Leute verkraften. Florence Maxwell hat mich gebeten, zusätzliche Beratungszeiten in der Schule anzubieten, um sicherzugehen, dass die Kinder mit dem Verlust ihrer Lehrerin fertigwerden, und Edward hat mich sofort bis auf Weiteres von meinen übrigen Fällen freigestellt. Eigentlich sollte ich Ellie nicht vor Freitag wiedersehen, doch angesichts der gegenwärtigen Tragödie habe ich die Sitzung auf morgen Vormittag vorverlegt.

Die meisten Schüler der Oberstufe, die Hannah unterrichtet hatte, dürfen heute zur Beerdigung kommen, doch die besorgten Eltern wollen ihre jüngeren Kinder lieber nicht hier wissen. Teenager stehen mit finsterer Miene entlang des Wegs, kicken Steine auf und starren auf ihre Schuhe. Ausnahmsweise erzählt keiner laute Witze oder prahlt mit seinem Liebesleben. Sie sehen traurig und ernst aus, und dennoch frage ich mich ... wer ist wirklich für Hannah Gilberts Tod verantwortlich? Ihr Liebhaber? Ihr Mann? Einer ihrer Schüler? Ich weiß, was einige Leute sagen werden: Hannah hatte sich mit Ellie angelegt und dafür den höchsten Preis bezahlt. Was natürlich lachhaft ist. Ellie war zu Hause gewesen, als Hannah in dem verlassenen Wohnblock war. Keiner hatte gesehen, dass sie das Haus verließ, und es gibt keinen Grund, anzunehmen, dass sie nicht genau dort war, wo sie sagt. Ich war sogar bei ihr gewesen, und das kurz nach dem vermeintlichen Zeitpunkt von Hannahs Ermordung. Zu kurz danach, als dass Ellie es bis dahin von dem Wohnblock aus zurückgeschafft hätte. Ich hoffe nur, sie wird nicht zur Zielscheibe der kleinstädtischen Paranoia und Furcht.

Ich drehe mich um, als ich Reifen auf dem Kies knirschen höre. Der Leichenwagen rollt langsam durch die Tore des Krematoriums, und die Leute reihen sich hinter ihm ein. Hatte überhaupt die Hälfte von ihnen Hannah gekannt oder gemocht? Als ich mich in der Menge umsehe, erkenne ich einige bekannte Gesichter, einschließlich jenes von Florence Maxwell, die mit anderen Lehrern zusammensteht.

Der Wagen hält vor dem Krematorium, gefolgt von einem zweiten und schließlich einem dritten. Männer mit Zylinder und Frack steigen vorn aus und öffnen den Fahrgästen hinten die Türen. Hannahs Ehemann Sam und ein junges Mädchen, das ich als Hannahs Tochter wiedererkenne, steigen aus dem ersten Wagen. Sam legt eine Hand hinten auf den Rücken des jungen Mädchens, als müsste er es halten und ihm helfen zu gehen. Sam Gilbert plagt eindeutig mehr als Trauer. Er sieht Florence Maxwell und lenkt seine Tochter in ihre Richtung. Das junge Mädchen sinkt in Florence' Arme. Aus dem zweiten Wagen steigt eine gebrechliche alte Frau. Ein Anblick, den es nie geben sollte – eine Mutter, die ihre Tochter begräbt. Ich empfinde einen Anflug von Trauer. Wie auch immer ich über Hannah Gilbert gedacht haben mochte, der Tod verändert alles. Und Hannahs Schicksal war ein besonders unverdientes. Eine Frau mittleren Alters – Hannahs Schwester? – führt die gebrechliche ältere ganz nach vorn in die Reihe, begleitet von Florence Maxwell. Hannah und sie müssen sich nahegestanden haben, wenn sie ihren Platz bei den nächsten Angehörigen einnimmt. Und tatsächlich legt die Art, wie Florence Hannahs Tochter umarmt hatte, nahe, dass sie sich sehr gut kannten.

Was hatte Hannah Gilbert veranlasst, Ellie so sehr zu hassen? Und all dieses Gerede von Bösem? Mir war es vorgekommen, als hätte Hannah bei allen Fehlern, die sie gehabt haben mochte, tatsächlich geglaubt, was sie über Ellie sagte. Ich werde den Grund herausfinden, weshalb Hannah ihre frühere Schülerin gehasst hatte. Den wahren Grund. Aber nicht jetzt, nicht heute. Heute müssen wir jemanden begraben.

## Kapitel 54

*Imogen*

»Ich möchte mit dir über das reden, was mit deiner Lehrerin passiert ist«, sage ich langsam und beobachte Ellie, um ihre Reaktion einzuschätzen. Sie sieht nicht auf, sondern starrt auf die Erde unter ihren Füßen. Wir gehen über den Kanalweg, an demselben Kanal, in den ich letzte Woche gestürzt war. Jetzt ist Tag, und bei Licht schreckt mich dieser Ort nicht, auch wenn ich seit meinem unfreiwilligen Bad darin nie wieder abends hier entlang nach Hause gegangen bin.

»Was ist damit?«, fragt Ellie und weigert sich, mich anzusehen. »Ich weiß nicht, was passiert ist.«

»Sicher tust du das«, erwidere ich freundlich. »Dies ist ein kleiner Ort, und die Leute reden, ganz besonders in der Schule. Ich habe mich gefragt, ob jemand etwas zu dir gesagt hat.«

»Zu mir sagt keiner was«, antwortet Ellie fast beleidigt. »Die reden in der Schule so gut wie gar nicht mit mir, außer um mich gemein zu beschimpfen. Aber das heißt nicht, dass ich nichts höre«, ergänzt sie. »Ich höre mehr, als die Leute denken.«

Ich ahne nichts Gutes. »Und was hast du gehört?«

Nun sieht Ellie zu mir auf. »Dass Miss Gilbert und Mr. Hawker eine Affäre hatten. Sie haben Sex gehabt, hinter dem Rücken von allen.«

Es ist nicht das erste Mal, dass ich etwas in der Richtung von einem der Kinder höre, auch wenn es kein anderes so direkt formulierte.

Ellie tritt gegen einen Stein vor sich. »Und wenn sie die

Leute betrogen haben, mit denen sie verheiratet waren, könnte einer von denen sie ermordet haben. Um die beiden zu bestrafen.«

Ich bleibe stehen, und abermals sieht Ellie mich an. »Was?«

»Niemand hat Miss Gilbert ermordet, Ellie. Was geschehen ist, war ein tragischer Unfall.«

»Es war kein Unfall. Sie wurde erstochen –«

»Das reicht!«, falle ich ihr schärfer als beabsichtigt ins Wort. Woher haben die Kinder ihre Informationen? Und wieso ist diese so verflucht akkurat? Ich weiß durch meine Arbeitskontakte Einzelheiten über Hannah Gilberts Tod. Ich hatte mir gesagt, dass es keine Neugier ist, sondern ich Bescheid wissen muss, um den Kindern helfen zu können, mit dem Geschehnis umzugehen – damit mich nicht schockiert, was ich eventuell in den Gesprächen mit ihnen erfahre. Was offensichtlich nichts gebracht hat, denn für mich ist es immer noch ein ziemlicher Schock, diese Worte aus Ellies Mund zu vernehmen.

»Entschuldige«, sage ich sanfter, um die Wucht meiner Worte zu dämpfen. »Es ist nur kein schönes Thema. Die Kinder an deiner Schule kennen keine Details, deshalb schmücken sie alles aus, um eine gute Geschichte zu haben.«

»Sie glauben doch nicht wirklich, dass das ein Unfall war, was mit Miss Gilbert passiert ist, oder?«

Wir nähern uns jetzt dem Ort, und ich sehe Dächer hinter den Bäumen aufragen, die den Kanalweg säumen. Der Weg macht eine Biegung in einen riesigen Park, wo der Kanal in den Fluss übergeht. Ich erinnere mich, dass es hier im Sommer von Teenagern wimmelte, die die Sonne genossen und Picknick machten. Es waren so viele, dass man sich schwer vorstellen konnte, wo Gaunt und die umgebenden Dörfer all diese Kinder über die Wintermonate ließen. Es schien gar nicht genug Häuser zu geben, um sie alle aufzufangen, bis sie im Sommer wieder rausgelassen wurden. Einmal im Jahr kam ein Jahrmarkt in die Stadt, und Pammy und ich schlichen uns nach Einbruch der Dunkelheit hin – na ja, Pammy musste sich hinschleichen, denn meiner Mum war vollkommen egal, wann ich mich wo aufhielt. Selbst jetzt noch möchte ich schwören, dass ich Hamburger und Donuts riechen kann, Schweiß gemischt mit Sonnencreme, und ich kann Musik und die Schreie aus den Karussellen und anderen Fahrgeschäften hören.

»Entschuldige, wie bitte?«

»Miss Gilbert«, erklärt Ellie ungeduldig, »glauben Sie wirklich, dass es ein Unfall war? Dass es keiner mit Absicht gemacht hat?«

»Ja, das glaube ich«, antworte ich mit fester Stimme. »Es gab keinen Beweis, dass jemand anders dort war.«

»Keinen Beweis, klar. Und Sie denken nicht, dass es jemand gewesen sein kann, ohne es zu wissen?«

Ich sehe Ellie verwundert an. »Was für eine seltsame Frage, Ellie Atkinson. Wie kommst du darauf, dass jemand eine andere Person verletzen könnte, ohne zu wissen, dass er es getan hat?«

»Wenn sie vielleicht in Trance waren oder so.«

»Wie hypnotisiert, meinst du? Im Ernst, Ellie, mit deiner Fantasie solltest du Schriftstellerin sein. Lass uns hier die Abkürzung nehmen.« Ich zeige quer über die Rasenfläche. Wenn wir so gehen, erspart es uns einen langen Weg außen um den Park herum. Das Gras ist nass, der Boden aber nicht matschig, und unsere Füße hinterlassen Abdrücke in dem Raureif.

»Dann eben nicht hypnotisiert, sondern vielleicht schlafwandelnd?«

Ich lache. »Sind wir immer noch dabei? Nein.« Ich sehe Ellie direkt an. »Keiner hat Miss Gilbert verletzt, weder wissentlich noch unwissentlich. Sie ist gestürzt, das ist alles. Möchtest du darüber reden, wie es dir damit geht, dass sie tot ist?«

»Sie haben gesagt, das ist keine Sitzung, schon vergessen?« Ellie zeigt mit dem Finger auf mich. »Sie haben gesagt, es ist Wochenende und ich muss nicht über Gefühle reden.«

»Musst du auch nicht«, versichere ich. »Ich wollte nur fragen. Komm, fangen wir noch mal neu an.«

Sie hat recht. Als ich gestern Abend bei Sarah und Mark Jefferson anrief und fragte, ob ich Ellie zum Mittagessen einladen darf, hatte Sarah fast sofort und hörbar erleichtert zugestimmt. Sie fragte nicht mal, ob es wirklich angemessen sei, dass ich einen meiner Fälle zu einem Ausflug einlade – ist es nicht – oder ob meine Vorgesetzten davon wissen – tun sie nicht. Sie hatte einfach Ellie ans Telefon geholt, die beinahe genauso schnell zusagte wie Sarah, unter der Voraussetzung, dass ich ihr verspreche, sie müsse nicht über »irgendwas von dem Gefühlskram« reden.

Wir verbringen die nächste Stunde damit, durch die Geschäfte zu schlendern, wo Ellie Kleidung und Schmuck anprobiert, während ich verzückt zuschaue, wie sie in die Umkleiden und wieder hinaus wirbelt. Ellie sieht so begeistert aus, als sie eines der modischen Outfits trägt, dass ich prompt die Frau an der Ankleide bitte, die Sachen zur Kasse zu bringen, als Ellie endlich fertig ist.

»Bist du sicher?«, haucht Ellie mit glänzenden Augen. Lächelnd nicke ich.

»So etwas Hübsches kann man nicht dalassen. Wie wäre es, wenn wir nach einer passenden Kette dazu suchen?«

Ich weiß, dass ich es nicht sollte, dass ich gegen jede unausgesprochene Regel verstoße, aber Ellies Gesichtsausdruck und wie sie mich umarmt, sind jeden Ärger wert, den ich bekommen könnte, sollte Edward hiervon erfahren. *So wie beim letzten Mal, als du es zu persönlich angingst?*

»Dann sehe ich genau wie die Mädchen in der Schule aus«, bemerkt sie, und etwas an ihrer Stimme versetzt mir einen Stich. Ellie ist kein bisschen wie die meisten Mädchen an der Schule, und dass sie so verzweifelt dazugehören will, bricht einem das Herz.

# Kapitel 55

*Ellie*

Wenn es an der Pflegebaby-Sache ein Gutes gibt, ist es, dass Billy in wenigen Wochen für immer bei den Jeffersons auszieht. Sie haben gesagt, dass es nicht wegen des Babys ist, dass Billy zurück zu seiner Mutter geht. Jene Worte hatten Ellie mitten ins Herz getroffen. Wie kann es sein, dass ein Monster wie Billy nach Hause zu seiner Mum darf, Ellie es aber nie mehr kann? Und sobald sie es erfahren hatten, hatte Sarah angefangen, in seinem Zimmer den Platz für das Kinderbett auszumessen, das noch in einem flachen Karton im Esszimmer stand.

»Ich habe euch ja gesagt, dass es so kommt«, bemerkt Mary unglücklich, als sie zu dritt auf dem rostigen alten Schaukelgestell hinten im Garten sitzen und langsam vor und zurück schaukeln. Von hier aus können sie sehen, wie Sarah in Billys bisheriges Zimmer und wieder rausgeht, Möbelstücke reinbringt und hinausträgt, alles mit einem blöden Grinsen im Gesicht.

»Eigentlich hast du gesagt, dass sie mich loswerden würden«, antwortet Ellie. »Wenigstens ist das nicht so gekommen. Und Billy will zurück zu seiner Mum, stimmt's nicht?«

»Besser als bei dir zu bleiben«, sagt er, und Ellie streckt ihm die Zunge raus, obwohl es ihr egal ist. Er geht, und das ist alles, worauf es ankommt.

»Wart's nur ab«, warnt Billy sie finster. »Du bist die Nächste.«

»Ich wette, er hat recht«, stimmt Mary ihm zu. »Ehrlich, die würden mich vor die Tür setzen und das ganze Haus voller Babys haben, wenn sie könnten. Sie ist schon seit Jahren wie besessen davon.« Mary nickt zu dem Fenster, von dem aus ihnen Sarah, die sie sieht, fröhlich zuwinkt. »Seit meine kleine Schwester gestorben ist.«

»Du hattest eine Schwester, die gestorben ist?«, fragt Ellie.

»Ja, na ja, aber ich habe sie kaum gekannt. Ich war noch richtig klein, als sie geboren wurde, und sie ist gleich danach gestorben. Mum war so fertig, und seitdem ist es, als wollte sie das Baby unbedingt ersetzen. Als hätte sie ein Puzzle, bei dem ein Teil fehlt, und sie denkt, sie kann sich einfach ein anderes Puzzle nehmen und ein Teil von dem passend machen.«

Mary sagt es völlig ungerührt, doch für Ellie erklärt es so gut, wie Sarah ist, seit sie herkam. Wie sie schon ein komplettes Drehbuch im Kopf hatte und Ellie ihre Rolle falsch spielte, weil sie den Text nie gesehen hatte. Billy hatte von Anfang an nicht gezählt, weil es ein kleines Mädchen war, das Sarah ersetzen wollte.

»Das arme Pflegebaby«, flüstert Ellie.

»Hä?« Mary runzelt die Stirn. »Das arme Baby wird alles kriegen, was es sich wünschen kann. An deiner Stelle hätte ich kein Mitleid mit ihm.«

»Sie wird ihr ganzes Leben gegen ein kleines Baby bestehen müssen, das nie alt genug wurde, um etwas anderes als perfekt zu sein«, sagt Ellie und sieht hinauf zum Fenster, hinter dem Sarah wieder ihren Pendeldienst zwischen Esszimmer und neuem Babyzimmer aufgenommen hat.

»Daran habe ich gar nicht gedacht«, antwortet Mary und folgt Ellies Blick. »Anscheinend werden ich und Lily doch etwas gemeinsam haben.«

# Kapitel 56

*Imogen*

Lachend beobachte ich, wie das kleine Mädchen die ganze obere Rundung einer Riesenkugel Mint-Chocolate-Chip-Eiskrem auf einmal in den Mund zu bekommen versucht. Als es ihm schließlich gelingt, die Lippen um die gewaltige Wölbung zu fügen, frage ich: »Und wie läuft es in der Schule?«

Ellie verzieht das Gesicht, den Mund voller Eis.

»Mmmm-mmmm-mmmmm«, sagt sie ernst, was ihr ein weiteres Lachen von mir einträgt. Sie schluckt und lacht. »Das hast du mit Absicht gemacht«, sagt sie. Sie hat Eiskrem an der Oberlippe und der Nasenspitze.

»Würde ich doch nie!«, erwidere ich grinsend.

Es ist wunderbar, diese Seite von Ellie zu sehen. Die Intensität, die bei den vorherigen Treffen in ihr loderte, scheint dahingeschmolzen, und hervor kommt das kluge, witzige Mädchen, von dem ich immer gehofft habe, dass es in ihr schlummert. Sie hatte recht, als sie sagte, ich wäre noch nie einem Mädchen wie ihr begegnet. Und Hannah hatte recht, dass Ellie Dinge weiß, die Kinder in ihrem Alter nicht wissen sollten. Aber sie irrte sich, was das grundsätzlich Böse anging, dessen bin ich mir sicher. Ellie weiß Dinge, weil sie oft ignoriert wird, man durch sie hindurchsieht. Leute öffnen sich, wenn Geisterkinder wie Ellie in der Nähe sind, lassen ihre Masken fallen, weil sie die Existenz dieser Kinder kaum wahrnehmen. Bedenkt man überdies ihre große Intelligenz, wird es unvermeidlich, dass sie mehr bemerkt und begreift als ein durchschnittliches gleichaltriges Kind.

»Aber im Ernst, geht es besser?«

Ellie nickt. »Ein bisschen. Seit ich mit dir rede, fühle ich mich weniger unbeholfen. Ich falle nicht mehr so sehr auf, und ich glaube, es ist ihnen langweilig geworden, mich zu ärgern, weil ich nicht mehr wütend werde und Leute in Brand stecke.« Sie lacht, als sie meine entsetzte Miene sieht. Hatte ich ihren schrägen Humor erwähnt? Es ist, als würde man sich mit jemandem doppelt so alten unterhalten. »Nein, im Ernst, seit ich mich besser beherrsche, finden sie es nicht mehr so lustig. Und ich habe mir diese YouTube-Videos angesehen, die du mir gezeigt hast.«

Ich runzle die Stirn. »Ich habe dir die nicht gezeigt, damit du sie nutzt«, sage ich. Ich erinnere mich, dass Ellie mir erzählte, sie würde gerne mehr wie ich sein, wissen, wie man sich hübsch schminkt und anzieht. Da hatte ich ihr gestanden, dass ich in diesen Dingen sagenhaft schlecht war, bis eine Freundin – Pammy – mir von den YouTube-Anleitungen erzählte. Dann verbrachte ich Stunden damit, zu lernen, wie man Grundierung und Rouge auftrug, welche Pinsel man wofür benutzte und welche Frisur am besten zu meiner Gesichtsform passte. Ich hatte dem Mädchen sagen wollen, dass solches Wissen nicht von allein kommt, dass niemand von Natur aus »cool« sei, auch wenn viele gern so tun. Stattdessen hatte Ellie mich überredet, ihr zu zeigen, was ich meinte, und, dumm wie ich bin, fiel ich darauf herein.

»Du musst dir keine Sorgen machen. Sarah interessiert nicht, ob wir uns schminken – solange wir nicht wie Clowns aussehen. Und sie ist sowieso so damit beschäftigt, alles für das Baby vorzubereiten, sie würde nicht mal merken, wenn ich wie RuPaul aus dem Haus gehe.«

Ich kichere. »Und woher weiß eine Elfjährige, wer RuPaul ist?«

Ellie zuckt mit den Schultern. »Ich habe meine Mum mal über ihn reden gehört, und da habe ich ihn gegoogelt und weiß seitdem auch, was eine Drag Queen ist. Genau genommen hatte sie gesagt, dass Tante Abigail mit ihrem vielen Make-up eher RuPaul ähnelt als Cindy Crawford. Sie hatte recht«, ergänzt Ellie boshaft.

»Und zu Hause?« Fast wage ich nicht zu fragen. Mein Streit mit Sarah in dem Café scheint ewig her, und außer mir hat ihn anscheinend jeder vergessen. Mir jedoch will nicht aus dem Kopf, was Sarah über Ellie gesagt hatte. Als ich es meinem Vorgesetzten erzählte, hatte Edward zwar besorgt gewirkt, aber letztlich erklärt, wir seien nicht der Sozialdienst und es stehe uns nicht zu, uns ins Pflegesystem einzumischen, es sei denn, wir vermuteten einen Missbrauch. »Pflegefamilien sind nämlich schwer zu finden«, hatte er hinzugefügt.

»Freut Sarah sich auf das Baby?«, frage ich, als Ellie nicht antwortet. Unbewusst berühre ich meinen Bauch. Ich bin sicher, dass ich letzte Woche schon den Ansatz einer Kugel bemerkte. Mein Bauch fühlt sich härter an, obwohl es für diese Symptome sicher viel zu früh ist und ich bloß paranoid bin. Ich hatte Dan gegenüber Periodenblähungen vorgeschoben, für den Fall, dass er etwas merkte, und zur Arbeit weite Tops getragen. Mit jedem Tag, der vergeht, kann ich die Uhr in meinem Kopf ticken hören. Ich weiß, dass ich mich entscheiden muss, was das Leben angeht, das in mir wächst – nenn es beim Namen, Imogen: *dein Baby* – und jeden Tag schaffe ich es, mir einzureden, ich werde morgen eine Entscheidung treffen.

»Ja, sie redet von nichts anderem.« Ellie hüpft von der Banklehne, auf der sie gehockt hat, und wirft den Rest ihrer Eiswaffel in den Mülleimer. Ich klopfe neben mir auf die Bank, und Ellie kommt zurück, um sich nahe neben mich zu setzen. Sie sitzt seitlich, mit dem Gesicht zu mir, die Beine auf der Bank angewinkelt, die Knie an ihrer Brust. Ich glaube nicht, dass ich sie schon mal so entspannt gesehen haben. »Mary ist wütend.«

»Warum das?«

»Sie will kein Baby im Haus«, antwortet Ellie sachlich. »Sie sagt immer, die schreien den ganzen Tag, und dann hat Sarah keine Zeit mehr für uns.«

»Es ist verständlich, dass Mary so empfindet. Sie teilt ihre Eltern schon sehr viel mit anderen Kindern, aber ein Baby ist etwas völlig anderes. Sorgst du dich auch deshalb?«

Ellie schüttelt den Kopf. »Nee. Ich will ja eigentlich gar nicht so viel Aufmerksamkeit von Sarah. Und ich weiß, dass ich da nicht für immer bleibe, auch wenn ich Mary gerne als so eine Art Schwester behalten würde. Aber ich fühle mich dort nicht zu Hause. Es ist, als sei ich bloß Besuch.« Sie zuckt mit den Schultern. »Was ich wohl auch bin.«

»Denkst du, dass du dich vielleicht gar nicht einleben willst? Damit es nicht so schlimm wird, wenn du gehen musst?«

Ellie beäugt mich skeptisch. »Du hast wieder die Therapeutenstimme.«

Ich grinse. »Tja, so muss ich wohl klingen, Ellie Atkinson. Du kommst nicht immer darum herum, über deine Gefühle zu reden, nur weil du mir Eis kaufst.«

»Das Eis hast du gekauft«, erinnert Ellie mich. »Und jetzt weiß ich auch, warum.« Sie gibt sich übertrieben ernst. »Ja, wahrscheinlich hast du recht. Ich weiß nicht. Ich habe eben das Gefühl, mein endgültiges Zuhause wird anders sein. Sich gleich richtig anfühlen. So wie wenn ich mit dir zusammen bin.«

Mein Bauch verkrampft sich. Das habe ich befürchtet. Die kleine Stimme in meinem Kopf hatte mich gewarnt, dass ich riskiere, Ellie zu nahe an mich heranzulassen, sie zu wichtig zu nehmen. Ich habe die Stimme verdrängt, weil ich so sicher bin, etwas Gutes zu tun. Ellie macht solche Fortschritte, und doch bleibt die Angst, dass ich wieder etwas versauen könnte.

»Aber, Ellie, du weißt ...«

»Oh ja«, unterbricht sie mich und erspart mir, nach den Worten zu suchen, sie behutsam abzuweisen. »Ich weiß, dass du nicht meine neue Mum oder so sein kannst. Du hast schon genug zu tun.«

Ich will sie fragen, was sie damit meint, da sehe ich, wie ihre Miene sich versteinert. Ich drehe mich in die Richtung um, in die Ellie blickt, und beobachte, wie Naomi Harper mit zwei anderen Mädchen auf unsere Bank zukommt. Wie es aussieht, haben sie uns noch nicht bemerkt.

»Das ist das Mädchen, das dich beschuldigt hat, es auf die Straße geschubst zu haben. Naomi, nicht wahr?«, frage ich leise. Ellie nickt.

»Möchtest du gehen? Wir können in die Richtung.« Ich nicke zum Park. Der Weg würde uns fort von den Mädchen führen – eventuell ohne dass sie uns überhaupt sehen.

»Nein.« Ellie schüttelt energisch den Kopf. »Ich habe keine Angst vor ihr.«

Ich bin unsicher, ob ich stolz auf sie sein sollte oder besorgt um sie. Natürlich fürchte ich mich nicht vor einer kleinen Ziege wie Naomi, und ich bezweifle sehr, dass sie irgendwas Blödes versuchen wird, solange ich dabei bin, was jedoch nicht verhindert, dass mein Herz gefährlich schnell schlägt, als die Mädchen näher kommen.

Tatsächlich scheint Naomi uns erst jetzt zu bemerken. Ich sehe Ellie an, und ihr Gesicht verfinstert sich.

»Hi, Miss, hi, Ellie. Ein schöner Tag für eine Therapie draußen.«

»Ja, ist es«, antwortet Ellie mit einem Hauch Trotz in der Stimme. Naomi sieht aus, als wollte sie noch etwas sagen, da fällt ihr Blick auf Ellies Leinenbeutel, der neben ihr auf der Bank liegt.

»Ist das Limitless? Ich habe nicht gewusst, dass die sonst noch einer mag.« Sie klingt ehrlich überrascht – und nehme ich da einen Anflug von Respekt wahr? »Hier hat nicht mal einer von denen gehört.«

»Oh, äh.« Ellie ist offensichtlich überrascht, als hätte sie sich für giftige Bemerkungen oder sogar einen tätlichen Angriff gewappnet, sei aber nicht auf eine normale Unterhaltung gefasst gewesen. »Ja. Meine Mum kannte einen von ihren Dads, deshalb waren wir manchmal bei ihren Konzerten. Ich habe alle ihre Alben zu Hause.«

»Das ist echt cool, Ellie«, sagt Naomi, und ihr Lächeln ist verhalten, aber echt. »Vielleicht habe ich mich getäuscht, was dich betrifft. Dein Haar sieht heute gut aus. Und wenn du keine Sachen anhast, die drei Nummern zu groß sind, bist du richtig hübsch.«

Ellie zuckt zum Dank mit den Schultern, gibt sich cool. Die Worte des Mädchens mögen unsensibel anmuten, doch ich habe den Eindruck, dass sie nicht bissig gemeint sind. Und auch ich hatte bei meiner ersten Begegnung mit Ellie ihre geerbte Kleidung und ihr krauses Haar registriert, die sie von den anderen Mädchen abhoben. Heute trägt Ellie das Outfit, das ich ihr gekauft hatte, und ihr Haar ist glatt und schimmernd. Sie hat sich sogar ein klein wenig geschminkt – allerdings nicht genug, um RuPaul in den Schatten zu stellen.

Vielleicht ist diese Naomi nicht so schlimm, wie sie mir zunächst vorgekommen war. Ellie hatte sie in letzter Zeit nicht mehr erwähnt. Und außerdem war sie bei dem Vorfall in der Stadt gerade vor einen Wagen gestürzt. Noch dazu war ihre Mutter an dem Tag ein Albtraum gewesen, und Naomi selbst hatte kaum ein Wort gesagt.

»Na, wir sehen uns in der Schule.« Naomi hebt eine Hand zum Abschied und bedeutet den anderen Mädchen weiterzugehen. Ellie sieht aus, als hätte das andere Mädchen sie eben zur Ballkönigin erklärt.

»Sie scheint in Ordnung zu sein«, sage ich, als Naomi weit genug weg ist und uns nicht mehr hört.

»Eigentlich ist sie schon ganz schön fies zu mir gewesen«, gesteht Ellie und blickt den anderen nach. »Aber sie hat recht, in der Uniform sehe ich wie solch ein Loser aus, da wundert mich nicht, dass ich damit durchfalle. Und nach dem, was in der Stadt war ...«

»Was war da los, Ellie?«, frage ich. Ich habe sie noch nie auf den Tag angesprochen, weil ich auf das vertraute, was ich mit eigenen Augen gesehen hatte. Aber heute ist Ellie offenbar in der Stimmung, sich mir zu öffnen.

»Ich hatte sie nicht gestoßen. Das habe ich dir doch schon gesagt. Und du hattest gesagt, dass du es gesehen hast.« Ihr Tonfall ist schneidend und vorwurfsvoll. Die Ellie, die ich an jenem Tag erstmals erlebte, kommt wieder hervor.

»Ich weiß, dass du es nicht warst«, rudere ich rasch zurück. »Vergessen wir das einfach. Kannte deine Mum wirklich einen Vater von einem dieser Jungen?«

Ellie grinst, und alles ist vergessen. Mir fällt auf, wie schnell sie von heftig auf normal und zurück wechseln kann. Welche Ellie ist real? »Nein. Das habe ich mir nur ausgedacht. Aber es hat sie beeindruckt. Und ich habe wirklich alle Alben von denen. Ich könnte ihr anbieten, ihr ein signiertes T-Shirt zu besorgen oder so. Das würde vielleicht meine Clown-Uniform wettmachen«, sagt sie finster.

»Okay.« Ich stehe auf. »Komm mit. Wir sehen mal, ob wir dich mit neuen Klamotten für die Schule ausstatten können. Aber du müsstest die sauber und ordentlich halten, klar?«, warne ich, und Ellie nickt begeistert. Ihr Gesicht strahlt vor Dankbarkeit. Ich gebe der kleinen Stimme in meinem Hinterkopf gar keine Chance, mir zu sagen, dass es eine schlechte Idee ist, und wuschle Ellie durchs Haar, als wir uns auf den Weg in den Ort machen.

# Kapitel 57

*Imogen*

»Du wirkst heute ja froh und munter«, bemerkt Dan, tritt von hinten an mich heran und küsst mich auf die Wange. »War das eben Summen, was ich gehört habe? Oder ist dein Knurren kaputt?«

Ich wische ihm mit dem Schwamm übers Gesicht, mit dem ich gerade abspüle. Er weicht aus und zwackt mich mit den Zähnen zärtlich in den Hals. Quiekend schubse ich ihn weg.

»Zisch ab«, sage ich lächelnd. »Ich bin nicht so mürrisch, dass schon ein Summen pressewürdig ist, oder?« Mein Mann schürzt die Lippen und schüttelt den Kopf auf eine »Ich sage ja nichts«-Weise.

»Oh Gott, es tut mir leid, Dan.« Ich lasse den Schwamm in die Spüle fallen, wische die Seifenflocken in meiner Jeans ab und drehe mich zu ihm. »Dies hier sollte ein Neuanfang für uns werden, dich davor bewahren, für eine psychisch labile Frau sorgen zu müssen.«

»Du bist eine der psychisch stabilsten Frauen, die ich kenne.« Dan legt die Arme um mich und zieht mich an seine Schulter. »Was passiert ist, hatte nichts mit deiner psychischen Verfassung zu tun. Es geschah, weil du dich zu sehr engagiert hast. Weshalb ich mir ein bisschen Sorgen mache, wie du mit dieser Ellie bist …« Er lehnt sich zurück, um meine Reaktion zu sehen, ein Auge zugekniffen, also immer noch auf Quatsch getrimmt. Ich grinse.

»Tja, da musst du dir wirklich keine Sorgen machen«, versichere ich ihm und löse mich aus der Umarmung. »Mit Ellie wird es sprunghaft leichter. Heute war ich quasi ...«

»Heute?« Dan runzelt die Stirn. »Du hattest gesagt, dass du nur kurz in die Stadt willst.« Seine Züge verfinstern sich. »Imogen?«

»Das hat sich ganz spontan ergeben«, lüge ich hastig. »Ich wollte kurz vorbeifahren und sehen, wie es ihr ging, und da habe ich sie gefragt, ob sie auf ein Eis mitkommen will. Ihre Pflegemutter war einverstanden.« Mir ist bewusst, wie defensiv ich klinge, aber es stimmt. Sarah Jefferson war von etwas abgelenkt gewesen – Baby-Vorbereitungen, soweit ich es von Ellie mitbekam –, sodass sie sofort zusagte, und ihrem Seitenblick auf Billy nach zu urteilen, wünschte sie sich offenbar, dass ich ihn ebenfalls einladen würde. Ich nahm mir vor, bei nächster Gelegenheit im Büro zu prüfen, ob Sarah Jefferson die ihr zustehenden Entlastungszeiten nutzt.

»Na, ich schätze, wenn sie einverstanden war, kann es nicht schaden. Und du denkst, dass sie Fortschritte macht?«

»Oh ja«, antworte ich strahlend. »Und wir haben ein paar Mädchen aus ihrer Klasse getroffen. Eine von ihnen sagte, dass ihr Haar richtig hübsch aussieht, und sie hat gegrinst wie ein Honigkuchenpferd.« Ich sage nichts von der neuen Schuluniform, die ich Ellie gekauft habe, oder von ihrer Umarmung, als ich sie zu Hause absetzte. Sie hatte mich fest gedrückt und mir ins Ohr geflüstert: »Ich wünschte, du wärst meine Pflegemutter.« Oder wie es sich angefühlt hatte, das Leben von jemand anderem wirklich besser zu machen.

Auf der Heimfahrt von Ellie heute Vormittag traf ich eine Entscheidung. Ich habe nichts von dem Leben zu befürchten, das in mir heranwächst. Ich bin kein bisschen wie meine Mutter, und ich werde eine gute Mum sein. Ich werde dafür sorgen, dass mein Kind niemals zwei Wochen am Stück in derselben

Uniform in die Schule geht oder so hungrig ist, dass es am Hinterausgang der Küche auf die Reste vom Frühstück der Kinder aus der Frühbetreuung wartet. Ich bin zu dem Schluss gekommen, dass meine Kindheit mich im Grunde genau gelehrt hat, wie man Mutter ist, indem sie mir all die Dinge aufzeigte, die wirklich wichtig sind. Nicht die neuesten elektronischen Spielereien oder die besten Fernseher, sondern abends zugedeckt und geküsst zu werden, bevor man einschläft. Oder warme Bäder voller Schaum und Frischkäse auf Kräckern, wenn man aus der Schule kam. Eine Mum, die einen zwingt, die Hausaufgaben zu machen, bevor man Xbox spielt, und einen bestraft, wenn man ungezogen oder unfreundlich ist, weil ihr wichtig ist, zu was für einem Erwachsenen man wird. Und diese Dinge kann ich bieten, dessen bin ich mir sicher. Wächst man ohne Liebe auf, ist es beinahe, als würde sie einen innerlich ausfüllen. Sie weiß nicht, wohin, aber sie ist immer noch da, wartet darauf, jemandem geschenkt zu werden. Deshalb war ich so versessen darauf, jenem Jungen zu helfen. Und deshalb bin ich Ellie inzwischen so nahe. Ich liebe Dan, doch das reicht nicht. Ich muss meine Liebe einem Kind schenken. Und ich werde Dans Kind bekommen.

Heute Abend sage ich es ihm. Als mir klar wurde, was in meinem Leben fehlt, beschloss ich, dass früher besser ist als später – bevor ich es mir ausgeredet habe oder mich meine Angst wieder einholt. Ich war einen Umweg von vier Meilen zum Supermarkt gefahren, um Dans Lieblingszutaten zum Abendessen sowie einen Schwangerschaftstest zu besorgen. Wenn ich dies hier tue, soll Dan nicht wissen, dass ich es ihm auch bloß eine Minute verheimlicht habe. Beim Abendessen werde ich ihm erzählen, dass meine Regel nicht kommt, und wir werden den Test zusammen machen.

# Kapitel 58

*Imogen*

Das Essen ist im Ofen, und ich trage noch ein bisschen Make-up auf. Mein Gesicht ist fleckig vor Nervosität, und ich habe die Schublade mit dem Schwangerschaftstest den Tag über mindestens vier- oder fünfmal aufgezogen und wieder zugeschoben. Sofern es überhaupt möglich ist, bin ich diesmal noch nervöser als beim ersten Mal.

»Das sieht fantastisch aus«, bemerkt Dan, als er sich an den Tisch setzt. »Und du übrigens auch.« Er stutzt. »Warte mal, habe ich unseren Hochzeitstag vergessen?«

Ich lächle. »Hättest du unseren Hochzeitstag zum zweiten Mal in Folge vergessen, würde dieses Essen auf dir kleben und du es nicht verspeisen.«

»Was dann? Bist du etwa schon befördert worden? Oder sind es schlechte Neuigkeiten? Werde ich hier gemästet, bevor du mir sagst, dass du gefeuert wurdest?«

Ich lache. »Ich werde mal so tun, als fände ich die unterschwellige Andeutung, ich würde dir lediglich ein gutes Essen kochen und Lipgloss auflegen, weil ich gefeuert wurde, nicht maßlos beleidigend.«

Ich schenke ihm ein Glas Weißwein ein und mir Orangensaft nach und frage mich, warum die Tatsache, dass ich nicht trinke, obwohl eine Flasche offen ist, nicht Hinweis genug für ihn ist. Nachdem ich so lange mit der Entscheidung gehadert hatte, ob ich das Baby behalte und es Dan sage, rechnete ich nicht mehr damit, so unsagbar nervös zu sein. Vorhin war ich mir sicher gewesen, doch jetzt, da ich hier sitze, bereit, auf einen Teststreifen zu pinkeln, kommen meine alten Bedenken hoch. Habe ich die Worte erst ausgesprochen, kann ich sie nicht wieder zurücknehmen.

»Übrigens hat Mike heute angerufen«, unterbricht Dan meine Gedanken.

»Mike?«

»Von der Zeitung. Wegen der Kolumne.«

Ich nicke bei einem Bissen Teriyaki-Hühnchen. »Mmm, mmm, jetzt weiß ich es wieder.« Ich schlucke. »Was hat er gesagt?«

»Dass er die Idee mit der Kolumne dem Redaktionsteam vorgestellt hat und ...« Als Dan lächelt, funkeln seine Augen. »Ich habe einen Job!«

Ich strahle. »Dan, das ist großartig! Ich weiß, dass du gesagt hast, wir würden das Geld nicht brauchen, aber es ist toll, dass du mal rauskommst und ...«

Dan lacht. »Also, es ist eine Zeitungskolumne, folglich werde ich weiter von meinem Homeoffice hier arbeiten. Aber es heißt, dass ich einige neue Kontakte habe, und es ist mal was anderes, also, ja, es ist super.«

»Es ist wirklich richtig super.« *Und ich habe noch mehr super Neuigkeiten. Sag es einfach, Imogen ...*

In der Kammer unter der Treppe beginnt das Telefon zu läuten. Stöhnend will ich aufstehen, doch Dan hebt eine Hand.

»Lass mich. Wahrscheinlich nur wieder Telemarketing. Ich sage ihnen, sie sollen sich unterstehen, hier nochmal anzurufen – du fängst noch eine nette Unterhaltung mit ihnen an.«

Dan kommt zurück an den Tisch. »Ist für dich. Ich glaube, es ist dieses Mädchen.«

Prompt erstarre ich. Es gibt nur ein Mädchen, auf das Dan sich beziehen würde. Und das letzte Mal, als Ellie mich hier zu Hause angerufen hatte, war hinterher Hannah Gilbert tot. Mach dich nicht lächerlich, sage ich mir. Ihr geht es jetzt gut. All der Kram ist Vergangenheit.

»Hallo?«

»Imogen? Tut mir leid …« Ellies Stimme bricht, und ich höre, wie sie ihr Schluchzen unterdrückt.

»Was tut dir leid, Süße? Was ist passiert? Was hast du getan?«

»Getan?« Ellie klingt verwirrt. »Nichts. Ich meine, es tut mir leid, dass ich dich zu Hause anrufe. Ich habe die Nummer aus dem Telefonbuch …«

»Was ist los, Süße?« Im Geiste trete ich mich, weil ich Ellie unterstelle, mich anzurufen, weil sie etwas ausgefressen hat. So viel zu deinem Vertrauen in das Mädchen!

»Es ist wegen Mary. Wir haben uns gestritten.«

»Weswegen?« *Geht es Mary gut? Lebt sie noch?*

»Naomi hat mich bei Snapchat geadded, und Mary hat gesagt, dass ich blöd bin, wenn ich mit ihr befreundet sein will, und Naomi bloß mehr mit mir zu tun haben will, damit sie noch fieser und schrecklicher sein kann. Aber das stimmt doch nicht, oder? Ist Mary nicht schrecklich, wenn sie das sagt? Sie ist eifersüchtig und will nicht, dass ich Freundinnen habe. Ich möchte zu dir kommen und bei dir wohnen.«

Mir wird flau. Meine schlimmste Befürchtung wird wahr. Ich wusste, dass ich Ellie zu nahekommen ließ, und ich hatte gleich befürchtet, dass ich mich eines Tages diesem Thema stellen müsste. Und wie sage ich Ellie, dass Mary wahrscheinlich recht hat? Dass Naomi Harper fies ist und Mädchen wie sie selten irgendwas tun, um nett zu dem komischen neuen Kind zu sein? Ich verstehe, warum Mary Ellie warnt, vorsichtig zu sein. Sie versucht nur, auf die einzige Art auf sie aufzupassen, die eine Fünfzehnjährige kennt – ein bisschen plump, aber mit dem Herzen am rechten Fleck.

»Ellie, Süße, du weißt, dass das nicht geht. Die zuständigen Leute würden es schlicht nicht erlauben. Man kann nicht einfach Kinder adoptieren, weil man sie mag. Da gibt es ein ganzes System, das man durchlaufen muss. Und überhaupt geht es gar nicht darum. Du kannst nicht jedes Mal von einer Familie weglaufen, wenn du dich mit jemandem gestritten hast. In Familien streitet man sich dauernd. Du musst dich wieder mit Mary vertragen. Sie hat dich gern.«

»Hat sie nicht.« Ellie klingt finster und mürrisch.

»Du weißt, dass das nicht stimmt«, muntere ich sie auf. »Sie mag dich sehr und ist dir eine wunderbare Schwester. Aber Schwestern zanken sich nun mal.«

»Hast du eine Schwester?«

»Nein.« Ich denke an die vielen Male, die ich mir eine Schwester oder einen Bruder gewünscht hatte, jemanden, der wusste, wie das Leben für mich war, als ich klein war. Jemand anderen, der das dicke Ende der Depressionen oder die schmerzhafte Gleichgültigkeit meiner Mutter abbekam. Jemanden zum Reden. »Aber ich habe mir immer eine gewünscht. Und manchmal habe ich mir vorgestellt, wie ich mit meiner Schwester streite, nur damit wir wieder in ein Versöhnungsabenteuer ziehen können.«

»Was ist das?«

»Du weißt schon.« Ich muss grinsen. »Ein geheimes Abenteuer, nur zu zweit. Dafür sind Schwestern da, um gemeinsam Abenteuer zu bestehen. Und beste Freundinnen zu sein. Und deshalb finde ich, dass du zu Mary gehen und dich wieder mit ihr versöhnen solltest. Sicher tut ihr schon leid, was sie gesagt hat.«

Das hoffe ich zumindest. Das Mädchen kam mir klug genug vor, um zu erkennen, dass sie die Dinge falsch angegangen war, und ich hoffe auch, dass sich beide mittlerweile hinreichend beruhigt haben und ihr nichts Schlimmes passiert.

*Du musst aufhören, so zu denken, Imogen Reid.*

»Okay. Aber bei Naomi hat sie unrecht. Sie will mit mir befreundet sein. Das weiß ich.«

»Ja, sicher will sie das, Süße.«

Oh Gott, hoffentlich stimmt das!

# Kapitel 59

*Ellie*

»Ich habe dir das hier besorgt.« Ellie hält scheu das T-Shirt hin und macht sich auf hämisches Gelächter von den Mädchen gefasst. Naomi nimmt es, sieht es sekundenlang verwirrt an.

Das war's, denkt Ellie. Jetzt wird sie so tun, als hätte sie noch nie von Limitless gehört. Sie wird mich vor ihren Freundinnen lächerlich machen.

»Das hast du für mich besorgt?«, fragt Naomi ziemlich blöd. Das hatte Ellie doch gesagt, also warum ist sie so verwirrt? »Aber ich, ich bin so …« Ihr Mund öffnet und schließt sich wie der von einem Fisch. »Danke, Ellie. Das ist echt nett von dir.«

Ellie strahlt. Sie wusste, dass sie mit Naomi recht hatte und Mary sich geirrt hat.

»Es ist signiert«, sagt sie und zeigt auf das Cover. Ihr ist bewusst, dass sie den Sieg hinnehmen und einfach weggehen sollte, aber sie möchte diesen Moment noch ein bisschen länger auskosten. Die Wärme von Naomis Lächeln, das heller scheint als tausend Sonnen.

»Wow, danke! Du bist echt cool, weißt du das?«

Ellie hat das Gefühl, ihr Grinsen könnte ihr Gesicht in zwei Teile spalten. Stundenlang hatte sie gestern Abend die Unterschriften der Bandmitglieder geübt, die sie im Internet rausgesucht hatte. Immer wieder hatte sie die Namenszüge mit dem Bleistift nachgezeichnet, dann mit dem Füller und sie schließlich auf dem T-Shirt ausprobiert. Sie sehen nicht besonders toll aus, aber Autogramme auf Stoff wirken wohl sowieso immer anders als auf Papier. Darüber hatte sie sich mit Mary gestritten. Ihre Pflegeschwester hatte sie ertappt und gefragt, was sie da machte. Als Ellie ihr erklärte, dass sie blöderweise Naomi Harper gegenüber geschwindelt hatte, sie würde jemanden aus der Band kennen, und die Autogramme fälschte, um ihr das T-Shirt zu schenken, hatte Mary lächerlich übertrieben reagiert und Ellie gesagt, dass sie keinem etwas schenken sollte, der sie so schlimm behandelt hatte, dass sie für immer ein Fußabtreter bliebe, wenn sie nicht für sich selbst einstünde, und dass Naomi sich nie ändern würde, weshalb Ellie ihr nicht trauen durfte. Ellie war erschüttert und wütend zugleich gewesen. Wie konnte Mary es wagen, so grausam zu sein? Sie hatte doch keine Ahnung, wie es war, jeden Tag allein zu sein, die Ausgestoßene. Mary hatte haufenweise Freundinnen, also was fiel ihr ein, Ellie zu sagen, sie sollte nicht mal versuchen, welche zu finden?

»Nicht der Rede wert«, sagt sie nun achselzuckend, weil sie nicht zu eifrig und auch nicht zu cool sein will. »Ich kenne bloß nicht viele Leute, die sie mögen, und da dachte ich, dir gefällt es vielleicht.«

»Ich finde es klasse.« Naomi zeigt auf einen freien Stuhl am Tisch. »Willst du dich zu uns setzen?«

Nichts wünscht Ellie sich sehnlicher, als bei ihnen zu sitzen, dazuzugehören, zu lachen und zu kichern. Einfach wieder echte Freundinnen zu haben. Aber sie hat Angst. Das lief zu perfekt, genau wie sie es sich letzte Nacht immer wieder ausgemalt hatte, als sie sich das bestmögliche Szenario vorstellte – und zwischendurch auch das schlimmstmögliche, weil sie nicht anders konnte. Und sie hatte panische Angst. Je länger sie blieb, desto größer war die Chance, dass sie etwas Blödes sagte und alles verloren wäre. Also rang sie sich ein bedauerndes Lächeln ab und schüttelte den Kopf. »Geht leider nicht«, sagt sie in ihrer coolsten Stimme. »Ich muss bei dem alten Fettsack nachsitzen. Er denkt, dass ich die Frösche im Bioraum freigelassen habe.«

»Und warst du das?«, fragt Naomi mit einem milde beeindruckten Gesichtsausdruck. Wieder zuckt Ellie mit den Schultern.

»Ich gestehe gar nichts.«

Sie war es nicht gewesen.

Naomi grinst. »Tja, danke für das T-Shirt. Vielleicht kannst du dich zu uns setzen, wenn du fertig damit bist, rebellisch zu sein und so.«

Ellie erwidert ihr Grinsen. Sie muss sich umdrehen und weggehen, denn sonst fängt sie womöglich zu weinen an.

# Kapitel 60

*Imogen*

»Ich weiß wirklich nicht, was ich sagen soll.« Florence strahlt. »Ellies Verwandlung, seit Sie hergekommen sind, ist phänomenal. Und die zusätzliche Arbeit, die Sie mit den Kindern geleistet haben, seit Hannah ...« Sie bricht ab.

»Es ist eine schwierige Zeit für alle, die sie gekannt haben«, sage ich sanft. »Aber ich bin froh, dass ich versuchen konnte zu helfen. Gibt es schon Neuigkeiten, wann Evan ...?«

Florence schüttelt den Kopf. »Ehrlich gesagt bin ich nicht sicher, ob er überhaupt zurückkommt. Die Leute in diesem Ort vergessen nicht so schnell, und sie haben recht starre Ansichten. Die Schüler, die Eltern ... sagen wir, ich hatte schon einige Beschwerden, was seine weitere Beschäftigung an dieser Schule betrifft.«

Ich runzle die Stirn. »Aus welchem Grund sollten Sie ihn denn entlassen?«

Florence schüttelt seufzend den Kopf. »Ich schätze, über das Warum oder Weshalb machen sie sich keine großen Gedanken. Sie sehen ein Unrecht und erwarten, dass es gerichtet wird. Die Tatsache, dass Hannah dort war, um Evan hinter dem Rücken ihres Mannes zu treffen, vergisst man hier nicht so leicht. Und da man nicht mehr mit dem Finger auf sie zeigen kann, wird der arme Evan wohl leider die volle Wucht der hiesigen Selbstgerechtigkeit abbekommen, solange er in Gaunt bleibt. Ich bezweifle, dass das noch lange sein wird.«

»Sind seine Frau und er noch zusammen?«

»Ich habe keine Ahnung. Er hat sich nicht mehr gemeldet, seit er uns mitteilte, dass er eine Auszeit nimmt. Sein Arzt hat ihn krankgeschrieben, und ich habe ihm gesagt, er soll sich so viel Zeit nehmen, wie er braucht. Es ist kaum einen Monat her, und ich rechne nicht so bald mit seiner Rückkehr – wie gesagt, falls er überhaupt zurückkommt.«

»Florence.« Ich weiß nicht, ob ich fragen soll, denn nach wie vor kenne ich Florence Maxwell kaum, und das Letzte, was ich möchte, nachdem sie eben erst ein Loblied auf mich gesungen hat, ist, ihr Vertrauen zu verlieren und wie eine Klatschtante dazustehen. Doch schon seit Hannahs Tod warte ich auf eine Gelegenheit, mich richtig mit der Schulleiterin zu unterhalten, und wenn ich diese Chance nicht nutze, ergibt sich vielleicht keine mehr. Florence scheint zu erahnen, was ich fragen will, und nickt zu den Sofas in der Büroecke.

»Kommen Sie«, sagt sie und bedeutet mir, mich hinzusetzen. »Wenn es ernst wird, sollten wir es uns wenigstens vorher bequem machen. Kaffee?«

»Tee bitte«, antworte ich automatisch und muss mich beherrschen, nicht meinen Bauch zu berühren. Nachdem ich es neulich Abend nicht geschafft habe, Dan etwas zu sagen, darf ich nicht riskieren, dass jemand anders etwas errät, ehe er es weiß. Ich muss den passenden Moment abwarten, um wiedergutzumachen, dass ich es ihm so lange verheimlicht habe. Ich setze mich aufs Sofa. Florence bringt mir einen Becher Tee und nimmt mir gegenüber Platz.

»Die gefällt mir«, bemerke ich und berühre die kleine Buddha-Figur auf dem Couchtisch zwischen uns. »Ich erinnere mich nicht, sie vorher schon gesehen zu haben.«

»Sie stand da drüben« Florence zeigt zu dem Regal links neben der Tür. »Ich habe sie kürzlich heruntergenommen, um sie mir anzusehen. Sie war ein Geschenk von Hannah.«

Sie sieht aus, als hätte sie Mühe, die Fassung zu wahren.

»Mir tut sehr leid, was passiert ist«, murmle ich. »Es ist mir nicht entgangen, wie nahe Sie beide sich standen.«

»Dies ist ein kleines Dorf. Wir haben zusammengearbeitet und uns auch privat getroffen. Ich gab ihr den Job hier, und wir wurden gute Freundinnen. Allerdings nicht gut genug, dass sie ...« Sie beendet den Satz nicht.

»Dass sie Ihnen von Evan erzählte?«

Florence sieht an mir vorbei und fixiert einen Punkt an der Wand. Eine klassische Bewältigungsstrategie in emotionalen Situationen. Gibt Florence sich die Schuld? Verdächtigt sie Evan Hawker?

»Ich hatte keinen Schimmer. Und hinterher erst habe ich erfahren, wie waghalsig die beiden waren. Wussten Sie, dass sie sich Nachrichten in einem Baum auf dem Schulgelände hinterließen?«

»Das habe ich gehört«, gestehe ich.

»Finden Sie das nicht ungewöhnlich riskant? Schulen sind voll von den neugierigsten Menschen, die es gibt – Teenager. Dass sie sich heimliche Botschaften an solch einer offensichtlichen Stelle hinterlegten ... Es ist, als hätten sie ertappt werden wollen.«

»Was eine Affäre so viel spannender macht als eine richtige Beziehung, von der jeder weiß, ist teils auch die Angst davor, erwischt zu werden. Menschen gehen unglaubliche Risiken ein. Sicher haben Hannah und Evan es damit gerechtfertigt, dass das Loch in dem Baum zu weit oben war, als dass die Kinder es gesehen hätten, oder dass, selbst wenn die Nachrichten gefunden würden, niemand gewusst hätte, von wem oder für wen sie waren. Es klingt viel mehr nach etwas, das Teenager tun würden, somit könnte es leicht auf Schüler geschoben werden.«

»Und dennoch hat sie jemand entdeckt, nicht wahr?«, fragt Florence leise. »Denn jemand benutzte das Versteck, um Hannah in das Gebäude zu locken. Ich habe gehört, dass Evan bei der Polizei aussagte, dort hätten sie sich regelmäßig getroffen, nur hatte er ihr nie eine Nachricht zukommen lassen, dass er sie an dem Abend treffen wollte. Sie kann aber nur aus dem Grund da gewesen sein, ihn zu treffen, also muss sie jemand hingelockt haben.«

»Es sei denn, sie wollte dort jemand anderen treffen.«

Florence wirkt entsetzt. »Ausgeschlossen. Hannah und Evan, ja, das kann ich noch gerade so glauben. Im Nachhinein denke ich, dass die beiden von Anfang an irgendwie miteinander geflirtet haben, auch wenn ich es bis heute schwer vorstellbar finde, dass jemand so Linkisches wie Evan Hawker eine Frau ins Bett locken kann, von zweien gleichzeitig ganz zu schweigen. Nein, Hannah mochte sich eingeredet haben, in Evan verliebt zu sein, um ihr Fremdgehen zu rechtfertigen, aber sie hätte unmöglich vor sich selbst rechtfertigen können, Sam gleich mit mehreren anderen Männern zu betrügen.«

Wenn sie meint. Hannah war es gelungen, ihre Freunde, ihre Familie und ihren Ehemann zu täuschen, also wer wollte sagen, ob sie nicht insgeheim süchtig nach Untreue war? Soweit wir alle wussten, könnte sie es mit der halben männlichen Bevölkerung von Gaunt getrieben haben, auch wenn dann inzwischen schon jemand etwas gesagt haben dürfte. Jeder, der etwas mit Hannah gehabt hatte, wäre ein Verdächtiger.

»Nun, falls sie geplant hatte, dort jemand anderen zu treffen, und sie überzeugt waren, dass keiner ihr Nachrichtensystem entdeckt hatte, gab es nur eine Person, die wissen konnte, dass Hannah an dem Abend in das leerstehende Haus gehen würde.«

»Meinen Sie Evan?«

»Wer kommt sonst infrage, Florence? Ich weiß, dass Sie nur das Beste von Ihrem Kollegen und Ihrer Freundin denken wollen, aber sonst müsste es einer Ihrer Schüler sein. Und das glauben Sie doch nicht im Ernst, oder?«

»Sam könnte dahintergekommen sein. Oder Veronica.«

»Evans Frau? Halten Sie einen der beiden für fähig, einen Mord zu begehen?«

»Nein«, antwortet Florence. »Andererseits denke ich auch nicht, dass es Evan war. Oder einer meiner Schüler.«

»Könnte es ein Unfall gewesen sein? Könnte sie ausgerutscht und die Treppen hinuntergestürzt sein?«

»Davon geht die Polizei aus«, sagt Florence. »Von einem Unfall. Aber niemand kann erklären, warum sie überhaupt dort war. Was zur Hölle hat sie an dem Abend in diesem Wohnblock gemacht?«

Ich zucke mit den Schultern. »Vielleicht müssen wir damit leben, dass es niemand außer Hannah je wissen wird.«

»Nein, das kann ich einfach nicht glauben. Jemand weiß es.« Florence stößt einen tiefen gekünstelten Seufzer aus, steht auf und stellt ihren Kaffeebecher auf den Tisch. »Entschuldigen Sie, dass ich Sie mit alldem belästige. Ich hatte Sie nicht hergebeten, um über das zu reden, was mit Hannah geschah. Ich habe Sie hergebeten, weil ich Ihnen sagen wollte, dass ich beantragen will, Sie zur festen Beraterin für die Schule zu machen, falls Sie einverstanden sind.«

Ich stutze. »Feste Beraterin?«

»Oh Gott, Verzeihung, ich vergesse manchmal, dass das alles neu für Sie ist.« Florence schlägt sich seitlich an den Kopf. Diese »Ich Dummchen«-Geste passt nicht zu ihr. »Wir nutzen Place2Be ziemlich regelmäßig. Die Schule hat nicht die Mittel, sich einen eigenen Psychologen zu leisten, aber um der Kinder willen wünschen wir uns eine gewisse Konstanz, und ich würde gern bei Ihrem Vorgesetzten beantragen, dass bei künftigen Anfragen Sie die erste Ansprechperson sind. Das ist ein recht gängiges Prozedere.«

Ich weiß nicht, was ich sagen soll. Nach allem, was in London war, fühlt sich dieses kleine Erfolgserlebnis wie ein wahr gewordener Traum an. »Ich … ich fühle mich geehrt.« Unwillkürlich lege ich eine Hand an meine Brust. »Sie wissen nicht, wie viel mir dieser Vertrauensbeweis von Ihnen bedeutet. Das ist wunderbar, danke.«

»Danken Sie nicht mir.« Florence strahlt ob meiner übertriebenen Dankbarkeit. »Sie sind diejenige, die sehr viel mehr für diese Schule getan hat, als sie müsste. Sie sind ein echter Gewinn. Wir brauchen hier Leute wie Sie, Imogen. Wir brauchen Sie dringender, als Sie ahnen.«

# Kapitel 61

*Ellie*

»Du glaubst nie, was mir heute passiert ist.« Ellie stürmt ohne anzuklopfen ins Zimmer, und Mary springt mit schuldbewusster Miene vom Fußboden auf. »Was machst du da?«

»Nichts«, antwortet Mary schroff, und Ellie fragt sich, ob sie immer noch sauer wegen ihres Streits vor zwei Tagen ist. »Du solltest anklopfen, ehe du bei jemandem reinplatzt. Was ist, wenn ich nackt gewesen wäre?«

Ellie wird rot. Mary war noch nie so barsch zu ihr, doch nicht mal die miese Laune ihrer Pflegeschwester kann Ellies Hochstimmung trüben. »Tut mir leid. Willst du raten?«

»Tommy Ross hat dich zum Ball eingeladen«, sagt Mary mit einem hämischen Unterton.

Ellie runzelt die Stirn. »Wie?« Ungeduldig schüttelt Mary den Kopf.

»Egal. Was ist passiert?«

»Ich habe Naomi Harper das T-Shirt geschenkt, und sie hat gesagt, dass ich cool bin. Ich! Ich glaube, so viel hat noch nie einer an der Schule mit mir geredet, außer um fies zu sein. Und sie hat mich gefragt, ob ich mich beim Mittagessen zu ihr setze. Zu. Ihr. Setze! Weißt du, was das bedeutet?«

Ellie verstummt, als sie bemerkt, wie unglücklich Mary aussieht. »Was?«

Mary seufzt und reibt sich mit der Hand übers Gesicht. Für einen Augenblick sieht sie viel jünger aus, als sie ist, und Ellie hat sie noch nie so verletzlich gesehen wie jetzt.

»Was?«, fragt sie erneut, nun mit einem Anflug von Panik. »Was ist los, Mary?«

»Nichts, Els. Versprich mir einfach eines, okay?«

»Du machst mir das nicht kaputt, oder? Bitte, sag mir nicht, dass die Einzige, die nett zu mir ist, seit ich hier bin, mich reinlegen will, denn das würde ich dir sowieso nicht glauben.«

Mary treten Tränen in die Augen. »Die Einzige, die nett zu dir ist? Bin ich nicht nett zu dir? Bin ich nicht die beste Freundin, die du hier hast? Ich habe auf dich aufgepasst – und passe jetzt auf dich auf! Und ich bitte dich bloß, mir zu vertrauen und Naomi Harper nicht blind zu glauben. Bitte, Ellie, du darfst ihr nicht trauen! Ich verlange nicht mal, dass du nicht mit ihr befreundet bist, denn ich möchte ja, dass du Freundinnen hast. Ich sage nur, dass du vorsichtig sein musst.«

Aber Ellie ist erst elf, und obwohl sie sich manchmal Jahrzehnte älter fühlt, wünscht sie sich nichts sehnlicher, als Freundinnen zu finden und nicht vorsichtig sein zu müssen.

»Tut mir leid. Natürlich bist du die beste Freundin, die ich hier habe. Bist du immer noch, und die beste Schwester, die ich mir wünschen kann. Aber keiner überlebt die Schule mit nur einer Freundin, und du bist nicht mal in meiner Stufe. Ich habe niemanden in meiner Klasse. An manchen Tagen bin ich so einsam, dass ich den Kantinenfrauen beim Aufräumen helfe, nur damit ich mit jemandem reden kann. Und jetzt muss ich das vielleicht nicht mehr.« Ihr rinnen Tränen über die Wangen. »Und ich will doch so gerne normal sein.«

Mary stößt einen Stapel Bücher von ihrem Bett auf den Boden, als sie quer durch das Zimmer auf Ellie zukommt und sie in die Arme nimmt. Ellie lehnt den Kopf an Marys Schulter und schluchzt in deren Schulpullover. Mary streicht ihr übers Haar und flüstert ihr ins Ohr.

»Schhh, schhh, ist ja gut. Alles okay, Ellie-Maus. Ich wollte doch nur auf dich aufpassen, aber ich sehe, wie sicher du bist, dass Naomi nett ist. Und ich finde es klasse von dir, dass du ihr trotz allem vertrauen willst. Vielleicht täusche ich mich in ihr.«

Ellie lächelt zaghaft. »Warte, ich räume das für dich auf.« Sie greift nach unten, um die Bücher vom Boden neben dem Bett aufzuheben, doch Mary fährt zusammen, als hätte sie einen Stromschlag bekommen.

»Nein!«, schreit sie, und sofort zieht Ellie ihre Hand zurück. Unter dem Bett lugen Blätter hervor, und Ellie zieht eines heraus.

»Was ist das?«

Mary sieht kreuzunglücklich aus, als Ellies Blick über die A4-Blätter wandert. Sie sind verknittert, und oben und unten ist Klebeband, als hätten sie irgendwo gehangen und wären abgerissen worden. Ellies Bauch verkrampft sich, als sie die grobe Zeichnung von einem kleinen Mädchen mit einer Pfütze zu ihren Füßen sieht und *Smellie-Ellie stinkt nach Pisse* liest. »Mary?«

Seufzend sinkt Mary neben Ellie auf den Boden und legt einen Arm um sie.

»Ich habe die vorhin von der Bushaltestelle abgerissen, bevor du aus der Schule gekommen bist. Ich habe alle weggenommen, die ich finden konnte, und ich glaube, so viele hatten sie noch nicht gesehen.«

Ellie blättert den Stapel durch. Es sind insgesamt zehn Blätter, alle gleich. »Glaubst du, das war Naomi?«

»Das dachte ich«, gesteht Mary. »Aber wenn du sagst, dass sie so nett war, kann sie es nicht gewesen sein. Ich wollte nicht, dass du sie siehst, Els. Es tut mir so leid.«

Ellie sitzt schweigend da, starrt das Bild an, kann den Blick nicht davon abwenden. Es ist eine kindliche Zeichnung, aber eindeutig Ellie, und ihr Name steht da. Wer das geschrieben hatte, malt kleine Herzen anstelle von i-Tüpfeln, und Ellie weiß, dass Naomi es tut. Sie hat die Kritzeleien in ihren Schulheften gesehen, die kleinen Herzen über jedem i, und erinnert sich, dass sie dachte, es müsste das Schreiben wahnsinnig langsam machen. Zugleich hatte sie sich gewünscht, sie wäre cool genug, um das zu tun. Was jedoch nichts bedeutete. Jeder könnte Herzen über einem i malen, damit es aussieht, als hätte Naomi das Bild gezeichnet. Allerdings erinnert Ellie sich an den Tag in der Stadt, an Naomis Worte *Jeder nennt dich Smellie-Ellie* und daran, dass sie es eigentlich noch nie von jemand anderem gehört hatte. Und im Geiste sieht sie Naomis Freundinnen vor sich, die sie festhalten, während das andere Mädchen ihr Pisse in die Hose kippt. Das war geplant gewesen. Sie stellt sich vor, wie sie den Behälter mitgebracht hatten, wie sie zur Toilette gegangen waren und eine von ihnen hineingemacht hatte und dabei über Ellie gekichert hatten, die nach Pisse stinkt. Wie konnte sie so blöd gewesen sein? Wie konnten ein paar nette Worte genügen, um jene Bilder auch nur vorübergehend aus ihrem Kopf zu verdrängen?

»Das war sie«, flüstert Ellie. Sie weiß es so sicher, wie sie überhaupt etwas wissen kann. Und sie fragt sich, was passiert wäre, hätte sie sich mittags an Naomis Tisch gesetzt. Hatte sie aus lauter Feigheit unbewusst einen weiteren Witz auf ihre Kosten verhindert? Sie war dumm zu glauben, dass sie in einem Ort wie Gaunt jemals Freundinnen finden würde; einem Ort, der Außenseiter zerkaute und in den Rinnstein spuckte. Einem Ort, der ihr unterstellte, böse zu sein, und der doch selbst das schwärzeste Herz von allen hatte. »Sie will nicht meine Freundin sein«, murmelt Ellie. »Das wollte sie nie. Keiner will es.«

Mary drückt ihre Schulter. »Du findest Freundinnen, Ellie, versprochen. Du musst nur aufpassen, wem du traust. Du bist so nett, dass du das Beste von jedem denken willst, aber du musst ein bisschen härter werden. Zeig ihnen, dass sie dich nicht so behandeln können, sonst machen sie damit weiter, solange du hier bist.«

»Damit lasse ich sie nicht durchkommen«, beteuert Ellie. Ihre Stimme ist so angespannt, dass sie beinahe fremd klingt. »Ich werde ihr zeigen, dass sie nicht so mit Leuten umgehen kann. Der werde ich es zeigen, Mary. Ich werde es ihnen allen zeigen.«

# Kapitel 62

*Ellie*

Wie immer ist Ellie als Erste im Klassenraum. Die Kinder aus dem Überlandbus sind wegen des engen Fahrplans immer früh in der Schule. Für sie gibt es keine Zwischenstation beim Laden, um das Essensgeld für Zigaretten oder Red Bull auszugeben, damit sie cool wirken, kein Verschlafen und Auf-den-letzten-Drücker-in-die Klasse-stürmen. Ellie ist gerne die Erste in der Klasse, weil es bedeutet, dass niemand sie anstarrt, wenn sie reinkommt. Sie kann sich hinsetzen und in ihrem Buch lesen, und alle anderen können kommen und sie ignorieren, als wäre sie gar nicht da. Heute ist es nicht anders als sonst.

Die Klasse füllt sich nach und nach. Kinder kommen zu zweit oder zu dritt und reden darüber, was sie gestern Abend gemacht haben, was sie im Fernsehen gesehen oder wer wem getextet und was gesagt hat. Bald wird überall geredet, und Ellie hat weder gesprochen, noch wurde sie angesprochen.

Naomi Harper kommt als eine der Letzten. Ihr Haar ist auf diese »Eben aus dem Bett«-Art zerzaust, für die sie wahrscheinlich eine Stunde gebraucht hat, und sie ist ein bisschen geschminkt. Ihre Schultasche trägt sie nicht auf diese unangenehm gekrümmte Weise von jemandem, der unsichtbar sein möchte, sondern als handelte es sich um eine teure Handtasche. Und mit jedem Schritt lenkt sie die Aufmerksamkeit aller auf sich. Die anderen Kinder begrüßen sie wie eine Berühmtheit, und als Ellie nachgibt und aufsieht, blickt sie ihr versehentlich in die Augen. Naomi schenkt ihr ein leichtes Lächeln, bei dem Ellie noch gestern warm ums Herz geworden wäre und sie neue Hoffnung geschöpft hätte. Heute jedoch befeuert es nur die Wut in ihrem Bauch.

Naomi setzt sich an ihren üblichen Platz weit vorne und dreht sich wie immer gleich nach hinten, um mit den beiden Mädchen hinter sich zu reden. Ellie beobachtet sie so verstohlen wie möglich – ICH HASSE DICH ICH HASSE DICH ICH HASSE DICH –, als sie das Haar nach hinten wirft und kokett kichert. Sie holt etwas aus ihrer Schultasche, und Ellie erkennt, dass es das T-Shirt ist, das sie ihr gestern geschenkt hat. Bevor sie wusste, wie Naomi wirklich war. Die Mädchen um sie herum sagen »Ooh« und tun interessiert, nehmen das T-Shirt, halten es in die Höhe und reichen es weiter. Naomi lächelt, sagt etwas und zeigt zu Ellie, und alle blicken in ihre Richtung. Naomi hebt eine Hand, und Ellie wendet den Blick ab, gibt vor, nichts mitzubekommen.

DU HAST VERDIENT, WAS DIR BLÜHT, NAOMI HARPER!

# Kapitel 63

*Ellie*

Naomi hat Ellie nicht wieder gefragt, ob sie gemeinsam zu Mittag essen wollen, also setzt Ellie sich an einen Tisch in der Nähe. Sie hat keine weiteren von Naomis Postern in der Schule gefunden, obwohl sie danach gesucht hat. Die, die Mary an der Bushaltestelle fand, könnten die einzigen gewesen sein, auch wenn Ellie das bezweifelt. Irgendwo warten sie, pflastern die Wände in der Bibliothek oder der Turnhalle, irgendwo, wo Ellie mit der gesamten Klasse hineingehen und sie sehen wird. Jedes Mal, wenn Ellie es sich vorstellt, fühlt sie förmlich, wie das Blut unter ihrer Haut kocht. Sie malt es sich jetzt aus: Naomi, die in die Turnhalle geht und lachend hinzeigt; die ganze Klasse, die Ellie anglotzt und sich krümmt vor Lachen, bis sich die Plakate von selbst von den Wänden lösen, sich von dem Klebeband befreien, als würden sie lebendig, auf Naomi und ihre gackernden Freundinnen zufliegen, sich um ihre Gesichter wickeln, zu Kugeln knüllen und in die Kehlen der blöden, hohlköpfigen Harperettes und ihrer bösen Königin rammen.

Jetzt ist Ellie von oben bis unten heiß. Das Blut, das durch ihre Adern pumpt, ist zähe, heiße Lava und pulsiert als *Poch-Poch-Poch* in ihren Ohren, sodass sie das Kichern und das ununterbrochene Geplapper der blöden Mädchen und das Johlen der Jungs ebenso wenig hören kann wie das Brüllen der Lehrer, sie sollen sich anständig hinsetzen oder in der Reihe bleiben. Alles verblasst zu einem gedämpften Hintergrundrauschen.

Die Lichter in der Schulhalle flackern, und alles wird schwarz.

# Kapitel 64

*Ellie*

Überall im Speisesaal wird geschrien. Ellie hat die Augen vor der Dunkelheit verschlossen. Sie fühlt, dass etwas Schlimmes geschieht, doch sie hat keine Angst. Es ist nicht hinter ihr her. Das Schlimme kommt geradewegs durch die Dunkelheit, wird immer stärker, und Ellie spürt es fast so deutlich, als wäre sie es selbst. Vielleicht ist sie es. Vielleicht ist es Teil von ihr. Sie konzentriert sämtliche Energie, die sie besitzt, und richtet sie auf Naomi Harper und deren Freundinnen.

Die Lehrer schreien, dass die Kinder sich beruhigen sollen. Ellie öffnet die Augen und sieht, wie sie an den Schnüren der dicken Vorhänge ziehen, hinter denen die hohen Fenster des Saals sind. Waren die vorhin auch schon geschlossen? Oder hat Ellie das ebenfalls gemacht? Als sie sich zu erinnern versucht, wie der Saal ausgesehen hatte, bevor das Geschrei losging, kann sie nur helles künstliches Licht sehen. Wären irgendwem die Vorhänge aufgefallen, die das natürliche Licht aussperrten? Manchmal schlossen die Lehrer sie für Theaterproben, um die Beleuchtung für eines der vielen Stücke zu testen, die auf der Bühne aufgeführt wurden. Vielleicht hatte einer von ihnen vergessen, sie wieder aufzuziehen.

Keiner hat vergessen, sie aufzuziehen. Du warst das. Du hast gewusst, dass das passiert …

Tageslicht flutet den Saal, als die schweren Vorhänge langsam zurückgleiten. Die Schreie sind inzwischen einem aufgeregten Stimmengewirr und den Ermahnungen der Lehrer gewichen, die versuchen, einen Saal voller aufgedrehter Teenager zu bändigen. So etwas Aufregendes hatte es an der Gaunt High School noch nie gegeben, und Ellie hört die wildesten Spekulationen um sich herum, wie die Lichter ausgegangen waren, warum die Vorhänge geschlossen waren. Doch ihr Blick fixiert den einen Tisch, an dem die Schreie nicht verstummt sind.

»Miss! Miiisss!« Eine von Naomis Freundinnen ist aufgesprungen und fuchtelt verzweifelt mit den Armen in Richtung einer Gruppe von Lehrern. Zwei andere bücken sich, beugen sich über Naomi, die regungslos auf dem Parkett liegt.

Innerhalb von Sekunden scharen sich Lehrer um Naomi, doch zuvor kann Ellie noch einen Blick auf das Mädchen erhaschen, das auf dem Boden liegt, als würde es mitten im Chaos ein Nickerchen machen.

Als würde Miss Maxwell ihren Blick auf Naomi und das Durcheinander um sie herum fühlen, sieht sie nicht mehr zu den anderen Kindern, sondern blickt Ellie direkt in die Augen. Ellie, die nicht schreit oder hysterisch wird. Die alles aufmerksam beobachtet. Miss Maxwells Züge verdunkeln sich vor Furcht, und etwas in ihr treibt sie an, aktiv zu werden.

»Schaff die Kinder hier raus«, befiehlt sie einer anderen Lehrerin, eine Kunstlehrerin, deren Namen Ellie nicht kennt. »Und ruf einen Krankenwagen.«

Eine von Naomis Freundinnen weint, schluchzt auf die typisch laute vorpubertäre Art. Eine andere murmelt immer wieder etwas vor sich hin, und Ellie strengt sich an, es zu verstehen. Sie kostet jedes bisschen Vergnügen aus, das ihr dieses Durcheinander bietet. Hatte sie nicht gesagt, dass sie bezahlen würden? Hatte sie Mary nicht versprochen, dass Naomi Harper leiden würde? Und nun war es so weit. Sie schrien, schluchzten und hatten Angst, und dabei hatte Ellie so gut wie nichts getan. Es sich schlicht nur vorgestellt. Sicher, es ist nicht so unterhaltsam, wie sie es sich ausgemalt hatte. Da ist kein tanzendes Papier, das Naomi und den Harperettes das Leben austreibt; dennoch hat Ellie erreicht, was sie sich vorgenommen hatte.

Sie kann immer noch nicht hören, was das Mädchen sagt, aber ihre Lippen lesen. »Ihr Haar«, sagt sie immer wieder. »Was ist mit ihrem Haar passiert?«

Und in letzter Sekunde, unmittelbar bevor Ellie von der Kunstlehrerin, deren Name keine Rolle spielt, aus dem Saal gescheucht wird, kann sie Naomis Haar auf dem Boden sehen. Es fächert sich um ihren Kopf, ist aber nicht mehr mit ihm verbunden. Auf ihrem regungslosen Schädel sind nur noch kurze Büschel übrig, die komisch abstehen.

Nicht schlecht, denkt Ellie lächelnd. Wirklich nicht schlecht.

Die Lehrer wissen nicht, was sie mit ihnen anfangen sollen. Die ganze Schule ist so aufgedreht von dem, was im Speisesaal geschehen war, dass die Schüler praktisch unkontrollierbar sind. Niemand weiß, ob Naomi lebt oder tot ist, wie das passieren konnte oder warum. Aber Ellie weiß, wie, und Ellie weiß warum, und als sie sich während des Aufruhrs davonstiehlt, bemerkt nicht mal jemand, dass sie fort ist. Wie üblich.

Ellie öffnet ihre Tasche und schaut hinein. Sie lächelt, als sie genau das sieht, was sie erwartet hatte. Die Schere liegt auf ihren Büchern und blitzt böse auf, als wolle sie sagen: »Wir haben es getan, Ellie. Du und ich. Wir haben es ihr gezeigt.«

Sie geht schnell und entschlossen, hat ihre Ausrede bereits parat, sollte sie jemand außerhalb des Schulgeländes erwischen. *Ich hatte Angst. Ich hatte Angst, dass das, was Miss Gilbert getötet hat, uns alle umbringen will.* Diese Ausrede birgt eine köstliche Ironie: Was Hannah Gilbert getötet hat, will sie alle holen, und Ellie ist die Einzige, die es weiß.

Als sie an ihrem Ziel angelangt ist, greift Ellie in ihre Tasche, zieht die Schere heraus, wischt sie rasch an ihrem Ärmel ab und lässt sie durch den Gully fallen.

# Kapitel 65

*Imogen*

Ich betrachte das Raster, dessen einzelne Quadrate immer größer zu werden scheinen, je länger ich hinsehe. Eins, zwei, drei, vier, fünf, sechs, sieben, acht, neun … neun Wochen seit meiner letzten Periode. Das heißt, mir bleiben noch drei Wochen bis zu meinem ersten Ultraschall, und ich habe Dan immer noch nichts von dem Baby gesagt. Einmal war ich so kurz davor gewesen, bis das Festnetztelefon zu klingeln anfing und es Ellie war, die den Zauber brach, unter dem ich gestanden hatte. Dort in der kleinen Kammer hatten mich all meine Befürchtungen und meine Unsicherheit wieder eingeholt, und als Dan noch mal fragte, wie er zu dem besonderen Essen kam, hatte ich gestammelt, es wäre nur, weil ich ihn liebte. Vielleicht wird es immer so sein, werde ich ständig schwanken zwischen dem Wunsch, unser Baby zu bekommen und zu lieben, und der entsetzlichen Angst davor, ein winziges Leben beschützen zu müssen und es gründlich zu versauen. Haben alle Schwangeren solche Angst? Falls ja, ist es ein Wunder, dass die Menschheit nicht längst ausgestorben ist.

»Ich habe jetzt Zeit für Sie«, reißt mich Edwards Stimme aus meinen Gedanken, und ich bin dankbar für die Ablenkung. Florence Maxwell hatte mich gestern angerufen und um Hilfe bei einem großen Zwischenfall an der Schule gebeten. Die Polizei war gerufen worden, und ein Kind musste ins Krankenhaus gebracht werden. Mich hatte nicht einmal besonders überrascht, welches Kind es war. Naomi Harper. Ich war in die Schule geeilt, um mit den betroffenen Kindern zu sprechen –

abgesehen von Naomi natürlich, die noch wegen ihrer Kopfverletzungen behandelt wurde. Ellie hatte nicht auf der Liste der Schüler gestanden, die den Lehrern zufolge Hilfe bräuchten. Und mir war zwischen den Gesprächen keine Zeit geblieben, nach ihr zu suchen. Allerdings hatte ich Mary gesehen, als ich den Beratungsraum kurz verließ, um zur Toilette zu gehen.

»Mary!«

Sie hatte beinahe einen Satz gemacht, als sie meine Stimme hörte, und drehte sich um. »Ach, Sie sind es.«

»Hast du Ellie gesehen? Geht es ihr gut?«

Mary runzelte die Stirn. »Sie ist im Unterricht. Warum soll es ihr nicht gut gehen? Sie ist doch die ...« Sie kniff die Lippen zusammen.

»Sie ist doch die was, Mary? Meinst du, dass sie etwas hiermit zu tun hatte?«

Mary sah mich an, und Enttäuschung spiegelte sich auf ihrem jugendlichen Gesicht. »Ich wollte sagen, dass sie die Einzige ist, um die wir uns heute keine Sorgen machen müssen. Und nicht, weil sie das war, sondern weil sich die gemeinen Ziegen heute ausnahmsweise von ihr ferngehalten haben.« Sie sah mich streng an. »Ich dachte, Sie seien auf ihrer Seite. Ich dachte, Sie glauben ihr.«

»Das tue ich.« Ich hatte mich für meine Dummheit verflucht. Es war eine Sache, privat Zweifel zu hegen, aber eine völlig andere, es die Kinder merken zu lassen. »Es ist nur, weil es Naomi ist ... und Ellie so zerbrechlich ist. Ich war mir nicht sicher, ob Naomi sie diesmal zu weit getrieben hat.«

»Naomi hat gekriegt, was sie verdiente. Und falls Ellie irgendwas gemacht hat, tja, dann kann ich es ihr nicht verdenken.«

Zum ersten Mal deutete Mary leise an, dass Ellie etwas mit alldem hier zu tun haben könnte, und mir blieb keine Zeit, dem direkt nachzugehen. Nun frage ich mich, ob ich nicht genauer hätte nachfragen müssen.

»Imogen?« Edwards Stimme holt mich zurück in das kleine Büro. »Verraten Sie mir, wie es gestern in der Gaunt High School lief? Ich hatte einen Termin mit der Schulleiterin, aber den mussten wir mehrmals verschieben. Natürlich habe ich gehört, was passiert ist. Ist alles okay?«

Ich denke an die Unterhaltung in Florence Maxwells Büro vor einigen Tagen, als sie mir sagte, dass ich ein echter Gewinn für die Schule wäre und sie mich als »feste Beraterin« wünschte. Empfindet sie nach dem, was gestern geschehen war, immer noch so? Es ist blöd von mir, zu denken, dass es irgendwie meine Schuld war – Place2Be ist da, um Schülern zu helfen, mit ihnen zu reden und ihnen die Unterstützung zu geben, die sie brauchen, nicht, über Nacht sämtliche Gewalt und Schikane auszumerzen. Trotzdem werde ich das Gefühl nicht los, dass ich dies hier hätte kommen sehen müssen, dass meine engstirnige Ansicht zu Ellie mit zu dem beigetragen hat, was Naomi zugestoßen ist.

Ich schlucke nervös. Sicher geht nur meine Fantasie mit mir durch. Ich lasse mein Urteilsvermögen von dem Druck dessen trüben, was letztes Mal passierte, als ich mich irrte. Ellie Atkinson ist ebenso wenig der Teufel, wie ich Mutter Teresa bin. Als die Vorhänge im Speisesaal aufgezogen wurden, hatte Ellie an derselben Stelle gesessen wie Minuten zuvor. Sie hatte nichts hiermit zu tun. Offensichtlich hat Naomi in diesem Jahr mehr als nur eine Mitschülerin gegen sich aufgebracht.

»Soweit mir bekannt ist, ist Florence mit meiner bisherigen Arbeit an der Schule sehr zufrieden. Der Zwischenfall gestern hat nichts mit Ellie zu tun. Alles scheint sich bestens zu entwickeln. Ich glaube nicht, dass es irgendeinen Grund zur Sorge gibt.«

## Kapitel 66

*Ellie*

Ellie bewegt sich schnell durch den Wald, streckt hier und da eine Hand aus, um sich an der kalten Rinde der dicken Eichen abzustützen. Das Licht in diesem Teil des Waldes ist von den dichten Zweigen über ihr gedämpft, obwohl sie kaum noch Laub tragen. Sie ist allein auf dem Weg, Mary zu treffen, aber sie hat keine Angst. Zweige knacken unter ihren Füßen, und sie hört immer mal wieder das Rascheln von Vögeln, die in den Bäumen über ihr landen. Ihre Beine sind nicht so schnell, wie sie es gerne hätte, und zu ihrer Lichtung scheint es eine Million Meilen weiter als das letzte Mal, als Mary sie mit hergenommen hatte. Mary will ihr etwas zeigen. Sie hat Mary den ganzen Tag noch nicht gesehen, wartet schon, seit sie mittags die Textnachricht bekam, und ist hergerannt, sobald die Schule aus war. Sie weiß genau, welche Lichtung Mary meint. Sie waren schon Dutzende Male hier. Der dickste und größte Baum des Waldes steht in der Mitte der Lichtung. Hier ist es heller.

Mary ist noch nicht da. Das macht nichts. Sie ist immer zu spät. Doch der Baum sieht anders aus. Der Stamm unten ist umgeben von Zweigen. Etwas ist um ihn herum aufgehäuft. Ellie überlegt, woran es sie erinnert, kann das Bild aber nicht recht greifen, das ihr Gehirn ihr zeigen will. Auf einer Seite der runden Lichtung ist ein Baumstumpf. Dort setzt Ellie sich hin, holt ihr Telefon aus der Tasche und schreibt an Mary.

*Wo bist du?*

Es spielt eigentlich keine Rolle. Sie hat keinen Grund, sich zu fürchten. Und Ellie mag es hier. Es ist ruhig und friedlich, und niemand stört sie, wenn sie zum Spielen herkommen. Manchmal fühlt es sich wie ein besonderer Ort nur für sie beide an, als wären sie die einzigen Menschen auf der Welt, die von seiner Existenz wissen. Es wirkt, als würden die Bäume hier absichtlich nicht wachsen, als hätten sie diesen Platz eigens für Ellie und Mary freigelassen, umfingen sie, schlossen sie ein, schirmten sie gegen die Welt ab.

Ellie hört ein Geräusch aus dem Wald. Endlich! Ihr Herz klopft schneller vor Spannung. Was will Mary ihr zeigen? Sie mag die Vorstellung, dass es etwas Besonderes ist, das nur sie beide teilen. Ihr gefällt es, besonders für jemanden zu sein, vor allem für Mary.

Eines nach dem anderen kommen die Kinder um sie herum aus dem Wald, und plötzlich hat Ellie doch Angst. Einige von ihnen kennt sie aus der Schule, andere hat sie noch nie im Leben gesehen. Sie bewegen sich im Gleichschritt auf die Lichtung, quellen aus dem Wald wie eine Flüssigkeit, nicht wie gehende Menschen. Und sie alle starren Ellie an, ausnahmslos. Ellie blickt von ihnen zu dem Baum, und jetzt weiß sie, woran sie das Bild erinnert. Die Art, wie die Zweige und Holzstücke um den Stamm herum aufgestapelt sind ... es sieht aus wie für ein großes Lagerfeuer.

Ein Mädchen tritt vor, löst sich aus der Menge, und eine herrliche Sekunde lang denkt Ellie, es ist Mary, dass sie nichts zu befürchten hat, weil ihre Schwester hier ist und diese anderen nur gekommen sind, um ebenfalls zu sehen, was hier los ist. Aber es ist nicht Mary. Es ist Naomi Harper.

Naomi sieht nicht wütend aus oder als sei dies hier ein Streich. Sie wirkt nicht, als hätte sie Spaß, als handele es sich um irgendeinen Scherz. Ihr Haar ist vollständig kurz geschnitten, offensichtlich so stilvoll, wie es die Friseurin ihrer Mutter hinbekommen konnte, und dass man an einer Stelle die Kopfhaut sieht, beschert Ellie ein leichtes wohliges Kribbeln. Naomi Harper hat keine Ahnung, worauf sie sich einlässt.

»Was ist los?« Ellies Stimme zittert nicht. Sie weiß, was geschehen wird, wenn sie es will. Sie weiß, dass sie die Situation kontrolliert, ganz gleich, wie selbstsicher Naomi aussieht. »Geh weg.«

Das Mädchen tritt vor und zeigt auf sie. »Packt sie.«

Zwei weitere Kinder bewegen sich vorwärts, Jungen diesmal. Ellie erkennt einen von ihnen wieder. Er ist aus ihrer Stufe, erst elf Jahre alt und macht in der Schule nie den Mund auf. Ellie blickt sich um, erkennt noch mehr Gesichter. Wie viele Kinder sind hier? Vierzig? Fünfzig? Genug, um all dies auf einmal sehr real und sehr beängstigend zu machen. Reiß dich zusammen, Ellie. Sie können dir nichts tun.

»Fasst mich nicht an!«, sagt sie, aber sie kommen weiter auf sie zu. Einer der Jungen packt grob ihren Arm und zieht sie nach oben.

»Wer hat das Seil?« Die Menge bewegt sich, und Naomi wird eines in die ausgestreckten Arme gelegt. Ellie konzentriert all ihre Wut auf die beiden Jungen, die sie festhalten, stellt sich vor, wie sie rückwärtsfliegen, mit einem dumpfen Knall gegen die Bäume, oder in Flammen aufgehen und schreiend durch den Wald rennen. Nichts geschieht. *Streng dich an!*

»Was habt ihr vor?«, fragt Ellie halb ängstlich, halb neugierig. Sie hat noch nie erlebt, dass Kinder sich so verhalten. Und ein Teil von ihr möchte wissen, ob sie das hier tatsächlich durchziehen wollen.

»Wir wissen, dass du es warst, die mich neulich in der Schule angegriffen hat. Und wir wissen, dass du Miss Gilbert umgebracht hast.«

»Habe ich nicht«, erwidert Ellie. »Ich habe dich nicht angerührt. Und Miss Gilbert ist gestürzt. Jeder weiß, dass sie gestürzt ist.«

»Sie wurde gestoßen«, kontert das Mädchen. »Du hast sie gestoßen.«

»Ich war nicht mal in ihrer Nähe! Ich war nicht mal in der Nähe des Hauses. Ich war … ich war …« Ellie bricht ab. Sie weiß nicht, wo sie war, oder? Alles, woran sie sich erinnert, sind die Schreie, diese entsetzlichen Schreie und wie sie im Garten aufgewacht ist. Hatte sie Hannah Gilbert getötet? Hatte eines dieser Kinder sie gesehen? Sind sie deshalb hier? Um sich zu rächen?

»Siehst du? Du kannst es nicht leugnen.« Das Mädchen zeigt mit dem Finger auf sie. »Wir alle wissen, was du bist, Ellie Atkinson. Wir wissen alle, dass du eine Hexe bist. Du musstest nicht in Miss Gilberts Nähe sein, um sie umzubringen.« Naomi kommt jetzt näher, nahe genug, um Ellie zu berühren. Sie streckt einen Arm vor und packt eine Hand voll Haar von Ellie. Der Junge lässt ihren Arm los, und Naomi zerrt sie nach vorn. Ellie stolpert, fällt und landet auf den Knien auf der Erde. Schmerz schießt seitlich durch ihren Kopf, als sie zu Boden fällt, denn Naomi hat ihr Haar nicht losgelassen. *Steh auf. Vernichte sie. Du weißt, dass du es kannst.* Nun drückt sie Ellies Gesicht in den Schmutz, beugt sich zu ihr und zischt ihr ins Ohr: »Und du weißt, was mit Hexen passiert, nicht, Ellie? Die werden auf dem Scheiterhaufen verbrannt.«

Ellie öffnet den Mund, um zu schreien, doch der zweite Junge klatscht ihr seine Hand auf den Mund. »Denk nicht mal dran, zu schreien.« Er grinst sie an. »Keiner kann dich hören.«

Die Gruppe, die sie beobachtet, scheint in einer Art Trance zu sein. Einzig Naomi und die beiden Jungen bewegen sich, ziehen Ellie auf die Beine und hinüber zu dem großen Baum.

Einer der Jungen stößt sie dagegen, und sie fühlt, wie die Rinde ihr die Arme und den Rücken aufschürft. Sie stellt sich vor, wie sie wegläuft und sich in Sicherheit bringt. Doch immer noch geschieht nichts. Hat die Gabe sie verlassen? Ist sie jetzt nur ein gewöhnliches Mädchen? Normal und wehrlos?

»Hier.« Das Mädchen wirft einem der Jungen etwas zu, und er fängt es, öffnet die Hand und bekommt große Augen.

»Wofür ist der?«

»Damit sie still ist, bist du doof?« Naomi beginnt, durch die Seile zu streichen, nach einem Ende zu suchen, und der Junge schüttelt langsam den Kopf. »Ich weiß nicht, Naomi«, sagt er gedehnt. »Das ist irgendwie schrecklich. Ich meine, wollen wir ihr den wirklich in den Mund stopfen?«

»Ach, um Gottes willen, halt du sie fest, und ich mach das!« Naomi nimmt dem Jungen das Ding aus der Hand und marschiert auf den Baum zu, an dem Ellie steht. Ihre Beine zittern.

»Aufmachen«, befiehlt Naomi.

Ellie sieht sie verständnislos an. »Was aufmachen?«

Naomi schnaubt. »Mach deinen dämlichen Mund auf«, antwortet sie. Ellie sieht jetzt, was sie in der Hand hat. Es ist ein Tennisball mit einem Loch in der Mitte, durch das ein Stoffstreifen gefädelt ist. Ellie kneift den Mund zu und schüttelt den Kopf.

Naomi drückt ihre Nase grob zusammen, bis Ellie so dringend atmen muss, dass sie glaubt, ihr Kopf würde explodieren. Und kaum ringt sie nach Luft, rammt Naomi ihr den Tennisball in den Mund und verknotet den Stoffstreifen an ihrem Hinterkopf. Ein stummer Schrei des Entsetzens kommt von der Menge. Jemand, Ellie ist nicht sicher, wer, ruft.

»Naomi, bist du sicher? Sie hat nicht gesagt ...«

»Halt die Klappe«, fährt Naomi sie an. »Sie hat mich angegriffen! Sie hat Miss Gilbert umgebracht. Wollen wir sie damit davonkommen lassen? Wenn kein Erwachsener irgendwas tun will, müssen wir sie stoppen. Jemand muss das stoppen. Wir können keine Hexen in Gaunt haben.«

»Sie hat recht«, ruft ein anderes Kind. »Meine Mum sagt, an ihr ist was komisch. Meine Mum sagt, sie hatte was damit zu tun, dass Miss Gilbert überhaupt in dem Haus war.«

Es ist sinnlos, widersprechen zu wollen. Ellie kann nur den Kopf schütteln, und selbst wenn sie reden könnte, würden diese Kinder ihr nicht zuhören wollen. Ihre Angst wächst, doch es nimmt auch etwas anderes zu … ihre Wut. Hier wird etwas Schlimmes passieren.

Ellie kann nur schwer an dem Tennisball vorbeiatmen, den Naomi ihr in den Mund gestopft hat. Ihre Tränen fließen weiter, und nun geht ihre Nase zu. Wenn sie nicht bald aufhört zu weinen, wird sie ersticken. Sie versucht, den Tennisball mit der Zunge wegzudrücken, doch der bleibt, wo er ist.

»Bindet sie an den Baum«, befiehlt Naomi.

Ellie schreit und wehrt sich gegen die Jungen, wirft die Arme wild umher. »Jetzt hilf ihnen doch mal jemand«, ruft eine Stimme, und Naomi zerrt einen anderen Jungen aus der Menge, die sie in Richtung der anderen schiebt. Ihn erkennt Ellie sofort. Tom Harris. Sie sieht zu ihm auf, fleht ihn mit ihren Blicken an, dies hier zu beenden. Doch Tom sieht sie mit einer Mischung aus Furcht und Wut an, schüttelt den Kopf und nimmt die Seile auf.

»Du hast dir das selbst eingebrockt, Ellie. Warum konntest du Miss Gilbert nicht in Ruhe lassen?«, zischt er, gibt das Seilende einem der Jungen und hält sie fest, ehe er einmal mit dem Seil um den Baum geht und es um Ellies Oberkörper wickelt, bis ihre Arme und ihre Brust fest an den Baum gedrückt sind.

»Mach einen Knoten«, sagt Naomi.

»Wie soll ich den denn machen?«, fragt Tom, der fast wütend klingt. »Ich bin kein bescheuerter Pfadfinder.«

Eine Sekunde lang denkt Ellie, dass sie vielleicht aufgeben. Dass die Tatsache, dass keiner von ihnen einen richtigen Knoten binden kann, diesem lächerlichen Blödsinn ein Ende bereiten wird. Dann schüttelt Naomi wieder den Kopf und nimmt Tom sein Seilende ab. Ellie beobachtet, wie sie es gekonnt durch die anderen Stränge webt, und mit jedem Knoten wird das Seil strammer. Als sie fertig ist, grinst Naomi die Jungen spöttisch an und tritt vor Ellie, um zur Menge zu sprechen.

»Dieses Mädchen.« Naomi zeigt auf Ellie, die nun regungslos ist, starr vor Angst und durch das Seil. Sie kann ihren Mund nicht öffnen, um sich zu verteidigen, kann nicht aufhören zu weinen, obwohl ihre dichte Nase sie zu ersticken droht. »Dieses Mädchen hat eine unserer Lehrerinnen ermordet, und wenn wir uns nicht um sie kümmern, wird sie nicht aufhören, bis jeder, der ihr irgendwas getan hat, tot ist.« Naomi dreht sich wieder zu Ellie. »Ellie Atkinson, lass dir das eine Warnung sein, dass wir in Gaunt keine Hexen mögen. Wir dulden hier nichts Böses.«

Naomi holt noch einen Stoffstreifen aus ihrer Tasche und verbindet Ellie damit die Augen. Nun kann Ellie nichts mehr sehen, was jedoch nicht heißt, dass sie nichts hören kann. Sie hört die anderen nach Luft schnappen, als Naomi wieder in ihrer Tasche wühlt. Sie hört eines der jüngeren Mädchen kreischen und noch ein Geräusch, das sie allzu gut kennt. Das Ratschen eines Feuersteins. Ratsch, Flamme, ratsch, Flamme, ratsch, Flamme.

Sie wollen sie bei lebendigem Leib verbrennen.

# Kapitel 67

*Imogen*

»Imogen?«

Ich sehe blinzelnd von meinem Computer auf. Es kommt mir vor, als hätte ich seit Stunden mit niemandem mehr gesprochen. Ich war ganz darauf konzentriert, meine Berichte fertigzubekommen, um nicht noch weiter mit der Arbeit zurückzufallen. »Ja?«

Die junge Frau, die nach mir gerufen hat, nickt zur Eingangstür. »Es ist Besuch für dich da. Ein Mädchen.«

»Okay, danke.« Ich stelle verärgert fest, dass ich nicht mal weiß, wie die junge Frau heißt. Du musst dir langsam mehr Mühe mit den Leuten hier geben, sage ich mir. Verhalt dich so, als wolltest du auf lange Sicht dort arbeiten. »Ich komme gleich.«

Ein Mädchen am Empfang? Das muss Ellie sein. Es gibt keine anderen Mädchen im Dorf, die mich im Büro besuchen würden. Meine übrigen Fälle sind weiter weg, und mich würde erstaunen, sollte auch nur die Hälfte von ihnen meinen Namen kennen.

Was will Ellie hier? Wir haben heute keinen Termin.

Ich stehe auf und gehe zur Eingangshalle. Als ich jedoch den Summer für die Halle gedrückt habe, wartet dort nicht Ellie auf mich, sondern Mary. Ihre Augen sind gerötet und geschwollen, ihr Gesicht ist tränenüberströmt.

»Mary, was ist? Ist etwas passiert?«

»Ja!« Sie packt meinen Arm so fest, dass ich zusammenzucke, und versucht, mich zur Tür zu ziehen. »Sie müssen mitkommen. Sie müssen mir helfen. Ich weiß nicht, was sie mit ihr machen!«

»Hoppla.« Sanft lege ich eine Hand auf ihren Arm. »Jetzt warte mal kurz. Was meinst du mit, du weißt nicht, was sie mit ihr machen? Mit Ellie? Was wer mit ihr macht? Was ist los, Mary?«

Mary holt tief Luft. »Ja, Ellie«, sagt sie hörbar bemüht, ihre Ungeduld zu zähmen. »Ich habe heute in der Schule mein Telefon verloren. Und als ich es fand ...« Sie zieht ihr Handy aus der Tasche und reicht es mir. »War das drauf. Ich weiß nicht, wer es geschickt hat, aber wo sie meinen. Ich kann Sarah nicht erreichen, also brauche ich Ihre Hilfe. Da kann ich nicht allein hin.«

Ich sehe auf die Textnachricht im Display: *Wir treffen uns heute auf der Lichtung, gleich nach der Schule. Ich will dir was zeigen. Was Spannendes.*

»Auf der Lichtung?«

Mary nickt. »Da gehen wir manchmal hin, Ellie und ich. Sie ist gleich vorne in Parry's Woods. Da ist nichts Gefährliches«, sagt sie beinahe defensiv.

»Und warum machst du dir solche Sorgen?«

»Weil ich ihr diese Nachricht nicht geschickt habe. Und wenn ich es nicht war, wer will Ellie dann in den Wald locken? Und warum sollten sie mein Handy dafür benutzen?«

Ich nicke. »Okay, das sieht nicht gut aus. Lass mich meine Tasche holen.«

Ich gehe zurück ins Büro und frage mich bereits, was zur Hölle ich dem Team hierzu sagen soll. Als ich wieder ins Büro komme, sieht Lucy mich mit hochgezogenen Brauen an.

»Es gibt einen Notfall. Zu Hause.« Die Lüge kommt nicht direkt nahtlos heraus, scheint aber auch nicht zu gezwungen, und Lucy muss mir glauben, denn sie nickt.

»Kein Problem. Ted ist sowieso schon weg. Ich hoffe, es ist nichts Schlimmes. Bis morgen dann.«

Ich nicke erleichtert, weil es so einfach war. »Danke.«

Am Empfang läuft Mary unruhig auf und ab. »Kommen Sie!« Wieder greift sie nach meinem Arm, doch ich weiche aus.

»Okay, beruhige dich. Ich bin sicher, dass alles gut ist.«

»Warum sollte irgendwer wollen, dass Ellie nach der Schule in den Wald geht?«

»Woher soll ich das wissen?«, frage ich. »Weißt du wirklich nicht, wer dein Handy genommen haben könnte? Wie lief es zuletzt in der Schule?«

Mary schüttelt den Kopf. »Nein, es war den ganzen Tag in meiner Tasche. Jedenfalls dachte ich das. Mittags war es verschwunden. Ich konnte es nirgends finden, und als ich bei den Fundsachen nachgesehen habe, war es auch nicht da. Und dann, nach Mathe, war es auf einmal wieder in meiner Tasche.«

»Also muss es jemand aus deiner Stufe gewesen sein?«

»Nicht unbedingt. Sie könnten es auf dem Flur wieder in meine Tasche gesteckt haben, als ich unterwegs zu Mathe war. Es lag direkt obenauf, als wäre es von Anfang an da gewesen.«

»Und hatte Ellie geantwortet?«

»Ja. Sie schrieb nur: ›Okay, wir sehen uns dort.‹« Mary stößt ein leichtes Stöhnen aus. »Wenn ihr irgendwas passiert ist, ist es meine Schuld. Ich habe sie praktisch dahingeführt.«

»Sei nicht albern.« Ich weise zu meiner Autotür, und Mary steigt ein. »Du hast die Nachricht nicht geschrieben. Selbst wenn Ellie das dachte. Haben die anderen Kinder ihr zugesetzt?«

Mary nickt. »Viele von ihnen sagen, dass sie etwas mit Miss Gilberts Tod zu tun hatte. Miss Gilbert war ziemlich beliebt an der Schule, sie war jung und kam mit den meisten gut aus. Es ist lächerlich.« Mary zupft an der trockenen Nagelhaut ihres Daumens. »Ellie kann unmöglich damit zu tun gehabt haben, dass

Miss Gilbert in dem Wohnblock war oder was da mit ihr passiert ist. Sie ist erst elf, Herrgott nochmal! Sie ist keine Mörderin.«

»Selbstverständlich ist sie das nicht.« Mein Magen dreht sich um. Ich dachte, wir hätten das geregelt. Ich dachte, es würde besser. Habe ich mich schon wieder so geirrt?

Einige Minuten schweigen wir beide, und ich finde problemlos den Weg, als sei ich nie fort gewesen. Ich weiß genau, wo Parry's Woods ist, denn ich war Tausende Male mit Pammy da, als wir noch Jugendliche waren, nicht älter als Mary. Was ich nicht weiß, ist, wer Ellie dorthin bestellt haben mochte und warum. Was machen sie jetzt mit dem Mädchen? Hätte ich die Polizei rufen sollen?

»Versuch noch mal, Sarah zu erreichen«, sage ich zu Mary. »Vielleicht sollten wir auch die Polizei rufen.«

Mary schüttelt den Kopf. »Ich kriege solchen Ärger. Ich soll doch auf Ellie aufpassen. Was ist, wenn die Polizei denkt, die Textnachricht war von mir?«

»Die Polizei ist nicht blöd, Mary. Wäre die Nachricht, dass Ellie in den Wald kommen soll, wirklich von dir, was würdest du dann in meinem Büro machen, um mich zu bitten, mit dir hinzufahren?«

»Können Sie nicht ein bisschen schneller fahren?«, drängt Mary. »Wir sind sowieso früher da als die Polizei.«

Wir passieren schon die Schule, an der Mary und Ellie den Tag verbracht haben. Von hier sind es ungefähr fünfzehn Minuten zu Fuß zu meinem Büro, und Mary war erst losgegangen, als Ellie nicht zur Bushaltestelle kam und sie die Textnachricht auf ihrem Handy gesehen hatte. Von hier sind es rund zwanzig Minuten in die entgegengesetzte Richtung nach Parry's Woods, was bedeutet, dass Ellie wahrscheinlich schon seit zehn Minuten dort ist – wo wer auch immer auf sie gewartet hatte.

»Wir sind gleich da«, verspreche ich. Ich lege eine Hand auf Marys Knie. »Keine Sorge, ihr passiert nichts. Dafür sorge ich.«

»Ich verstehe einfach nicht, wer ihr diese Nachricht geschickt haben kann«, sagt Mary. »Ich weiß, dass die Leute hier sie nicht direkt mögen. Sie haben diese schräge, verrückte Theorie, dass sie schlecht ist, böse. Aber nicht Ellie ist böse. Es ist dieser Ort.«

»Wie meinst du das?«

Mary sieht mich an. »Erzählen Sie mir nicht, dass Sie es nicht fühlen. Erzählen Sie mir nicht, dass Sie nicht spüren können, was in diesem Dorf ist. Es ist, als würde es hier wachsen, das Böse, sich ausbreiten wie Schimmel. Ich begreife nicht, wie man hier leben kann. Sobald ich alt genug bin, gehe ich weg und nehme Ellie mit.«

»Es war schon immer so«, murmle ich. »So hat es sich hier immer angefühlt.«

»Was meinen Sie mit immer?«, fragt Mary. »Ich dachte, Sie sind gerade erst hergezogen.«

Ich könnte mir in den Hintern treten für meine Dummheit. »Ich habe früher hier gewohnt«, gestehe ich. »Hier bin ich aufgewachsen. In Gaunt.«

Mary macht große Augen. »Sie haben hier gewohnt? Und sind weg? Warum sind Sie denn dann zurückgekommen?«

Ich schüttle den Kopf. »Meine Mutter ist gestorben, und ich habe ihr Haus geerbt. Ich hatte meinen alten Job verloren, also konnten wir uns nicht mehr leisten, zur Miete zu wohnen. Es schien die logische Schlussfolgerung.« Ich weiß nicht, warum ich das einer Fünfzehnjährigen erzähle. »Aber es ist nicht nur das. Wie du sagst, ist etwas anders an diesem Ort, etwas, das einen zurückzieht, obwohl man eigentlich nicht hier sein will.«

»Das mit Ihrer Mutter tut mir leid.«

»Danke. Wir hatten schon länger keinen Kontakt mehr. Ich war nicht mal auf ihrer Beerdigung. Sie war nicht wie eine richtige Mutter. Nicht wie deine.«

»Wie, Sie halten meine für eine tolle Mum?« Mary schnaubt. »Denken Sie, dass verwahrloste Kinder und Streuner aufzunehmen sie zu einer Art Mutter Teresa macht?«

»Sie muss besser sein als das, was ich hatte.« Ich sollte nicht hierüber reden, nicht mit einem Teenager über meine Vergangenheit sprechen. Ich zeige nach vorn, wo jetzt der Wald auftaucht.

»Wo ungefähr geht ihr rein?«

Mary weist die Straße hinunter. »Gleich da rechts ist ein Eingang, ein kleines Loch im Zaun. Normalerweise steigen wir da durch.«

Ich fahre langsam den Weg entlang, bis ich die Lücke sehe, die Mary meint. Nun fahre ich an den Rand und parke den Wagen so dicht am Waldrand, wie ich kann. Dann öffne ich meine Tür. »Na, dann komm.«

Mary zögert. »Muss ich mitkommen?«

»Ich habe keine Ahnung, wo diese Lichtung ist.« Ich selbst zögere. Jetzt wäre der Moment, die Polizei zu rufen. Ich sollte keinen Teenager nach Schulschluss in den Wald schleppen – auch wenn rein technisch sie diejenige ist, die mich herschleppt.

»Am besten rufe ich die Polizei.«

»Nein!«, schreit Mary förmlich. »Die brauchen ewig bis hierher, und wir sind jetzt da. Wir müssen hingehen und sie holen.«

Wir sind eben am Zaun und ich frage mich, ob ich überhaupt durch die winzige Lücke passe, als wir den Schrei hören.

# Kapitel 68

*Ellie*

Sie riecht die brennenden Zweige und beginnt zu schreien. Das Knistern, der Rauch, alles ist zu sehr wie vorher. Nur dass diesmal niemand da ist, um sie zu retten. Diesmal wird sie sterben.

Auf der Lichtung ist es still geworden. Oder Ellie kann außer dem Lärm ihrer eigenen Schreie nichts mehr hören. Wo sind alle? Haben sie Ellie hier alleingelassen? Oder wollen sie zusehen, wenn sie verbrennt wie die Hexe, für die sie Ellie halten? Sie denkt an ihre Mum, ihren Dad und ihren Bruder und hofft, dass es schnell vorbei sein wird. Hofft, dass sie bald alle wiedersieht. Doch obwohl sie bei ihnen sein möchte, obwohl sie so sehnlichst alle wiedersehen will, kann sie nicht anders, als sich gegen das Seil zu sträuben, das sie an den Baumstamm fesselt. Sie kann nicht anders, als zu schreien, sich zu strecken, und sie fühlt die Hitze, fragt sich, wann der Schmerz einsetzt. Warum kann sie dieses Seil nicht mit jener Kraft aufbrechen, die sie in sich wachsen gefühlt hat? Verhindert ihre Furcht, dass sie wirkt?

Tränen laufen ihre Wangen hinunter und in den Knebel an ihrem Mund. Rotz strömt aus ihrer Nase, und sie hofft, dass sie erstickt. Lieber möchte sie schnell ersticken, als zu verbrennen. Sie hat Angst, größere Angst als in dem Haus, größere denn je. Ihre Blase versagt und leert sich, sodass sich Wärme in ihrer Hose ausbreitet. Jetzt ist sie wirklich die stinkende Ellie, als die sie die anderen beschimpft hatten. Doch immer noch stellt sich kein Schmerz ein.

Und dann hört sie eine Stimme. Die Stimme eines Engels, der ihren Namen ruft, aber es ist nicht die ihrer Mutter. Es ist eine Stimme, die Ellie gut kennt. Marys Stimme. Mary ist gekommen, um sie zu retten! Und dann ist da noch eine Stimme. Imogen! Sicher werden sie Ellie retten. Sicher werden sie sie nicht verbrennen lassen. Doch so nahe die Stimmen auch sind, werden sie nicht rechtzeitig bei Ellie sein. Der Rauch füllt ihre Lunge. Sie kann nicht atmen.

Plötzlich fühlt sie Hände an ihren Armen. Naomi? Einer der Jungen? Aber nein, das ist Imogens Stimme, die in der Stunde ihres Todes zu ihr dringt. Imogens Stimme, die sagt, es ist okay, Ellie, wir haben dich. Und das Seil um sie herum, das sie an den Baum fesselt, lockert sich hinreichend, dass sie ihre Arme bewegen kann und von dem Baum fällt. Ihre Beine halten sie nicht, fühlen sich wie Pudding an. Aber starke Arme umfangen sie, halten sie eng an eine Brust. Es fühlt sich an, als sei ihre Mutter wieder da, und Ellie wird auf eine Weise gehalten, wie sie schon lange nicht mehr gehalten wurde.

Kleine, schnelle Finger ziehen den Knebel aus ihrem Mund, lösen den Stoff an ihrem Hinterkopf, und die Binde rutscht von ihren Augen. Sie sind so voller Tränen und brennen, dass Ellie immer noch nichts sehen kann. Aber die Stimme flüstert ihr weiter ins Ohr: »Alles okay, ich habe dich.« Imogens Stimme.

Ellies Körper wird von Schluchzern durchgeschüttelt, und sie kann es nicht aufhalten, hat das Gefühl, sie würde nie mehr aufhören zu weinen. Doch sie lebt, und das Schluchzen wird aufhören und sich alles zum Guten wenden. Weil Imogen sie gerettet hat.

# Kapitel 69

*Imogen*

Ich gehe die Treppe hinauf, ohne mich am Empfang zu melden. Oben klopfe ich energisch an die Tür.

Sie schwingt auf, und Florence Maxwell sieht mich besorgt an.

»Imogen, ist alles in Ordnung?«

»Nein, ist es nicht.« Ich warte nicht ab, bis sie mich hereinbittet, sondern stürme an ihr vorbei ins Büro. Die Schulleiterin folgt mir.

»Was gibt es? Was kann ich für Sie tun? Was ist passiert?«

»Gestern Abend musste ich ein hysterisches Mädchen bei seinen Pflegeeltern abliefern«, erzähle ich, und mit jedem Wort wächst die Wut in mir.

»Ellie?« Florence bedeutet mir, Platz zu nehmen, aber ich bleibe stehen, weil ich das Gefühl habe, mich aufrecht besser unter Kontrolle zu haben. Wobei es mit meiner Selbstbeherrschung in diesem Moment ohnehin nicht weit her ist. Auf dem Weg hierher habe ich mich so in Rage gedacht, dass es sich anfühlt, als würden jeden Moment sämtliche Gefäße in meinem Körper platzen und nur noch ein Haufen Haut und ein Blutstrom übrigbleiben, wo ich jetzt stehe. »Was ist mit ihr passiert?«

»Eine Gruppe von Schülern Ihrer Schule«, antworte ich mit Betonung auf »Ihrer«, »hatte sich zusammengerottet, um das Mädchen an einen Baum zu fesseln und vorzugeben, es bei lebendigem Leib zu verbrennen. Weil sie behaupteten, Ellie sei eine Hexe.«

»Oh mein Gott.« Florence wird kreidebleich. »Geht es ihr gut?«

»Was denken Sie wohl?« Ich zeige mit dem Finger auf ihr Gesicht, und die Schulleiterin weicht zurück. »Selbstverständlich geht es ihr nicht gut! Sie ist vollkommen traumatisiert. Zum Glück hat sie keine physischen Verletzungen davongetragen. Sie haben einige Zweige ein Stück entfernt von ihr in Brand gesteckt. Sie sollte nur denken, dass sie verbrannt wird. So böse sind diese Missgeburten. Sie warfen ihr vor, Naomi angegriffen und Ihre Lehrerin ermordet zu haben.«

Florence schüttelt den Kopf. »Nun, ich kann Ihnen versichern …«

»Was können Sie mir versichern?«, falle ich ihr ins Wort. »Denn Sie können mir nicht versichern, dass es nicht wieder vorkommen wird. Sie können mir nicht versichern, dass die Schüler bestraft werden. Ellie ist so verängstigt, dass sie uns nicht einmal erzählen will, wer es war. Sie sagt, sie weiß nicht, wer sie waren.«

»Ich werde mit ihnen allen reden, sie mir einzeln vornehmen … eine Schulversammlung abhalten … Ich …« Sie hat keinen Schimmer, was sie tun soll. Florence Maxwell ist völlig überfordert, und jede Sympathie, die ich für ihre liebenswerte, tollpatschige Unsicherheit gehegt hatte, ist dahin.

»Sie können von Glück reden, dass die Polizei noch nicht hier war. Seien Sie froh, dass es hier nicht von Polizisten wimmelt«, teile ich ihr mit. »Sarah Jefferson wollte sie gestern Abend rufen. Ellie bat sie, es nicht zu tun, weil es ihr nur noch mehr Probleme einbringen würde. Sie hat entsetzliche Angst vor diesen Kindern. Das ist Körperverletzung, nicht weniger. Und es ist unsagbar böse!«

Florence stöhnt. »Wie konnte es so weit kommen? Was soll ich tun?«

»Was Sie auch tun, Sie müssen schnell handeln. Denn sollte wieder etwas passieren, sollte sich auch nur jemand gegenüber dem Mädchen im Ton vergreifen, werde ich selbst hingehen, und mich wird nicht mehr interessieren, was Ellie sagt.«

Florence nickt. »Natürlich, ja, sicher«, murmelt sie. »Ich werde mit den Lehrern reden, dass sie besonders auf Ellie achten sollen. Wir versuchen herauszufinden, was da vor sich geht, wer dabei war.«

»Mary sagte, dass eine Gruppe von ihnen vor einigen Wochen vor dem Haus der Jeffersons auftauchte und nach oben zu Ellies Fenster schrie, sie eine Hexe nannte. Das geht schon eine ganze Weile so. Und ich glaube, Sie wissen, wer mit dem Ganzen angefangen hat.«

»Meinen Sie Hannah?« Florence wischt sich übers Gesicht. »Hannah ist tot.«

»Ich behaupte nicht, dass Hannah etwas mit dem Vorfall gestern Abend zu tun hatte, offensichtlich nicht. Aber es ist ziemlich eindeutig, dass sich ihre Ansichten über Ellie herumgesprochen hatten. Der ganze Ort redet darüber. Sie ist anders, sie ist böse, Leuten, die sie verärgert haben, stößt Schlimmes zu. All die Dinge, die Ihre Lehrerin mir nur wenige Abende vor ihrem Tod erzählt hat.«

Vor Schreck reißt Florence die Augen weit auf. »Wann hat Hannah das gesagt? Ich hatte keine Ahnung, dass es so übel war ...«

»Sie kam zu mir nach Hause, tönte herum, dass Leuten Schreckliches geschehen war, nachdem sie Ellie verärgert hatten. Sie hat dafür gesorgt, dass Sarah Jefferson sich in ihrem eigenen Heim fürchtet. Und offenbar sind ihre Gefühle nicht mit ihr gestorben. Jetzt haben die Kinder das für sie übernommen und hetzen gegen Ellie. Sie versuchen, ihr das Leben zur Hölle zu machen.«

»Und Sie denken nicht …?«

»Was denke ich nicht?«, zische ich, fordere sie heraus, das auszusprechen, was ich bereits ahne.

»Sie denken nicht, dass etwas an dem dran sein könnte, was Hannah gesagt hatte? Über das Mädchen?«

»Ihr Name ist Ellie! Ich gestehe, dass ich Sie für ein wenig vernünftiger gehalten habe.«

»Sie haben sie nicht gesehen … Sie haben nicht genug Zeit mit ihr verbracht. Sie ist … Sie ist seltsam.«

»Ihre Familie ist verbrannt!« Ich betone jedes einzelne Wort und beobachte, wie Florence zusammenzuckt. »Und jetzt vermitteln ihr die Menschen, die auf sie aufpassen sollten, die für ihre Sicherheit sorgen sollten, dass sie eine Hexe ist! Verraten Sie mir, Florence, ob Sie sich da nicht auch ein bisschen seltsam verhalten würden.«

Florence schüttelt den Kopf. »Ich kann mir das nicht erklären.«

»Nein, können Sie nicht, weil es verdammt lächerlich ist. Und wenn Sie sich nichts ausdenken, wie Sie dem Einhalt gebieten, werde ich einen ausführlichen Bericht an den Schulvorstand schreiben und ihm sagen, dass diese Kinder unter Ihrer Aufsicht in Gefahr sind.«

Ich warte Florence' Antwort nicht ab. Ich will nichts mehr davon hören, dass Ellie anders oder seltsam und sowieso alles ihre Schuld ist. Ich will nicht hören, wie sich Erwachsene benehmen, als wären sie verschreckte Kleinkinder, und eine Massenhysterie auslösen. Das Verhalten dieser Erwachsenen ist mehr als verwerflich. Und mir reicht es jetzt.

# Kapitel 70

*Imogen*

Ich weiß, dass etwas nicht stimmt, sobald ich am nächsten Morgen ins Büro komme. Es ist auffällig still, als hätte eine Unterhaltung stattgefunden, die bei meinem Eintreten abgebrochen wurde. Als ich jeden begrüßt habe, starren sie so konzentriert auf ihre Monitore, als würden die Lottozahlen dieser Woche in ihren E-Mails auftauchen. Gewöhnlich ist es morgens laut, lebhaft, eine Kakophonie von Lärm, die erst zu einem dumpfen Murmeln schrumpft, wenn alle sich ihren Kaffee geholt und das gestrige Fernsehprogramm bis ins letzte Detail besprochen haben. An manchen Morgen wird es Viertel vor zehn, ehe überhaupt ein Anflug von Ruhe einkehrt, die Leute in Besprechungen oder zu Hausbesuchen verschwinden. Das gehört mit zu den Dingen, an die ich mich erst gewöhnen musste. In meinem alten Job hatte ich mir kaum zehn Minuten genommen, um die Kollegen in der Teeküche zu begrüßen, und dann meine Bürotür hinter mir zugemacht. Aber inzwischen habe ich mich hieran gewöhnt und ziehe dieses lebhafte, gesellige Umfeld sogar vor. Oder tat es bis heute Morgen.

Der auffällige Kontrast zwischen der üblichen Geselligkeit und dieser angespannten, beklemmenden Stille beunruhigt mich und lässt mich Ungutes erahnen, als ich meinen PC einschalte und meine E-Mails aufrufe. Ich überfliege die Liste der Nachrichten, kann jedoch nichts entdecken, das die bedrückende Atmosphäre erklären würde. Keine E-Mails von der Personalabteilung, die eventuelle Entlassungen oder Budget-

Kürzungen ankündigt. Vielleicht sollte ich es bei der Presse versuchen – die Lokalzeitung weiß oft vor den Mitarbeitern, wenn Jobs auf dem Spiel stehen. Ich sehe von meinem Monitor auf. Lucy, die normalerweise als Letzte zur Ruhe kommt, ist tief in ihre Arbeit versunken.

»Lucy«, zische ich. Sie muss mich gehört haben, denn selbst Tim einige Tische weiter blickt auf, doch Lucy sieht stur auf ihren Bildschirm. »Lucy!«, zische ich erneut, lauter, und ich möchte schwören, dass sie zusammenzuckt. Langsam sieht sie von ihrem Computer auf, und ich frage stumm: »Was ist los?«

Kaum merklich schüttelt sie den Kopf und schaut wieder auf ihren Monitor. Sekunden später bekomme ich eine E-Mail: *Ted hat uns gestern Nachmittag einzeln reingerufen. Kann hier nicht reden. Er wollte über dich sprechen.*

Ich fühle, wie sich mein Bauch verkrampft. Was hatte Edward sie über mich gefragt? Und, vor allem, was haben sie ihm erzählt? Eine schreckliche Sekunde lang denke ich: *Er weiß von dem Baby.*

Aber das ist lächerlich. Zum einen wäre es ein furchtbarer Verstoß gegen das Prozedere, meine Kollegen zu einem solch persönlichen Thema zu befragen, und Edward scheint nicht der Typ, solchen Ärger willentlich zu riskieren. Zum anderen wissen meine Kollegen nichts von meiner Schwangerschaft. Ich konnte meine Übelkeit gut verbergen, und es ist noch viel zu früh, als dass irgendjemand äußerliche Veränderungen wahrnehmen würde, erst recht nicht Menschen, die mich erst seit Kurzem kennen. Nein, was es auch sein mag, mit dem Baby hat es sicher nichts zu tun.

Dann weiß er, was in London passiert war. Oh Gott!

Ich tippe eine Antwort – *Was wollte er wissen?* – und krümme mich ein wenig, als Lucys E-Mail-Ton erklingt, weil ich sicher bin, dass jeder mitbekommt, was wir hier tun. Ich bin nervös wie ein Teenager in der Schule, der auf Antwort von seinem Schwarm wartet. Ich schalte meinen PC stumm. Als Lucys Antwort auf dem Monitor erscheint, kann ich sie gar nicht schnell genug anklicken.

*Er wollte wissen, ob du uns gebeten hast, für dich einzuspringen. Ich musste ihm von gestern erzählen. Es war, als hätte er es schon gewusst und würde mich testen. TUT MIR LEID :(*

Ich werde rot vor Scham und Angst. Anscheinend weiß hier jeder, dass Edward schon nach wenigen Wochen meine Arbeit infrage stellt. Glauben sie, dass ich gefeuert werde? Werde ich das denn? Ich schicke eine Antwort an Lucy – *Mach dir keine Gedanken deshalb. Ich hoffe, dass ich dich nicht in Schwierigkeiten gebracht habe* – und lehne mich zurück. Als die nächste E-Mail aufleuchtet, erscheint allerdings nicht Lucys Name, sondern Edwards.

Ich klicke die Nachricht an, wünsche mir beinahe, ich müsste nicht, doch es ist besser zu wissen, was los ist, als dass alle meine Kollegen hinter meinem Rücken darüber reden. Edward schreibt mir förmlich, ich möge in sein Büro kommen, wenn ich eine Minute Zeit hätte. Nach Lucys E-Mails weiß ich, dass er über ihr Einspringen gestern unterrichtet ist, während ich weg war, um Florence zur Rede zu stellen. Aber ist das wirklich ein Kündigungsgrund? Ich habe die anderen so etwas schon unzählige Male machen gesehen, seit ich hier bin. Und ich selbst habe sogar einmal Edward bei einem Meeting vertreten. Also was habe ich sonst getan? Was hatte er die anderen gefragt, und was haben sie über mich gesagt? Mir ist bewusst, dass ich mit einigem Papierkram hinterherhänge, und ich hatte diesen einen Bericht über Sicherheit an Schulen vergessen. Dann musste Chaz sich eine Ausrede für meinen verpassten Folgetermin bei Mrs. Bethnal vom Gesundheitswesen einfallen lassen, aber …

Ich stütze den Kopf in die Hände und streiche mir den Pony aus dem Gesicht. Jetzt, da ich darüber nachdenke, gab es einige Versäumnisse meinerseits. Meine Kollegen haben mich dauernd gedeckt, seit ich hier anfing. Genauer gesagt, seit ich meine Sitzungen mit Ellie Atkinson begann.

Ich hole tief Luft, richte meinen Pony, stehe auf und mache mich auf das Schlimmste gefasst. Automatisch nehme ich meinen Notizblock auf, auch wenn ich den wohl nicht brauchen werde – *Wir bedauern, dass wir Sie gehen lassen müssen*, erfordert eher keine Notizen –, aber er fühlt sich wie ein Schutz an, ein Schild gegen mein Versagen. Was machen wir jetzt? Ich hatte lange genug gebraucht, diesen Job zu finden. Und ich werde nie wieder einen anderen in der Nähe bekommen. Vielleicht ist es das Beste so. Wir werden das Haus zu einem Schleuderpreis verkaufen müssen, doch wenigstens können wir dann erst einmal die Miete für eine neue Wohnung aufbringen. Aber können wir uns das Baby leisten?

Als ich durchs Büro gehe, sieht niemand auf. Alle scheinen fest entschlossen, jeden Augenkontakt zu meiden, als sei ich ansteckend und würde bereits ein flüchtiger Blick in meine Richtung bedeuten, dass sie ebenfalls gefeuert werden.

Während ich mir einen Becher Tee bereite, um ihn mit in Edwards Büro zu nehmen – so halten wir es hier; wir tragen Notizblöcke und heiße Getränke wie Accessoires herum –, frage ich mich, ob ich mich womöglich selbst sabotiert habe, unterbewusst, aber mit Absicht. Wollte ich entlassen werden? Damit ich mir einreden kann, ich hätte es versucht, doch dieser Ort würde mich heute genauso schmähen und im Stich lassen, wie er es in meiner Kindheit tat. Als wir herkamen, hatte ich mich gleich gefragt, ob die Rückkehr nach Gaunt der schlimmste Fehler wäre, den ich machen könnte. Und vielleicht war es das auch.

# Kapitel 71

*Imogen*

»Kommen Sie rein.« Ted zeigt auf einen Stuhl an dem winzigen runden Tisch in seinem Büro. »Haben Sie etwas zu trinken?« Ich halte meinen Becher hoch, und Edward nimmt seinen auf. »Macht es Ihnen etwas aus, wenn ich mir rasch was hole? Bin gleich wieder da.« Er schaltet seinen PC in den Ruhezustand, und der Monitor wird schwarz. Ich setze mich an den Tisch und blicke hinauf zu den diversen Plakaten von »Mental Health Awareness« und dem Whiteboard voller Notizen, den verschnörkelten Arbeitsplänen und den hingekritzelten Terminen. Ganz oben steht in Kims unsauberer, ausladender Schrift: »Ted – Florence von der Gaunt High School hat angerufen – bittet schnellstens um Rückruf: 07 34 5 87 90 92.«

Edward stößt die Tür mit seiner Schulter auf und kommt mit einem Kaffee in der einen Hand und einer Tüte Chips sowie einem Schokoriegel in der anderen herein. Er stellt den Kaffee auf den Tisch neben mir, öffnet seine Schreibtischschublade und steckt die anderen Sachen hinein.

»Kein Mittagessen«, erklärt er achselzuckend. Ich versuche zu lächeln, bin jedoch sicher, dass es eher wie eine Grimasse ausfällt. Edward scheint meine Anspannung zu bemerken und setzt sich mir gegenüber hin, bereit, direkt zum Wesentlichen zu kommen. Ich wappne mich.

»Okay«, sagt er und atmet tief durch. »Ich werde mich kurzfassen, Imogen. Der Grund, weshalb ich Sie hergerufen habe, ist der, dass ich eine Beschwerde bekam.«

Oh Mist. Eine tatsächliche Beschwerde? Von jemandem aus dem Team? Ich blicke wieder hinauf zum Whiteboard und Kims Notiz.

»Eine Beschwerde?«

»Okay, das ist doch ein wenig zu scharf formuliert. Eher wurde Sorge geäußert.«

»Von jemandem hier?« Ich bin nicht sicher, was schlimmer wäre: die Tatsache, dass einer meiner Kollegen beim Chef war, oder der Gedanke, dass es mit jener Nachricht zu tun hat.

»Nein. Ich habe mit Ihrem Team gesprochen.« Edward lächelt, als könnte es den Hieb abmildern, der gleich kommt. »Um einen Eindruck zu bekommen, ob ein echtes Problem vorliegt. Alle haben Sie schon sehr gern und sagen, dass Sie fleißig und gewissenhaft sind. Weshalb diese Besorgnisäußerung beunruhigt. Ich frage mich, ob Sie vielleicht manchmal zu gewissenhaft sind.«

»Ich verstehe nicht, inwiefern das beunruhigend sein soll ...«

»Es geht um Ellie Atkinson.«

Ich habe damit gerechnet, und dennoch sind die Worte wie ein Messerstich in meine Brust. Bleib ruhig. Verrate nicht zu viel. Schrei nicht. Überleg dir genau, was du sagst, Imogen. Versau das nicht! Das war beim letzten Mal mein Untergang gewesen: meine Leidenschaft. Mein selbstgerechter, unerschütterlicher Glaube an meine eigene Unfehlbarkeit.

»Die Person, die mich anrief, betonte, dass sie nicht versuchte, Ärger zu machen.«

Ich stelle mir Florence Maxwells wimmernde Stimme vor. Garantiert wollte sie das nicht. Sie hatte offenbar in dem Moment angerufen, in dem ich ihr Büro verließ und nachdem ich versichert hatte, mich über sie zu beschweren. Jetzt würde mich jeder Gegenvorwurf wie eine beleidigte Schnepfe dastehen lassen. *Gut gekontert, Florence, wahrlich gut gekontert.* »Aber sie hatte das Gefühl, dass ich von Ihrem zunehmend engeren Verhältnis zu Ellie Atkinson in Kenntnis gesetzt werden sollte. Si ... man ist in Sorge, dass es die professionellen Grenzen überschreitet, und offen gestanden bin ich es nach den Gesprächen mit Ihren Kollegen gleichfalls.«

Ich bohre die Fingernägel in meine Handfläche, um mich zu ermahnen, nicht unbedacht zu reagieren, nicht die Beherrschung zu verlieren. Diesmal nicht. Ich sollte ein Gummiband am Handgelenk tragen, wie es dieser Psychiater vorgeschlagen hatte. Kurz bevor er mir eine Wagenladung Medikamente gegen meinen Zusammenbruch verschrieb. Da alles, was Edward bisher gesagt hat, zutrifft, bleibt mir nur zu verharmlosen, es wie eine Überreaktion vonseiten Florence Maxwells aussehen zu lassen.

»Ich habe lediglich versucht, meine Arbeit zu machen«, sage ich sehr ruhig. »Wahrscheinlich habe ich mich diesem Fall länger gewidmet, als gewöhnlich nötig wäre, aber bloß, weil ich nicht das Gefühl hatte, dass Ellie schnell genug die Hilfe bekommen würde, die sie brauchte.« Ich erwähne nichts von der merkwürdigen Verbundenheit, die ich zu dem Mädchen empfinde, oder dass ich, ungeachtet meiner zahlreichen anderen Fälle, Tag und Nacht an sie denke.

»Und das wissen wir zu schätzen«, antwortet Edward. Meint er mit »wir« sich und Florence Maxwell? »Wenn ich ehrlich bin, können wir im Team mehr Leute wie Sie vertragen. Ach was, wenn wir hundert wie Sie hätten, hätten Sie alle in nicht mal einem Jahr mehr etwas zu tun. Aber Tatsache ist, die haben wir nicht. Wir haben nicht einmal fünf Vollzeitkräfte in unserer Belegschaft, und wir haben noch einen Haufen mehr gefährdete Kinder und Erwachsene in unserer Grafschaft. Leider bedeutet das, dass wir den Einzelfällen nicht die Zeit widmen können, die wir ihnen gerne widmen würden. Wir müssen tun, was wir können, und sie dann an die Stellen verweisen, die ihnen die richtige, *rechtlich vorgesehene* Unterstützung zukommen lassen.« Während er die beiden Worte betont, zieht er die Augenbrauen hoch. Also weiß er von dem Einkaufsbummel.

Aber wie kann ich es erklären? Wie kann ich erklären, dass es sich für mich anfühlt, als hätte es mich hierher, nach Gaunt zurückgezogen, als hätte mich alles, was die letzten zwölf Monate passierte, hergeführt, um diesem ganz besonderen kleinen Mädchen zu helfen? Dass kein einziger Fall auf meiner Liste mir auch annähernd so nahegeht.

»Sie können sie nicht einfach dalassen, in der Obhut dieser Leute. Wissen Sie, was ihr vorgestern Abend passiert ist? Wissen Sie, was diese Kinder getan haben? Was die Erwachsenen, die wir für ihre Fürsorge bezahlen, ihr zu sein vorwerfen?«

Edward reibt sich seufzend übers Gesicht. »Ja, mir sind die Anschuldigungen bekannt, die Sie geäußert haben. Imogen, ich hatte gehofft, dass es nicht thematisiert würde, ja, ich hatte ehrlich gehofft, Sie würden sich schlicht einverstanden erklären, diesem Fall fernzubleiben, und es wäre erledigt. Aber ich weiß von den wilden Anschuldigungen, die Sie gegen Florence Maxwell und ihr Kollegium erhoben haben, von dem auch noch ein Mitglied erst vor ein paar Wochen tragisch aus dem Leben geschieden ist.«

Mir ist, als hätte er mich geohrfeigt. »Die Anschuldigungen, die ich erhoben habe?«

»Ja, über Kinder im Wald, Hexerei und dergleichen. Ich habe mit Florence Maxwell gesprochen, und sie zeigte sich sehr nett angesichts dieser Geschichte, sehr verständnisvoll. Ihr ist bewusst, dass Sie Ellie sehr gern haben, und sie ist sicher, dass Sie glauben, in deren Interesse zu handeln. Aber diese Anschuldigungen gegen ihre Schüler und ihr Kollegium müssen ein Ende haben.«

»Haben Sie mit Ellie gesprochen? Mit Sarah Jefferson? Sie war da, als ich Ellie nach Hause brachte. Sie wollte die Polizei rufen und hätte es auch, wenn Ellie sie nicht gebeten hätte, es nicht zu tun.«

»Ich habe heute Morgen persönlich mit Sarah Jefferson gesprochen.« Edwards Stimme wird schärfer. Er verliert die Geduld. »Und sie sagte, es war ein Spiel im Wald, bei dem Ellie und einige Freunde herumgealbert haben, als Sie aus dem Nichts auftauchten und Ellie nach Hause schleiften, wobei Sie behaupteten, sie zu ›retten‹. Sarah Jefferson sagte, sie hätte tatsächlich die Polizei rufen wollen, und dass Ellie sie bat, es nicht zu tun, weil sie Sie nicht in Schwierigkeiten bringen wollte. Also ...« Er bemerkt meinen Gesichtsausdruck und fährt schneller fort: »Ich bezweifle nicht, dass Sie geglaubt haben, Sie würden in Ellies Interesse handeln, als Sie Hals über Kopf die Arbeit verließen – und private Probleme als Grund angaben, wie ich erinnern darf – und im Wald nach dem Mädchen suchten. Aber Ihnen muss klar sein, dass Sie nicht hinter einer Elfjährigen herjagen können, die nach der Schule nicht direkt nach Hause fährt. Vor allem hätten Sie, falls Sie vermuteten, dass Ellie in Gefahr war, die Polizei rufen und sich ansonsten raushalten sollen.«

Ich öffne und schließe meinen Mund wie ein Fisch auf dem Trockenen. Wie verteidige ich mich gegen Lügen? Warum tut Sarah das? Sie hatte gesehen, in welcher Verfassung Ellie war, als ich sie nach Hause brachte. Ist Florence bei ihr gewesen? Ich schüttle den Kopf. Offensichtlich hatte ich die scheinbar sanftmütige Schulleiterin unterschätzt, als ich ihr gestern in ihrem Büro drohte. Sie muss innerhalb von Minuten reagiert haben, um ihre Schule und deren Ruf zu schützen.

»Verstehen Sie meine Position?«, fragt er, und die Schärfe in seinem Ton verebbt.

»Ja, ich verstehe.« Ich nehme meinen Notizblock und den halbleeren Becher mit kaltem Tee auf. »Ich hole meine Sachen. Danke, dass Sie mir die Gelegenheit gegeben haben …«

Edward runzelt die Stirn. »Welche Sachen?«

Für einen Augenblick bin ich verwirrt. »Na ja, viel ist es nicht. Mein Mantel, mein Becher, ein Foto an der Pinnwand …«

»Ich … ich glaube, Sie missverstehen mich. Ich entlasse Sie doch nicht. Meine Güte, ich mahne Sie nicht einmal ab! Bitte«, er schwenkt die Hand zum Schreibtisch, und mich überkommt eine ungeheure Erleichterung, »setzen Sie sich.« Dann seufzt er, als würde ihm auf einmal klar, dass dies hier vollkommen falsch gelaufen ist.

»Es tut mir leid, wenn ich Ihnen den Eindruck vermittelt habe, dass es hier um mehr als eine inoffizielle Unterhaltung geht. Ich meinte ernst, was ich vorhin sagte, dass wir froh sind, Sie hierzuhaben. Und mir ist bewusst, dass Sie in Ihren bisherigen Stellungen weit mehr für Ihre Schützlinge tun konnten, als wir uns zeitlich und finanziell leisten können. Es ist nun mal so, dass uns gewisse Grenzen gesetzt sind.

Und obwohl Bedenken geäußert wurden, sehen Sie mich nicht so an. Sie wissen, dass ich keine Details dazu nennen darf, von wem. Doch nachdem ich auf das Problem aufmerksam gemacht wurde, bin auch ich der Ansicht, dass Ihre Beziehung zu Ellie Atkinson zu eng geworden ist. Ich schreibe es dem Umstand zu, dass Sie neu in dieser Stellung sind, neu und bemüht, einem Kind zu helfen, mit dem es das Schicksal extrem schlecht gemeint hat. Das ist bewundernswert, keine Frage, doch es muss enden. Dieser Fall beeinträchtigt Ihre sonstige Arbeit. Ich weiß, dass Lucy gestern für Sie bei der Besprechung einspringen musste und den Bericht für Sie fertigschreiben musste, den Sie für die Abteilung Kinderschutz verfassen sollten. Ich möchte, dass Sie Ellie an die angemessenen Stellen verweisen und mit Ihren anderen Fällen weitermachen. Zweifellos werden Sie in dieser Abteilung weiterhin erfolgreich sein, haben Sie sich erst daran gewöhnt, wie in Kommunalverwaltungen gearbeitet wird. Und ich bin zuversichtlich, dass es Gespräche wie dieses nicht wieder geben wird.«

Der letzte Satz klingt eher wie eine Warnung als eine Klarstellung meiner Position. Trotzdem nicke ich und habe das Gefühl, ich sei einer Kugel ausgewichen.

»Danke«, sage ich leise.

»Gern geschehen. Tja«, Edward wendet sich wieder seinem Computer zu, was bedeuten soll, dass unser Gespräch vorbei ist, »ich will Sie nicht länger von Ihrer Arbeit abhalten. Wir sehen uns bei der Planungsbesprechung diese Woche.«

Ich stehe auf, um zu gehen, doch etwas hält mich zurück. Zwar will ich mein Schicksal nicht herausfordern, aber ...

»Edward?«

Er sieht misstrauisch zu mir auf. »Ja?«

»Ich bin ehrlich dankbar, dass Sie die Sache nicht weiterverfolgen, und ich verstehe, was Sie über Ellie sagen. Ich werde sie überweisen, so wie Sie gesagt haben, aber wäre es in Ordnung, wenn ich noch einen letzten Termin mit ihr mache, nur um ihr zu sagen, was passieren wird? Sie ist schon so oft im Stich gelassen worden, da möchte ich nicht, dass sie denkt, ich hätte sie einfach abgeschrieben.«

Edwards Züge werden weicher. »Natürlich«, antwortet er. »Das dürfte kein Problem sein, solange Sie klarstellen, dass es das letzte Treffen ist. Wir können nicht jeden im Alleingang retten«, sagt er freundlich. »So gern wir es auch möchten. Denken Sie nur daran, einen vollständigen Bericht mit Ihren Empfehlungen einzureichen.«

Ich nicke und kehre mit dem Gefühl ins Büro zurück, aus einer Schlacht zu kommen, dabei hatte ich kaum etwas gesagt. Mir war klar gewesen, dass der Tag kommen würde, an dem ich Ellie gehen lassen musste. Nun kann ich bloß hoffen, dass das arme Mädchen es versteht.

# Kapitel 72

*Ellie*

Ellie versteht es nicht. Sie dachte, Imogen wäre da, um ihr zu helfen. Zwischen ihnen war es so gut gelaufen, und sie und Mary sind die einzigen Menschen in diesem furchtbaren Ort, die sie nicht für eine Art Monster halten. Sie sieht, wie alle anderen sie beäugen, ängstlich und vorsichtig, als wäre sie so viel mehr als ein trauriges kleines Mädchen. Imogen hatte sie nie so angesehen. Sicher, sie hatte Mitleid mit ihr, was Ellie hin und wieder an dieser Mischung von Mitgefühl und Hilflosigkeit in ihren Augen erkennt, aber das macht Ellie nichts aus. Oft hat sie selbst Mitleid mit sich, also warum sollte es nicht wenigstens ein Erwachsener auch haben? Nein, Mitleid war viel besser als Furcht und Misstrauen.

Imogen hat sich ihr gegenüber immer wie die Erwachsenen in ihrem alten Leben benommen – als sei sie bloß ein Kind, auf das man aufpassen, für das man sorgen und das man vor Bösem beschützen musste. Manchmal redet sie sogar mit ihr wie einer Erwachsenen und verwöhnt sie ein bisschen, wie ihre Mum es früher tat. Und jetzt sagt sie ihr, dass alles vorbei ist, einfach so? Lässt sie fallen wie die anderen.

»Aber du hast es versprochen«, sagt Ellie, und sie hasst es, wie weinerlich und kindlich ihre Stimme klingt. Sie versucht es noch einmal, will es wütender sagen, damit es sich weniger Ellie-haft anhört. Sie will für sich eintreten, wie Mary es immer sagt. »Du hast gesagt, dass du mir hilfst.«

»Und ich denke, das habe ich«, antwortet Imogen und

streckt eine Hand nach Ellies Arm aus. Ellie springt zurück, als hätte sie sich verbrannt, und sogar mit ihren elf Jahren sieht sie, dass sie die Frau damit kränkt. Es ist ihr egal. Warum soll sie kümmern, was diese Frau fühlt, wenn sie Imogen Reid offensichtlich vollkommen gleich ist? »Ellie, bitte.«

»Ellie, bitte«, äfft Ellie sie in einer Stimme nach, die sich nicht wie ihre eigene anhört. Sie kann es nicht leiden, kann aber auch nicht aufhören, so wenig wie sie die Wut verhindern kann, die sie durchströmt, als hätte jemand in ihrem Kopf einen Wasserhahn laufen lassen, sodass alles überquillt und sie es unmöglich aufschöpfen und dorthin zurückschütten kann, woher es kam. Ihre Wut entwickelt ein Eigenleben und bringt ihren ganzen Schädel zum Pochen. Es ist noch hinreichend Ellie in ihr, dass sie Angst vor dem hat, was sie mit diesem lodernden Zorn sagen oder tun könnte, aber nicht so viel Angst, um die Worte zu bremsen, die ihr über die Lippen kommen.

»Du bist genau wie alle anderen!«, schreit sie und merkt, wie ihr Gesicht rot und hässlich wird. Sie spürt, wie der Dämon, von dem Miss Gilbert und Sarah Jefferson immer schon sagten, dass er in ihr steckt, sich aufbäumt. »Aber du bist schlimmer als sie, weil du so getan hast, als wärst du anders, als würde es dich interessieren! Sie alle sagen, dass ich die Böse bin, dass ich diese schrecklichen Sachen passieren lasse, aber vielleicht sind sie ihnen passiert, weil sie schlechte Menschen sind, und vielleicht passieren dir schlimme Sachen, und vielleicht ist es mir dann sogar egal!«

Und jetzt kann sie die Tränen nicht mehr zurückhalten, die ihr über das Gesicht laufen. Während Ellie sie sich abwischt, will sie nicht mal auf ihren Ärmel sehen, falls es keine normalen Tränen von einem normalen Mädchen sind, sondern die dicken klebrigen schwarzen Tränen eines Monsters.

»Ellie, das meinst du nicht so.« Imogen ringt die Hände, ob

vor Nervosität oder weil sie betet, kann Ellie nicht sagen. Sie sollte beten, beten, dass nicht stimmt, was die Leute im Ort flüstern, wenn sie glauben, dass Ellie sie nicht hört. »Du bist kein schlechter Mensch. Du bist ein wundervolles kleines Mädchen, und ich wünschte weiß Gott, wir könnten zusammenarbeiten und ich dir helfen. Aber ich habe einen Job und so viel getan, wie der mir erlaubt.«

»Ich scheiße auf deinen Job!«, schreit Ellie, und es schockiert oder ängstigt sie nicht, dass sie sich so ausdrückt. Sie weiß, dass schlimme Dinge in ihr sind und darauf warten, herauszukommen, und in diesem Moment hat ihre Wut sie so fest im Griff, dass sie nicht einmal kümmert, ob sie es tun. »Ich habe dir vertraut!«

»Und ich bin froh, dass du es hast. Ich wünschte, du würdest es noch. Darauf vertrauen, dass die Leute, an die ich dich weiterempfehle ...«

»Das ist alles, was ihr macht.« Ellie bemüht sich, ruhiger zu sein, aber ihre Worte triefen immer noch vor Gift. »Mich weiterempfehlen, woanders hinschicken. Bin ich zu schwierig? Zu viel Arbeit? Kein Problem, schick sie weiter, schreib sie auf die Liste von jemand anderem. Soll sie doch das Problem von jemand anderem sein. Weißt du, dass ich mir gewünscht habe, du wärst meine Mum?« Vor lauter Schluchzen ist sie kaum noch zu verstehen. »Ich habe im Bett gelegen und zu einem Gott gebetet, an den ich nicht mal glaube, dass du meine neue Mum sein kannst, für mich sorgen, und wir aus diesem furchtbaren Dorf wegziehen und zusammen glücklich sein können.«

Imogen schüttelt traurig den Kopf. »Es ist meine Schuld, Ellie. Ich hätte dir nie solche Hoffnungen machen dürfen, hätte nie ...«

»Jetzt mach es nicht noch schlimmer!«, kreischt Ellie. »Sag mir nicht, dass es ein Fehler war! Ich war glücklich, wenn ich bei dir war!« Sie möchte etwas nach ihr werfen, Imogen so verletzen, wie die sie verletzt.

»Na, ich bin froh, dass du nicht meine Mum bist.« Ellie feuert die Worte auf Imogen ab, und jedes einzelne ist ein Treffer. »Denn meine richtige Mum hätte mich nie so aufgegeben wie du. Du verdienst nicht, Mutter zu sein. Du verdienst das Baby nicht, das in dir wächst. Es wäre tot besser dran.«

Und ehe Imogen reagieren kann, springt Ellie auf und stürmt aus dem Raum in die Arme ihrer wartenden Pflegemutter.

*Imogen*

Ich stehe allein im Büro, das Gesicht in den Händen vergraben, und versuche, nicht zu weinen. Das ist alles so schiefgelaufen. Ich hätte ahnen müssen, dass Ellie sich furchtbar verraten fühlen würde. Edward hatte recht, Florence Maxwell hatte recht – so etwas passiert, wenn man einen Fall zu nahe an sich heranlässt. Genau wie letztes Mal. Und sieh sich einer an, wie es ausgegangen ist.

# Kapitel 73

*Ellie*

»Schhh.« Mary streicht mit der Hand über Ellies langes dunkles Haar, umfängt behutsam ihr Kinn und hebt es an, damit das kleine Mädchen sie ansieht. »Ist schon okay, Ellie. Weine nicht, bitte. Ich hasse es, wenn du traurig bist.«

»Du hast sie nicht gesehen, Mary.« Ellie unterdrückt ihr Schluchzen. Sie würde alles für den einzigen Menschen tun, der ihr noch geblieben ist. »Als wäre es ihr völlig egal. Und ich habe so schreckliche Dinge zu ihr gesagt – einfach die schlimmsten Sachen, die man zu jemandem sagen kann. Ich fühle mich furchtbar.«

»Sicher ist es ihr nicht egal, Els.« Mary beugt den Kopf, sodass sie auf Augenhöhe mit dem Mädchen ist, das für sie einer Schwester am nächsten kommt und dessen kleines Herz vor ihren Augen bricht. »Sie ist eben eine Erwachsene, und du weißt, wie Erwachsene sind, nicht? Darüber haben wir doch schon geredet. Sie haben vergessen, wie es sich anfühlt, ganz allein zu sein, zu denken, dass man niemanden auf der Welt hat, auf den man sich verlassen kann. Sie sind so damit beschäftigt, sich wegen ihres Jobs, ihrer Familie und allem Möglichen Gedanken zu machen, dass sie vergessen, wie es für die Kinder ist, die sie dabei im Stich lassen.« Sie streicht Ellie eine Locke aus dem Gesicht, die an dem tränennassen Wangenknochen klebt. Zärtlich wischt Mary mit dem Daumen unter Ellies Auge entlang und streicht die letzten Tränen weg. »Aber ich werde es nicht vergessen.«

»Du verlässt mich nicht, oder, Mary? Auch wenn ich zu einer anderen Familie komme, bleibst du noch meine Freundin, ja?«

»Selbstverständlich, du Dummchen«, verspricht Mary. »Wir sind mehr als Freundinnen, etwa nicht? Wir sind Schwestern. Das kann man nicht einfach rückgängig machen, nicht mal, wenn man will. Was ich nicht tue.« Als sie Ellies Gesichtsausdruck sieht, reckt sie ihren kleinen Finger in die Höhe. »Versprochen.«

»Ich habe gesagt, ihr Baby verdient sie nicht. Ich habe gesagt, dass es tot besser dran ist«, sagt Ellie wimmernd und ist sicher, dass Mary angeekelt zurückweichen wird. »Hätte ich das bloß nicht gesagt.«

Mary zuckt mit den Schultern, obwohl Ellie sicher ist, dass sie ein leichtes entsetztes Zucken gesehen hat, als sie *tot besser dran* sagte. »Das macht nichts, Ellie. Es sind nur Worte. Und Worte können schließlich keinem was tun.«

Ellie fühlt sich total elend, wie das traurige kleine Mädchen, das sie ist, und Mary drückt sie fest. »Aber wenn du willst, dass sie für das bezahlt, was sie dir angetan hat, wie sie dich verletzt und verraten hat, weißt du, dass du es kannst. Du weißt, was du tun kannst, nicht?«

Ellie starrt Mary mit großen Augen an. Also weiß sie es doch. Sie weiß alles über die Wut, die Träume und die Dämonen. Und sie hat sie trotzdem lieb. Und als Mary ihr aufmunternd zulächelt, will Ellie sie nicht enttäuschen. Deshalb erwidert sie das Lächeln mit einem verhaltenen Nicken. Denn Ellie will Imogen Reid nicht verletzen. Aber sie will Mary auch nicht enttäuschen.

# Kapitel 74

*Imogen*

Am Nachmittag gehe ich früher nach Hause. Edward, der mein Gesicht gesehen hatte, als ich zurück ins Büro kam, war so sensibel gewesen, es vorzuschlagen. »Sie haben diese Woche schon einige Überstunden gemacht«, hatte er gesagt und mir sanft eine Hand auf die Schulter gelegt. »Und Sie hatten einige heftige Entscheidungen zu treffen. Nehmen Sie sich den Rest des Nachmittags frei und kommen Sie morgen erholt wieder.«

Heftige Entscheidungen, hatte ich leicht verbittert gedacht. Aber das waren nicht meine Entscheidungen!

Ich bin kaum zur Tür herein und habe meine Tasche auf den Boden fallen lassen, als Dan oben an der Treppe erscheint. »Wie war es?«, fragt er mit einem Ausdruck echten Mitgefühls.

»Furchtbar.« Ich gehe ins Wohnzimmer, weiß nicht recht, was ich mit mir anfangen soll. Ich möchte Sarah Jefferson anrufen, ihr erklären, was mit Ellie war, nachfragen, ob es ihr gut geht. Aber das darf ich nicht. Ich muss mich jetzt zurückhalten, die Familie mit Ellies Problemen zurande kommen lassen, wie ich es von Anfang an hätte tun sollen.

Ich bemerke nicht mal, dass Dan hinter mir steht, bis er seine Hände auf meine Schultern legt und mir den Nacken massiert. Gott, tut das gut!

Ich atme langsam aus, als sich meine Muskeln entkrampfen. Mein Mann umfängt mich mit seinen starken Armen.

»Es ist nicht deine Schuld«, tröstet Dan mich. »Es war nicht deine Entscheidung.«

Ich seufze. »Du hast ihr Gesicht nicht gesehen, Dan. Sie war am Boden zerstört. Sie wurde wütend, und das kann ich ihr nicht verübeln. Ich bin alles, was sie hatte.« Ich entwinde mich seinen Armen und gehe im Zimmer auf und ab. »Diese verfluchte Frau! Nur weil sie ihren Job nicht anständig macht und beschlossen hat, mich zu diskreditieren, bevor ich eine Chance habe zu erzählen, wie unfähig sie ist.«

»Aber wenn Edward das denkt«, sagt Dan in seinem vernünftigsten Tonfall, »ist es vielleicht das Beste. Es ist ein neuer Job, und du hast andere Dinge, über die du dir Gedanken machen musst. Wir haben anderes, worüber wir nachdenken sollten.«

»Was soll das denn heißen?« Ich drehe mich ruckartig zu ihm, will dringend meine Wut an jemandem auslassen. Es ist unfair und gemein, aber mein Herz rast. Ich bin wütend und verzweifelt, und alles, was Dan kann, ist, das Gespräch mal wieder auf das bringen, was *er* will? »Dass ich, weil *du* willst, dass ich schwanger werde, bei der Arbeit nicht klar denken kann? Dass ich, wenn ich schwanger bin, nichts mehr tauge in meinem Job? Als wäre das alles, woran ich denke?«

Er hat nichts dergleichen gesagt, wie ich sehr wohl weiß. Aber in Wahrheit habe ich Angst, dass das Baby, von dem er nicht einmal etwas ahnt, mich bereits verrückt macht. Ist es das, was mit Mum geschehen war? Hatte Dad sie deshalb verlassen, sowie ich geboren war? Weil sie verrückt wurde? Geisteskrankheit ist schließlich erblich. Warum sollte ich nicht genau wie sie sein?

Dan weicht mit erhobenen Händen zurück. »Das habe ich nicht gesagt, Im, und das weißt du auch. Ich würde deine beruflichen Fähigkeiten niemals infrage stellen. Du machst das gut mit diesen Kindern. Du wirst es auch mit unserem Kind gut machen. Und ich dachte, das würden wir beide wollen.«

Ich wende mich von seiner gekränkten Miene ab und möchte schreien vor Frust. Jetzt bin ich froh, dass ich Dan nichts von der Schwangerschaft erzählt habe. Wenn er schon so ist, ehe er weiß, dass ich ein Kind erwarte, wie wäre er dann erst, wenn er es erfährt? Wahrscheinlich hofft er, dass ich beim Anblick der zwei blauen Linien meine Arbeit kündige und nur noch Babyschühchen stricke. Ellies Worte hallen mir durch den Kopf. *Du verdienst nicht, Mutter zu sein.*

»Will ich ja auch«, sage ich. »Ich sehe bloß nicht, was alles dauernd mit uns und unseren Kindern zu tun hat. Dies ist mein Job, Dan. Und was ich mit Ellie getan habe, war mir wichtig. Es geht nicht um uns.«

»Und wenn doch?« Dans Miene verfinstert sich. »Was ist, wenn du diesen Kindern nicht mehr dasselbe Maß an Aufmerksamkeit zukommen lassen kannst, nachdem unser eigenes da ist? Was heißt es für unsere Kinder, wenn du dich so sehr auf die anderen einlässt? Du musst lernen, dich zurückzunehmen. Darum sind wir doch überhaupt hergezogen.«

Mich zurücknehmen? Meint er das im Ernst? Weiß er eigentlich irgendwas über mich?

»Ich muss jetzt wirklich nicht darüber reden, Dan.«

»Und wann dann?«

Als ich mich zu ihm umdrehe, sehe ich, dass er wütend ist. Dass die Monate, die ich ihm seinen einzigen Wunsch verweigere, ihn immer weiter von mir wegtreiben. Mein schlechtes Gewissen regt sich, weil ich das Eine in mir habe, das er sich wirklich wünscht, das Eine, was ihn zum glücklichsten Mann aller Zeiten machen würde, und ich kann mich nicht dazu bringen, es ihm zu sagen. Weil es dann vorbei wäre, mir keine Wahl mehr bliebe. Und ich bin so wütend, fühle mich so grausam und selbstsüchtig, dass ich ihn in diesem Moment nicht glücklich machen will, weil ich es auch nicht bin.

»Wann reden wir dann darüber? Wenn wir ein Jahr hier sind? Wenn du befördert wirst und es heißt, bedaure, Dan, jetzt ist es ungünstig? Denn ehrlich gesagt, Imogen, fange ich allmählich an zu glauben, dass du über alles lieber reden würdest als übers Kinderkriegen. Und ich würde ja sagen, dass ich es verstehe, dass ich dir keinen Druck machen und keine Kinder will, es sei denn, du bist dazu bereit. Aber du hast mir das ganze letzte Jahr versichert, eine Familie wäre genau das, was du dir wünschst, dass, wenn du einen weniger fordernden Job hast und ein Haus auf dem Lande und alle anderen unüberwindbaren Hindernisse, die dir einfallen, beseitigt sind, wir es in Angriff nehmen werden. Und ich habe mitgespielt, habe dir alles gegeben, was du wolltest, doch du willst immer noch keine Familie. Sag mir, was es ist, Imogen. Verrate mir, was in deinem Kopf vorgeht.«

»Hast du jemals darüber nachgedacht, dass ich eventuell nicht meine Karriere, meinen Körper, mein ganzes Leben für dich aufgeben will? In deiner Welt ist alles so einfach, nicht wahr? Du musst nichts opfern, machst genauso weiter wie bisher, mit dem einzigen Unterschied, dass du nebenher ein niedliches kleines Baby anhimmeln und mit ihm spielen kannst – während ich diejenige sein werde, die fett und erschöpft ist, die um ein Uhr nachts Windeln wechselt und ...«

»Ich würde bei allem helfen, Immy, und das weißt du. Ich arbeite zu Hause, bin nicht bis spätabends weg, und ich möchte die nächtlichen Einsätze übernehmen und ...«

»Oh, hör auf, immer alles verdammt noch mal richten zu wollen!«, schreie ich. »Hör auf, mich überreden zu wollen wie ein bescheuerter Gebrauchtwagenhändler, damit ich etwas mache, von dem jeder, der halbwegs bei Sinnen ist, weiß, dass ICH ES NICHT WILL!«

Dan tritt zurück. Er sieht erschrocken aus, und ich möchte

die Worte zurücknehmen, die Arme um seinen Hals legen und ihm sagen, dass wir sein Baby bekommen. Doch das will mir nicht über die Lippen. Der grausame, selbstsüchtige Teil von mir, der von Anfang an wusste, dass ich keine Mutter sein darf, hält mich so wirksam zurück, als handelte es sich um eine losgelöste Person, die stärker ist als die Imogen, die ihren Mann liebt und ihn mehr als alles andere auf der Welt glücklich machen will. Jene Imogen ist so oft von ihrem bösen Zwilling niedergetrampelt worden, dass ich nicht mal sicher bin, ob sie überhaupt noch eine Stimme hat.

»Ich dachte ... Du hast immer gesagt ...« Er bricht ab, denn dieses neue, finstere Terrain unserer Ehe ist zu unheimlich, um es zu erforschen.

»Tja, jetzt weißt du es. Ich werde dir nicht geben, was du willst, Dan, also kannst du ebenso gut deine Sachen packen und gehen.«

Ich dränge mich an ihm vorbei in die Diele, stehe unten an der Treppe und kneife die Augen zu, um die verzweifelten Züge meines Mannes aus meinem Kopf zu verbannen. Und ich warte eine, zwei, drei Sekunden. Er versucht nicht, mir hinterherzukommen.

# Kapitel 75

*Imogen*

Das Wasserrauschen übertönt alle anderen Geräusche im Haus, sodass ich nicht hören kann, ob Dan meinen schrecklichen Vorschlag befolgt oder nicht. Ich habe die Badezimmertür abgeschlossen, um mir ein Bad einzulassen, dabei spielt es keine Rolle. Er ist nicht gekommen, um nach mir zu sehen, hat nicht leise angeklopft und mich angefleht, mit ihm zu reden, wie er es sonst tun würde. Diesmal bin ich zu weit gegangen. Ich habe ihn immer wieder weggestoßen, und nun ist die Mauer, die ich um mich errichtet habe, unüberwindbar. Ich werde ihn verlieren. Also warum schaffe ich es nicht, hinzugehen und mich zu entschuldigen? Nur weil ich es nicht ertrage, Schwäche zu zeigen? Das ist einer der Züge, die Dan am meisten an mir frustrieren. Stets ist er der Erste, der sich entschuldigt; der Erste, der einknickt. Ich bin starrköpfig und ständig auf meinen Selbstschutz bedacht, da ich schon früh lernte, dass zuzugeben, im Unrecht zu sein, sich zu entschuldigen, ein Zeichen von Schwäche ist. Und sogar jetzt, als ich deswegen den einzigen Menschen verlieren könnte, ohne den zu leben ich nicht ertrage, bin ich unfähig, mit der alten Gewohnheit zu brechen.

Ich beuge mich vor, um das kalte Wasser aufzudrehen, und mir schießt ein unbeschreiblicher Schmerz durch den Bauch. Ich krümme mich unter der Wucht. Während ich mir den Bauch halte, schreie ich nach Dan. Ich bekomme keine Luft, kann nicht zweimal schreien und weiß, dass ich sterbe. Ich war solch eine fiese Kuh, und jetzt kann ich mich nicht mal mehr entschuldigen. Der Schmerz pulsiert in meinem Unterleib, immer wieder, und ich greife nach etwas, an dem ich mich festhalten kann. Meine fuchtelnde Hand berührt das Waschbecken, nur ist es nass, sodass ich an dem schimmernden Email abrutsche und zu Boden knalle. *Was geschieht hier?* Ein Gedanke kristallisiert sich in meinem Kopf heraus – *das Baby.* Während ich schluchzend vor Schmerz auf dem Boden liege, höre ich Dan durch die verschlossene Tür rufen, kam aber kaum ein Wimmern zustande bringen. Ellies Worte kreisen durch meinen Schädel, eine Prophezeiung in Endlosschleife. *Du verdienst nicht, Mutter zu sein. Du verdienst das Baby nicht, das in dir wächst. Es wäre tot besser dran.*

# Kapitel 76

*Imogen*

Meine Augen brennen zu sehr, um sie zu öffnen, doch ich weiß auch ohne hinzusehen, dass ich im Krankenhaus sein muss. Ich liege nicht mehr auf dem Badezimmerfußboden, aber das Bett ist auch nicht bequem genug, um meines zu sein, und mein Arm drückt gegen eine kalte Kunststoffkante. Meine Hand pocht. Eine Kanüle. Ich erinnere mich an den mörderischen Schmerz, den ich gefühlt hatte, bevor alles schwarz wurde. Jetzt ist er fort. Stattdessen wabert ein warmer Nebel in meinem Kopf; sonst empfinde ich nichts als Taubheit. Langsam mache ich die Augen auf. Das Licht über mir ist unangenehm grell. Ich sehe kurz, dass Dan auf einem Stuhl neben meinem Bett sitzt, ehe ich die Augen wieder schließe. Er ist der einzige Mensch, den ich brauche, und der absolut letzte, dem ich nun die Frage stellen will.

»Das Baby«, würge ich krächzend hervor, und mein Hals schreit.

Es folgt eine Pause, dann höre ich die nicht minder gequälte Stimme meines Mannes. »Nein«, flüstert er. »Das Baby hat es nicht geschafft.«

Meine Schultern sacken auf die Matratze. Mir war nicht bewusst gewesen, dass ich steif vor Angst war. *Das Baby hat es nicht geschafft.* Das Baby ist tot. Mein Baby. Dans Baby.

»Wie lange hast du es gewusst?« Die Worte kommen von Dan, klingen jedoch nicht wie er. Ich öffne die Augen, drehe mich zu ihm und sehe solchen Schmerz in seinem Gesicht, dass ich hinübergreifen und ihn in die Arme nehmen will. Wir sollten uns dem hier gemeinsam stellen; es dürfte nicht so sein. Und dennoch ist es meinetwegen so. Weil ich ihm nie von dem Baby erzählt habe und meine erste instinktive Frage nach dem Aufwachen dem Kind galt, von dem ich nicht mehr behaupten kann, nichts zu wissen.

»Ein paar Wochen.«

Dan zuckt zusammen, als hätte ich ihn geschlagen.

»Du wolltest es mir nicht sagen.«

»Doch, wollte ich.« Wollte ich das wirklich? Zumindest hatte ich es vor. Jetzt werde ich nie erfahren, ob ich es wirklich getan hätte. Die Entscheidung wurde mir genommen. Ich sollte erleichtert sein. Bin ich aber nicht. »Ich wollte den richtigen Zeitpunkt abwarten.«

»Nach unserer heutigen Unterhaltung wissen wir wohl beide, dass das nicht stimmt. Verrate mir, Imogen, hattest du schon einen Termin für den Abbruch? Hattest du bereits geplant, mein Kind abzutreiben, ohne mir je zu sagen, dass es existierte?«

»Du verstehst das nicht. Du stellst das ganz falsch dar ...« Was er im Grunde nicht tut. Er sagt es genau so, wie es war. Selbstsüchtig wie ich bin, habe ich ihm verweigert, sich darauf zu freuen, Vater zu werden.

»Es tut mir leid.«

»Ach ja? Du hast doch bekommen, was du wolltest, und dich trifft keine Schuld. Du solltest hellauf begeistert sein. Tja, bist du vielleicht auch. Ich habe das Gefühl, dass ich gar nicht einschätzen kann, was du denkst.«

Es kommt mir unfair vor, dass der Mann, der mich bei allen Entscheidungen unterstützt, mir bei allen Schwierigkeiten in den letzten zwölf Monaten beigestanden hat, so kalt klingen kann, wenn ich ihn am dringendsten brauche. Du hast das angerichtet, sage ich mir. Ich habe einen liebevollen, geduldigen, freundlichen Mann in lauter kleine Stücke gerissen, bis er sich nur noch wiederaufrichten kann, indem er versteinert.

»Es tut mir leid«, wiederhole ich – zu erschöpft, zu gebrochen, um mehr zu sagen.

»Ich habe Pammy angerufen«, wechselt er das Thema. »Sie ist in ungefähr einer Stunde hier. Solange bleibe ich, dann fahre ich nach Hause und hole dir einige Sachen. Sie wollen, dass du zumindest über Nacht bleibst. Und ich habe bei der Arbeit angerufen, ihnen gesagt, dein Blinddarm wäre geplatzt und du würdest ein paar Wochen ausfallen. Die Ärzte sagen, dass du Ruhe brauchst, und wenn es dir besser geht, machen sie einige Tests, um herauszufinden, warum das ... warum das passiert ist. Aber manchmal geschieht es einfach nur. Manchmal gibt es keine Erklärung.«

»Dan ...« Mehr sage ich nicht, weil mir nicht einfallen will, was ich sagen könnte. Dan lehnt sich wieder zurück, ohne mich anzusehen.

»Du solltest schlafen.«

Ich schließe die Augen, lasse den Kopf ins Kissen sinken und denke an das winzige Leben, das vor Stunden noch in mir wuchs. Das winzige Leben, das in einem Nebel aus Schmerz und Blut davongespült wurde.

# Kapitel 77

Imogen öffnet erschöpft die Augen, und für den Bruchteil einer Sekunde wird sie panisch angesichts der Dunkelheit, die sie umgibt. Ist sie blind? Warum ist alles so schwarz? Als sich ihre Augen angepasst haben und die Dinge um sie herum Konturen annehmen, erinnert sie sich wieder. Sie war in ihrem Versteck gewesen, hatte zum x-ten Mal *Jane Eyre* gelesen, als ihre Lider schwer wurden und sie die Augen nur für einen Moment zumachte.

Ihr Magen verkrampft sich vor Angst. Wie spät ist es? Ist ihre Mutter zu Hause? Imogen ist immer aus ihrem Versteck, bevor ihre Mutter nach Hause kommt, hat die Decken und Kissen in dem alten Sicherungskasten versteckt, die Bücher hinter dem nicht mehr benutzten Bügelbrett, das Foto ...

Imogen stößt einen Laut aus, der zwischen einem Schluchzen und einem stummen Schrei liegt. Das Bild von ihrer Mutter und ihrem Vater ist nicht mehr auf ihrem Knie, wo es ganz sicher war, als sie einschlief. Sie tastet im Halbdunkel umher, fühlt staubbedeckten Krimskrams und Stapel alter Zeitschriften, aber kein Foto. Ihr Herz ist so schwer, als sei es aus Stein gemeißelt, als sie aufsteht und die Tür aufschiebt.

Mutter sitzt auf dem Sofa und starrt zur Kammertür, als Imogen herauskommt. Und sie hält Imogens Foto in der Hand.

»Ich gehe nach oben ins Bett«, stottert Imogen. Als ihre Mutter nichts sagt, geht sie auf die Wohnzimmertür zu.

»Komm her«, befiehlt ihre Mutter leise. Imogen dreht sich

langsam um, fühlt, wie ihr Gesicht aschfahl wird. Sie stellt einen Fuß vor den anderen, als würde ihr jeder Schritt großen Schmerz verursachen, während sie gehorsam vor das Sofa tritt.

»Setz dich.«

Imogen ist nicht so dumm, zu widersprechen.

»Dieses Foto«, sie wedelt mit dem Bild – Imogens Bild – vor ihr, »wurde ein paar Monate vor meiner Schwangerschaft mit dir aufgenommen. Sehen wir nicht glücklich aus?«

Imogen bejaht stumm und versucht, die Tränen wegzublinzeln, die ihr in die Augen steigen. Natürlich kann sie es sehen. Deshalb mag sie das Bild so sehr. Es zeigt ihr eine Seite von ihrer Mutter, die Imogen in ihrem kurzen Leben nie gesehen hat.

»Wir waren so verliebt«, fährt ihre Mutter fort, als wäre Imogen gar nicht da. »Dein Dad war der beste Ehemann, den ich mir wünschen konnte.«

Nun hört Imogen aufmerksam zu. Ihre Mutter hat noch nie über ihren Dad gesprochen, und sie hat Angst, zu interessiert auszusehen, falls ihre Mutter abrupt abbricht. »Er war liebevoll, aufmerksam, und er hat mich geliebt. Und mehr als alles andere wünschte er sich Kinder. Zwei, vielleicht sogar drei. Ich war mir nicht so sicher. Wir waren noch nicht lange zusammen, und ich fand, wir sollten uns erst für eine Weile auf uns beide konzentrieren. Aber er bestand darauf. Immer wieder redete er davon, bis ich zustimmte. Ich dachte, wenn er glücklich wäre, wäre ich es auch.«

Imogens Herz vollführt einen Purzelbaum in ihrer Brust. Ihr Vater hatte sie gewollt! Sie war gewollt gewesen! Aber sie weiß, dass die Geschichte nicht gut ausgehen kann. Was hatte ihre Mutter getan? Warum war der Dad auf dem Foto – der Mann, der so dringend sie und Geschwister für sie gewollt hatte – jetzt nicht hier bei ihr?

»Er war wunderbar, als ich mit dir schwanger wurde«, erzählt ihre Mutter weiter. »Es war keine leichte Schwangerschaft, aber er war da, massierte mir die Füße, hielt mir das Haar nach hinten.« Ihre Augen glänzen und bekommen einen Ausdruck, als sei sie weit weg. Nachdem sie eine Minute geschwiegen hat, schüttelt sie den Kopf und sieht Imogen an, als würde ihr erst nun bewusst, dass sie immer noch da ist. »Wie dem auch sei«, sagt sie brüsk. »Das war's. Geh jetzt ins Bett.«

Imogen sackt in sich zusammen. »Was ist dann passiert?«, fragt sie. Ihre üblichen Ängste hat sie beinahe vergessen. So wagemutig war sie ihrer Mutter gegenüber nicht mehr gewesen, seit sie sehr klein war, bevor sie begriff, dass sie lieber nicht lästig wurde und Fragen stellte.

»Ich sagte, geh ins Bett.«

»Aber, Mum …«

»Na gut!« In diesem Moment weiß Imogen, dass sie zu weit gegangen ist, doch es ist zu spät. »Du willst wissen, was dann passiert ist? Du bist passiert.« Ihre Augen funkeln vor Zorn und Hass, und die zehnjährige Imogen Tandy weicht zurück. »Du wurdest geboren, und alles, was du getan hast, war schreien und trinken, schreien und scheißen. Du hast all meine Zeit und all meine Liebe verschlungen, bis nichts mehr übrig war, und damit wurde dein Vater nicht fertig! Er kam nicht damit klar, dass sich nicht mehr alles nur um ihn drehte, also ging er. Er ließ mich allein mit einem schreienden, selbstsüchtigen, undankbaren Kind, das in mein Schlafzimmer schleicht, mich bestiehlt und verlangt, von einem Mann zu erfahren, der sich SEIT ZEHN JAHREN EINEN DRECK UM UNS SCHERT!«

Jetzt schreit sie lauter, als Imogen sie je gehört hat, und vor Wut strömen ihr Tränen übers Gesicht. Sie hält das Foto in die Höhe, reißt es in der Mitte durch und schleudert es in den kalten, ungenutzten Kamin. Imogen springt auf. Ihre Beine zittern so sehr, dass sie nicht sicher ist, ob sie nicht wegknicken, als sie hinausrennt, die Treppe hinauf in ihr Zimmer und die Tür hinter sich zuknallt.

# Kapitel 78

*Imogen*

Pammy sitzt neben dem Bett und sieht mich mit unverhohlener Sorge an. Sie hatte mich in dem Moment, in dem sie ins Zimmer kam, gefragt, wie es mir geht, und Dan kaum wahrgenommen, der eine Entschuldigung murmelte und an ihr vorbei nach draußen ging. Ich hatte nicht gewusst, was ich sagen sollte, also sagte ich nichts.

»Ist es dir schon mal passiert, dass du gar nicht wusstest, dir etwas zu wünschen, bis dir die Option darauf genommen wurde, Pam?«, frage ich schließlich.

Pammy legt eine Hand auf mein Bein. »Nee, mir nicht. Ich bin ziemlich gut darin, zu wissen, was ich will«, sagt sie mit einem wehmütigen Lächeln. »Aber ich kenne einen Mann, dem das passiert ist.«

»Richard?«

Pammy nickt. »Er war nicht scharf auf Kinder, zumindest hatte er es nicht eilig. Die standen nicht ganz oben auf seiner Prioritätenliste. Ich schätze, dass er gedacht hat, er hätte noch alle Zeit der Welt. Meinetwegen fing er an, es zu versuchen, und als wir merkten, dass es nicht so einfach wird, wie es für gesunde Leute in unserem Alter sein sollte – tja, da wurde es für ihn zu einer Obsession. Ich weiß nicht, ob es seine Männlichkeit infrage stellte oder er nicht wusste, wie sehr er sich Kinder wünschte, bis er erfuhr, dass es vielleicht nicht dazu kommen würde.«

»Er hat angefangen, es zu probieren, weil du welche wolltest? Was war damit, was er wollte?« Ich will nicht grausam klingen, dennoch zuckt Pammy zusammen.

»Ich habe keinen Druck gemacht. Es war ja nicht so, als hätte er keine gewollt. Er hatte es bloß weniger eilig als ich. Meine biologische Uhr fing an zu ticken, und auf einmal konnte ich an nichts anderes mehr denken.«

Ich nicke, lege mich ins Kissen zurück und rutsche unruhig hin und her. Warum finde ich keine gemütliche Position in diesem verdammten Bett? Ich hasse es hier, umgeben von Müttern und ihren schreienden Babys. Sie haben mich in ein Privatzimmer am Ende der Entbindungsstation gesteckt, eindeutig um meine Gefühle zu schonen, doch dadurch fühle ich mich nur wie eine Aussätzige, die nicht unter normalen, guten Müttern sein sollte. Denjenigen, die für ihre Babys sorgen und sie lieben. Wie kann ich Dan erklären, dass dies hier unvermeidlich war? Früher oder später hätte ich es versaut – das ist meine genetische Veranlagung. Da war es doch sicher besser, es jetzt festzustellen. Und falls es wahr ist, warum fühle ich dann ein klaffendes Loch, wo mein Herz sein sollte?

»Soll das heißen, du wolltest das Baby?«, fragt Pammy und beugt sich näher zu mir. »Sicher ist es normal, Angst zu haben und unsicher zu sein, Im. Vielleicht wolltest du es von Anfang an und hast es bloß nicht gewusst.«

»Ich denke, ich wusste es«, gestehe ich. Es tut gut, endlich mit jemanden zu reden, der nicht unmittelbar beteiligt ist, auch wenn mir ihr Kinderwunsch schmerzlich bewusst ist. *Du bist so was von egozentrisch, Imogen. Immer denkst du nur daran, was du willst, was du brauchst.* »Ich habe mir eingeredet, dass ich kein Baby wollte, weil ich so sicher war, dass es unsere Beziehung ruiniert und ich dem Kind die Schuld geben würde ...«

»Wie deine Mum«, beendet Pammy den Satz für mich. Deshalb brauchte ich Pammy hier. Pammy weiß, wie ich aufgewachsen bin. Sie weiß von diesem Ort, was er mit Menschen anstellt und welche Macht er hat. Mich wundert lediglich, dass sie erwägt, hier ihre Kinder aufzuziehen.

»Du, Imogen Reid, bist kein bisschen wie deine Mum. Und ich weiß, wie du über Gaunt denkst, doch weder das eine noch das andere hat irgendwas damit zu tun, wie du als Mum wärst. Das ist in dir, nicht in deiner DNS, sondern in deinem Herzen. Und falls du jemandem verrätst, dass ich etwas derart Kitschiges gesagt habe, kannst du dir gleich ein Zimmer auf einer anderen Station buchen.«

Ich versuche zu grinsen, scheitere aber. Es ist, als hätte mein Gesicht vergessen, wie es geht. »Danke. Obwohl ich nicht denke, dass es noch eine Rolle spielt. Ich bin ziemlich sicher, dass meine Ehe vorbei ist, und bis ich jemand anderen überredet habe, sich mit mir abzugeben, brauche ich einen Rollator, um einen Kinderwagen zu schieben.«

Pammy seufzt. »Für eine recht kluge Frau kannst du manchmal unfassbar blöd sein. Dein Mann liebt dich, das sieht doch ein Blinder mit Krückstock, und obwohl du dein Bestes getan hast, ihn zu verscheuchen, hat er gerade einen ganzen Abend an deinem Bett gesessen und ist jetzt losgerauscht, um dir alles von zu Hause zu holen, was du brauchst. Und ehe du es sagst«, sie hebt eine Hand, »er muss das alles nicht tun. Also, solltest du ihn aufgeben und gehen lassen, Imogen, na, gegen so viel Blödheit ist wirklich kein Kraut gewachsen.«

Ich versuche gar nicht erst, noch einmal zu grinsen. »Ich weiß nicht, ob ich die Kraft habe, Pam. Mir ist, als könnte ich tausend Jahre schlafen.«

»Das wundert mich nicht, wenn man bedenkt, was du durchgemacht hast.« Sie senkt ihre Stimme, obwohl uns hier keiner hören kann. »Haben die Ärzte gesagt, warum es passiert ist?«

Ich schüttle den Kopf, und ein wummernder Rhythmus setzt allein bei dem Gedanken ein. »Sie wollen noch Tests machen.«

»Na, du sollst nur wissen, dass ich für dich da bin.« Sie knüllt einen Deckenzipfel mit ihren Fingern, und ich habe den Eindruck, dass sie tatsächlich nervös ist. Habe ich Pammy jemals nervös erlebt? Ich bin mir nicht sicher. »Weil ich schon an deiner Stelle war.«

»Oh Gott, Pammy, das tut mir so leid. Warum hast du nie was erzählt?«

Sie zuckt mit den Schultern. »Weiß ich nicht. Ich wollte dich da nicht mit reinziehen, vermute ich. Du warst so weit weg, hattest dieses aufregende Leben in der Großstadt mit deiner fantastischen Karriere, deiner tollen Wohnung, und ich wollte dich nicht mit meinem Kleinstadtmist belasten.«

»Jetzt gerade fühlt es sich nicht wie Kleinstadtmist an.«

Pammy verzieht das Gesicht. »Oh nein, das habe ich nicht gemeint. Ich bin schrecklich in solchen Sachen.«

»Bist du nicht. Und mir tut leid, dass du dachtest, du könntest nicht mit mir reden.« Ich hole tief Luft. »Vielleicht wird es Zeit, dass ich dir die Wahrheit über mein aufregendes Leben erzähle.« Nachdenklich kratze ich mit den Fingernägeln an der spröden Haut um meinen Daumennagel. »Der wahre Grund, weshalb ich meinen letzten Job aufgegeben hatte, war der, dass sich jemand über mich beschwert hatte. Ich bekam die Option, freiwillig zu gehen, ehe sie mich rauswerfen.«

Pammy beobachtet mich aufmerksam, und ich kann ihr nicht in die Augen sehen. Meine Wangen glühen vor Scham. Als sie nichts sagt, erzähle ich weiter.

»Da war ein Junge, nicht viel älter als Ellie. Genau genommen war er gerade zwölf geworden. Er wurde uns von der Klinik als Klient für unser Pro-Bono-Programm geschickt. Der

Junge ...« Wieder atme ich tief ein. »Gott, ich habe seit fast einem Jahr nicht einmal mehr seinen Namen ausgesprochen. Nicht mal während der Untersuchung konnte ich mich dazu bringen.«

Pammy drückt mein Bein leicht.

»Er war gerade zwölf. Seine Eltern brachten ihn zu mir, weil er sich selbst verletzte. Er war voller blauer Flecken, und sie sagten, dass er sich in die Arme boxte und mit den Schienbeinen gegen Tische trat, sich kratzte oder ins Gesicht schlug, wenn er wütend oder traurig war. Wir haben lange zusammengearbeitet, der Junge und ich ... Ich hatte das Gefühl, ihn sehr gut kennenzulernen. Er war freundlich, witzig und so klug für sein Alter. Aber die ganze Zeit, in der wir miteinander arbeiteten, sprach er kein einziges Mal über die Episoden, in denen er sich selbst verletzte. Es war, als wollte er das Thema insgesamt meiden.

Dann kam er eines Tages zu mir und hatte den Arm in einer Schlinge und die Hand in Gips. Seine Mutter sagte, dass er sich in einem Wutausbruch die Treppe hinuntergestürzt hatte, wobei er sich das Handgelenk brach und eine Fraktur im Ellbogen zuzog. Als ich ihn während unserer Sitzung bat, mir zu erzählen, was passiert war, zuckte er mit den Schultern und sagte, er wisse es nicht genau. Er schien nervös, und ich erkannte, dass ihn die Situation verunsicherte. Aber ich wollte es nicht gut sein lassen – nicht wie sonst, wenn ich ihn nach seinen Verletzungen gefragt hatte. Inzwischen hatte ich einen Verdacht und wollte, dass er ihn mir bestätigt. Also fragte ich ihn auf den Kopf zu: ›Verletzt du dich selbst, oder ist es jemand anders? Beschützt du jemanden?‹ Er antwortete nicht gleich, saß stumm da und starrte auf den Schreibtisch vor uns. Dann, nach einer halben Ewigkeit, begann er zu weinen. Ich sagte ihm, dass er keine Angst haben müsse, dass alles, was er mir in den Sitzungen erzählt, unter uns bleibt. Ich sagte aber auch, dass ich, wenn ich wüsste, dass ihn jemand anders verletzt, es melden müsste. Das sagte ich in dem Wissen, dass ich ihn wahrscheinlich belog. Aber in diesem Moment, in dem Raum mit diesem kleinen traurigen Jungen, wollte ich einfach nur die Wahrheit herausbekommen. Also log ich. Ich brach eine meiner eigenen Regeln und belog einen Klienten.

Der Junge saß noch eine Weile länger da, und schließlich nickte er. Es war nur ein leichtes Nicken, das winzigste Neigen des Kopfes, und ich wusste, was ich mir schon gedacht hatte. Ich wusste, dass er jemanden schützte, wahrscheinlich seine Eltern, und ich wusste, dass an der Geschichte mehr dran war, als uns irgendwer in der Praxis erzählte. Also schwor ich ihm, ich würde ihm helfen, und das meinte ich ernst. Gemeinsam gingen wir jede seiner Verletzungen durch, und ich ermutigte ihn, mir zu erzählen, wie es wirklich passiert war. Wir malten zusammen Bilder, eines von seinem Vater, der ihn stieß, der seinen Arm auf eine Kommode knallte. Ein Bild von seiner Mutter, die oben an der Treppe stand, während er hinunterpurzelte. Wir spielten Wortassoziationen, und jedes Mal, wenn ich Wörter wie Betreuer, Eltern, Vormund oder Mutter sagte, schrieb er Worte wie Angst, Schmerz, Verwirrung auf.

Nach einigen dieser Sitzungen glaubte ich, genug zu haben, um zu meinem Vorgesetzten zu gehen. Er setzte sich mit mir hin und ging jede Sitzung durch, hörte sich die Bänder an, analysierte die Zeichnungen. Dann, nachdem er dieselben Beweise gesehen hatte wie ich, entschied er, dass es nicht ausreichte, um den Sozialdienst einzuschalten. Er unterstellte, dass ich Suggestivfragen gestellt hätte, den Jungen ermunterte, mir die Antworten zu geben, die ich hören wollte, und ihn dafür belohnt, dass er sich Geschichten gegen seine Eltern ausdachte. Ich war wütend. Ich glaubte ja ausnahmslos alles, was mir der Junge erzählte. Es war nichts, was man in den Sitzungen hörte oder in den Zeichnungen sah, sondern ein Gefühl, das man bekam, wenn man mit ihm zusammen war. Eine Ahnung, eine Vermutung. Aber eine Vermutung ist nichts, was man beweisen kann, und so stand mein Wort und das des Jungen gegen das seiner Eltern.

Mein Chef und der Vorstand entschieden, dass nichts gegen die Eltern unternommen würde. Solange der Junge nicht von sich aus beschloss, Anzeige gegen sie zu erstatten, konnten wir nichts weiter tun. Ich war rasend wütend, gekränkt, verwirrt. Man liest all die Geschichten von Kindern, die ihren Eltern wegen eines blauen Flecks am Bein weggenommen werden, und hier war ein Junge, der uns erzählt, dass er misshandelt wird, und sie wollten ihn einfach ignorieren. Ich wurde angewiesen, den Fall abzutreten, und seinen Eltern wurde gesagt, sie sollten sich einen neuen Psychiater suchen. Aber ich konnte es nicht auf sich beruhen lassen. Ich konnte diesen Jungen nicht mit den Leuten allein lassen, nachdem ich wusste, was sie mit ihm gemacht hatten und was ihm geschehen könnte, wenn ich nichts unternahm. Also ging ich selbst zur Polizei.«

Pammy legt eine Hand auf ihren Mund, als müsse sie sich bremsen, nicht zu unterbrechen. Und mir ist klar, wenn ich jetzt nicht weitermache, werde ich nie wieder darüber reden. Doch ich will es jemandem erzählen, es fühlt sich gut an, befreiend, also rede ich weiter, bevor Pammy ein Wort sagen kann.

»Ich zeigte ihnen alles: die Zeichnungen, die Aussagen des kleinen Jungen ... Stunden verbrachte ich in einem winzigen grauen Raum und schilderte jede einzelne Verletzung des Jungen, jeden brutalen Angriff, von dem ich glaubte, dass seine Eltern ihn auf ihn verübt hatten.« Ich rede schneller, und bei der Erinnerung laufen mir Tränen übers Gesicht. Ich sehe das Gesicht des Jungen noch vor mir, so verwirrt, so verraten, als ich mit der Polizei bei ihm zu Hause erschien.

»Sie nahmen die Eltern des Jungen mit, befragten sie über Stunden, und auch den Jungen befragten sie. Aber er sagte nichts. Er weigerte sich, gegen seine Eltern auszusagen, und als er die Aufzeichnungen unserer Sitzungen gezeigt bekam, erklärte er, ich hätte ihn dazu gebracht, das zu sagen. Er rechtfertigte sich, dass er das alles nur gesagt hätte, weil er mir eine Freude machen wollte, weil er wusste, dass ich es hören wollte. Und er erzählte, wenn das Band nicht lief, hätte ich ihm gesagt, dass er sich diese Verletzungen unmöglich selbst beibringen konnte, dass jemand anders schuld sein müsste. Er sagte, ich hätte gedrängt und gedrängt, bis er mir am Ende nur noch zustimmte, damit ich endlich aufhöre.«

Ich wische mir die Tränen von den Wangen und schüttle Pammys Hand von meiner Schulter. Ich will nicht von ihr bemitleidet, sondern verstanden werden. »Letztlich musste die Polizei sie gehen lassen. Ohne die Aussage des Jungen gab es buchstäblich keinen Beweis, hatten sie nichts gegen sie. Ich hatte am Empfang gewartet, falls ich gebraucht würde, falls der Junge mich brauchte. Ich dachte, nach der Tortur bräuchte er jemanden zum Reden, und wollte für ihn da sein. Stattdessen hatte ich die Eltern vor mir, als sie das Revier verließen. Die Mutter hatte ihren Arm um die Schultern des Jungen gelegt und zog ihn dicht zu sich, als sie an mir vorbeikamen. Dann, als sie beinahe draußen waren, drehte sie sich um und schrie mich an, ich wolle ihr Leben ruinieren und ihnen das Kind wegnehmen. Dass ich eine Lügnerin und auf Schikane aus sei und sie ja in Ruhe lassen und nie wieder mit ihnen reden solle. Der Junge sah mich nicht an.«

Wieder hole ich Luft. »Als ich wieder zur Arbeit kam, rief mich mein Vorgesetzter in sein Büro. Er kochte, weil ich mich über die Wünsche der Praxis hinweggesetzt und unerlaubt vertrauliche Fallnotizen freigegeben hatte. Die Eltern hatten

Beschwerde gegen mich erhoben, der nachgegangen werden müsse, und sollten ihre Vorwürfe Bestand haben, würde der Praxis eine beträchtliche Strafe drohen. Die Eltern wollten klagen, sagten, sie würden alle Hebel in Bewegung setzen, damit ich meine Zulassung verliere und mein Vorgesetzter ebenfalls. Der Praxis blieb nur die Möglichkeit einer außergerichtlichen Regelung, und ich sollte meine eigene Anhörung vor dem General Medical Council bekommen. Ich konnte den Gedanken an Publicity nicht ertragen – nicht meinetwegen, sondern wegen des Jungen. Er war noch minderjährig, also dürften die Zeitungen seinen Namen nicht drucken, aber ich hatte solche Angst, dass Leute herausbekämen, wer er war, dass es sein Leben noch schlimmer machen würde. Also habe ich gekündigt. Ich gab nicht nur meinen Job auf, sondern auch die Psychologie an sich. Ich sagte meinem Vorgesetzten, ich würde ohne Aufhebens verschwinden und es würde keinen Grund für eine langwierige Untersuchung geben, keinen Grund, die Praxis in Misskredit zu bringen. Ich bat sie, mir eine Empfehlung zu schreiben, damit ich wegziehen und mir eine neue Stelle suchen konnte. Dafür musste ich versprechen, künftig in einem anderen Bereich tätig zu sein. Mein Vorgesetzter sagte, sie könnten mir nur eine Empfehlung schreiben, wenn es nicht für meine psychologische Tätigkeit war.

Und weißt du, was das Schlimmste war? Das Schlimmste war, dass ich immer noch glaubte, bis heute glaube, dass ich recht hatte. Nachdem ich gegangen war, fuhr ich zu seinem Haus. Ich saß draußen in meinem Wagen, wollte nur sehen, ob mit ihm alles okay war, mir beweisen, dass es ihm gut ging. Aber seine Mutter sah mich draußen sitzen. Sie musste mich über eine Stunde beobachtet, mich zeitweise mit ihrem Handy gefilmt haben, obwohl ich das erst erfuhr, als die Polizei aufkreuzte. Mir wurde gesagt, wenn ich nicht aufhörte, die Familie zu stalken – ja, sie benutzten das Wort! –, würden die Eltern des Jungen Anzeige gegen mich erstatten. Ich sollte aufhören, sie anzurufen, dabei hatte ich nur ein- oder zweimal angerufen und gebeten, den Jungen zu sprechen, und ich durfte ihm keine Nachrichten mehr schreiben. Ich hatte keine Ahnung, dass sie die Nachricht gefunden hatten, die ich einem Schulfreund von ihm gab. Darin hatte ich ihm geschrieben, dass ich ihm nur helfen könne, wenn er die Wahrheit sagt. Die Polizei rief Dan, damit er mich holen kam, und da musste ich ihm alles erzählen.«

»Oh, Im«, haucht Pammy. »Was hat Dan gesagt?«

»Tja, der war typisch Dan«, antworte ich und erinnere mich, wie Dan mich umsorgte, als wäre ich selbst ein Kind. »Er war besorgt um mich, machte ein Riesentheater und wollte, dass ich zu einem Arzt gehe. Er war der perfekte Ehemann, verstand aber gar nichts.«

»Wie sollte er auch, Im? Wie konntest du von ihm erwarten zu verstehen, dass du diesen kleinen Jungen so dringend aus einem Leben voller Misshandlung und Vernachlässigung retten wolltest, weil dich keiner gerettet hatte? Weil jeder sah, wie deine Mum war, und keiner auch nur einen verdammten Finger krumm machte? Denn dir ist klar, dass es das war, nicht? Und du weißt auch, dass es mit diesem kleinen Mädchen dasselbe ist. Du willst unbedingt für sie tun, was niemand für dich tun wollte. Aber deine Vergangenheit hindert dich daran, klar zu denken. Ich meine, ich verstehe das, ehrlich, und du weißt, dass ich dich liebe wie eine Schwester, aber in der Schule des Kindes aufzukreuzen? Seinem Freund Nachrichten zu geben, die er einem Zwölfjährigen weiterreichen soll?« Pammy schüttelt den Kopf. »Du bist der dümmste kluge Mensch, den ich kenne.«

Ich stöhne. »Ja, weiß ich. Glaubst du, das ist mir nicht klar?

Sobald ich raus war, erkannte ich, wie verrückt ich gewesen war. Ich war so sicher, dass ich recht hatte.«

»So wie du dir bei Ellie sicher warst?«, fragt Pammy sanft. »Meinst du, dieser Fall ging dir so nahe, weil du dem kleinen Jungen nicht helfen konntest?«

»Kann sein«, antworte ich. »Aber selbst wenn? Heißt das, ich liege falsch? Bedeutet ein Fehler, dass ich meine Überzeugungen ganz aufgeben soll?«

»Es heißt, dass du vorsichtiger sein musst«, sagt Pammy. »Es heißt, dass du dich nicht so in einen Fall verstricken darfst, dass du den Verstand verlierst. Es heißt, dass du dir nicht leisten kannst, dein Leben ein zweites Mal zu ruinieren. Und genau die Gefahr besteht jetzt.«

»Das ist noch nicht alles.« Da ich einmal so weit gekommen bin, muss ich auch den Rest erzählen. Den wahren Grund, weshalb ich so unsicher war, ob ich Dan das Baby schenken kann, das er sich ersehnt; den wahren Grund, warum ich bei erstbester Gelegenheit zurück nach Gaunt kam. Wovor ich weggelaufen bin. »Der Junge, von dem ich rede, stand in sämtlichen Zeitungen. Callum Walters.«

Pammy reißt die Augen weit auf. Ja, auch sie weiß, von wem ich spreche. »Der, der sich …?«

»Der Selbstmord beging, nachdem seine Eltern fälschlich des Missbrauchs bezichtigt wurden.«

# Kapitel 79

*Ellie*

»Warst du das?« Mary packt aufgeregt Ellies Arm. Ihre Augen leuchten. Während des ganzen Abendessens hatte sie Ellie schon so komisch angesehen, und jetzt ist die erste Gelegenheit, ihre Pflegeschwester ohne Sarah und Mark in der Nähe zu sprechen.

»War ich was?«, fragt Ellie leise. »Ich weiß nicht, was du meinst.«

»Alle reden darüber«, sagt Mary dramatisch. »Diese Frau, die hier war, die mit dir gearbeitet hat, Imogen Reid …«

»Was ist mit ihr?«, unterbricht Ellie sie.

*Du verdienst das Baby nicht, das in dir wächst. Es wäre tot besser dran.*

»Das versuche ich dir doch gerade zu erzählen! Sie war mehrere Tage nicht bei der Arbeit, weil sie ins Krankenhaus gebracht wurde. Maisie Kings Mum arbeitet mit ihr zusammen, und sie sagt, offiziell hatte sie eine Blinddarm-OP, aber in Wahrheit ihr Baby verloren.«

Ellie ringt nach Luft. Sie erinnert sich an Imogens Gesicht, als sie bei ihrem letzten Treffen mit den Worten herausgeplatzt war.

*Du verdienst das Baby nicht, das in dir wächst. Es wäre tot besser dran.*

»Und, warst du das?«, spricht Mary aus, was Ellie durch den Kopf geht, als hätte sie deren Gedanken gelesen. »Hast du das gemacht? Ihr eine Lektion erteilt, wie wir besprochen hatten?«

»Natürlich nicht. Das ist furchtbar, und mit so was würde ich nie zu tun haben wollen.« Ihre Stimme klingt schärfer als beabsichtigt, und Mary verengt die Augen. *Sie glaubt dir nicht.*

»Aber du kannst das, oder, Ellie?« Mary betrachtet ihre Pflegeschwester aufmerksam. »Vielleicht hast du es aus Versehen gemacht, ohne es zu wollen.«

»Ich habe doch gesagt, ich war das nicht«, kontert Ellie. »Ich gehe zu Bett.«

Sie steht auf, schiebt ihren Stuhl zurück unter den Tisch und zuckt zusammen, als er laut über den Fußboden schabt. Der Lärm lockt Sarah aus der Küche. »Wo willst du hin, Els? Es gibt Nachtisch.«

»Ich habe eigentlich keinen Hunger«, schwindelt Ellie. »Ich dachte, ich gehe nach oben und lese noch ein bisschen.«

»Ähm ...« Sarah dreht sich zu Mark in der Küche um. »Ja, na gut, wenn du meinst ...«

Und dann wird Ellie klar, warum Sarah sie den ganzen Tag nicht aus den Augen gelassen hatte, dauernd irgendwas vorschlug, das sie zusammen machen könnten, um mehr Zeit als Familie zu verbringen. Sie weiß von Imogen. Und Sarah wollte Ellie im Auge behalten.

»Ich auch, Mum«, sagt Mary, springt vom Tisch auf und schiebt ihren Stuhl wieder darunter. »Wir haben dieses Jahr tonnenweise Hausaufgaben.«

Doch als sie nach oben kommen, geht Mary nicht in ihr Zimmer, sondern folgt Ellie in ihres.

»Also«, sagt sie und wirft sich auf Ellies Bett, »wie hast du das gemacht?«

»Ich habe dir doch gesagt, ich war das nicht«, beharrt Ellie zähneknirschend. Zum ersten Mal, seit sie bei den Jeffersons ist, wünscht sie, Mary würde einfach weggehen. Mary ist der einzige Mensch, der ihr hier das Gefühl gibt, willkommen zu sein. Sie tritt in der Schule für sie ein, teilt ihre Klamotten und ihr Make-up mit Ellie, aber jetzt gerade möchte Ellie nur allein sein.

»Das ist so cool«, sagt Mary und hockt sich in den Schneidersitz. »Wenn ich das doch könnte! Ich wünschte, du könntest mir das beibringen. Einfach jeden leiden lassen, der einen ärgert oder nervt. Ich kenne einige Leute, bei denen ich das benutzen würde.«

»So ist das nicht«, widerspricht Ellie. »Ich habe nichts von diesen Sachen mit Absicht getan. Ich weiß nicht mal, ob ich es überhaupt mache. Es scheint ... einfach zu passieren.«

»Okay«, lenkt Mary ein, doch Ellie sieht ihr an, dass sie ihr nicht glaubt. »Aber meinst du nicht, dass du lernen kannst, es zu kontrollieren? Wenn du dich richtig anstrengst, anstatt dich dagegen zu wehren? Dass du es steuern könntest, du weißt schon, indem du deine Kraft nutzt? Du könntest alles haben, was du willst. Stell dir vor, am Ende müssten die dich zur Premierministerin machen oder so.«

»Oder mich in einen Zoo stecken«, entgegnet Ellie, denn das kommt ihr wahrscheinlicher vor. Sie hat *X-Men* gesehen, und bei denen hatte es keiner eilig, sie an die Regierung zu bringen. »Oder in ein Irrenhaus.«

»Ich frage mich, ob diese Frau ... Imogen ... ob sie weiß, dass du es warst? Sicher könnte sie es nicht beweisen, selbst wenn sie einen Verdacht hat.« Mary redet jetzt eher mit sich als mit Ellie.

Ellie wiederum fragte sich, wann es passiert war. Wann Imogen ihr Baby verloren hat. Wann hatten all die Ereignisse angefangen? Was war es, das diese schrecklichen Dinge auslöste? Wenn Ellie das herausfindet, sie erkennt, wo alles angefangen hat, kann sie vielleicht lernen, es zu kontrollieren, wie Mary sagt.

Waren es ihre Worte gewesen? Lag es daran, dass sie tatsächlich gesagt hatte: »Du verdienst das Baby nicht«? Oder waren es all die Gedanken, die ihr in dem Moment durch den Kopf gegangen waren, die sich überschlagen und gegenseitig angerempelt hatten, um Platz in ihrem Gehirn zu finden? Wütende, entsetzliche Gedanken, die sie nie hätte haben dürfen. Vielleicht war es da entschieden gewesen. Denn später an dem Abend, als sie zu Bett gegangen war, hatte sie sich schon ziemlich beruhigt. Oder es war im Schlaf gewesen, in ihren Träumen, so wie bei Miss Gilbert? Ellie erinnert sich nicht, was sie in der Nacht nach dem Streit mit Imogen geträumt hatte, aber das heißt gar nichts. Träume sind gespenstisch, flüchtig, und ist man erst mal wach, hat man fast keine Chance mehr, sich an sie zu erinnern, es sei denn, sie wollen, dass man sich an sie erinnert. Also war es da vielleicht passiert.

»Wir können ein Experiment machen«, schlägt Mary mitten in die Stille hinein vor, und wieder mal hat Ellie den Eindruck, sie könne ihre Gedanken lesen. Oder Ellie ist einfach so durchschaubar. »Um zu sehen, wie du das machst, meine ich. Um zu sehen, wie es funktioniert.«

»Ich glaube, das will ich nicht ... Ich denke ... da habe ich Angst«, gesteht Ellie. Was wäre, wenn es beweist, dass Ellie diese Kraft hat? Was würde das für sie bedeuten? Sie könnte sich nicht mehr vormachen, dass Dinge zufällig geschehen waren.

»Ich weiß, dass es beängstigend für dich sein muss, nicht zu wissen, wozu du fähig bist, die Wut in dir nicht kontrollieren zu können. Dazu bin ich ja da. Ich bin da, um dir zu helfen. Aber ich kann dir nicht helfen, diese Sache zu kontrollieren, solange wir nicht mehr darüber wissen.« Sanft tätschelt Mary Ellies Arm. »Und wir brauchen einen Beweis.«

Beweis. Einen Beweis, dass sie Billys Lippen zusammengeklebt hatte. Einen Beweis, dass sie unzählige Spinnen in Miss Gilberts Schreibtisch erscheinen ließ, indem sie die Lehrerin nur hasste. Einen Beweis, dass sie Miss Gilbert und Imogens Baby getötet hatte?

»Warum?«, fragt Ellie. »Warum brauchen wir einen Beweis?«

Mary lächelt, und dieses Lächeln hat Ellie noch nie bei ihr gesehen. Es ist die Sorte Lächeln, wie Ellie sie sich bei den Dämonen in Büchern vorstellt oder bei Bösewichten in Filmen gesehen hat. Die Art Lächeln, die ein bisschen verkehrt ist.

»Selbstverständlich brauchen wir einen Beweis, du Dummchen«, sagt sie immer noch lächelnd. »Ohne Beweis bringen wir nie irgendwen dazu, Angst vor dir zu haben. Ohne den behandeln die Leute dich weiter wie bisher. Und so willst du doch nicht mehr behandelt werden, oder, Ellie?«

Nein, das will sie nicht. »Okay«, sagt sie nickend, »ich mache es.«

# Kapitel 80

*Imogen*

»Ich schlafe vorerst im Gästezimmer«, sagt Dan leise, als er mir die Autotür aufhält. »Damit du ein bisschen Ruhe hast.«

Ich will keine Ruhe, schreit es in mir. Ich will meinen Mann zurück. Aber natürlich sage ich nichts, denn er hat allen Grund, wütend auf mich zu sein. Ich wünschte nur, ich hätte eine genauere Angabe, wie lange das noch anhielt; also, wenn ich wüsste, dass er noch sechs Tage und drei Stunden wütend wäre, könnte ich es leichter ertragen. Und dann ist da ein Teil von mir, der sich fragt, ob er mir jemals vergeben wird oder dies der Keil ist, der uns für immer auseinandertreibt. Mir war bewusst gewesen, dass das, was ich tat, falsch war, nur hatte ich nicht geahnt, dass es so enden würde. Ich dachte, mir bliebe noch Zeit, es ihm zu sagen, wenn ich so weit war.

Er ist so höflich, dass ich schreien könnte. Ich will, dass er mich anbrüllt. Dass er mir sagt, ich sei eine verfluchte Kuh und er mich hasse. Ich würde alles geben, damit mir der Mann, mit dem ich seit fünf Jahren verheiratet bin, in Gottes Namen Sachen vor den Kopf knallt. Alles wäre besser als diese Gleichgültigkeit. Ich weiß, sobald es mir gut genug geht, wird er seine Sachen packen und mich verlassen. Es war von jeher bloß eine Frage der Zeit, und ich habe immer gewusst, dass es passieren würde – sogar ein liebevoller, fürsorglicher, geduldiger Mann wie Dan stößt bei einer so von Grund auf verkorksten Frau wie mir irgendwann an seine Grenzen. Mir geht es erheblich besser, seit ich Pammy von Callum erzählt habe, nachdem ich alles laut ausgesprochen habe – die Geschichte aus meiner Warte erzählt. Es ist, als hätte ich den Schorf von einer Wunde gekratzt und das Blut fließen lassen. In den Zeitungen war ich nicht erwähnt worden; die Einzelheiten des Falls waren von der Praxis, dem Psychologenverband, ja sogar von der Polizei auf Sparflamme gekocht worden. Bis dahin war ich schon um die Kündigung bei Morgan and Astley gebeten worden, und Callums vermeintliche Vorgeschichte von Selbstverletzungen überschattete die Anzeige, sodass sie lediglich in den weniger angesehenen Zeitungen zur Sprache kam. Dennoch war sie da, in meinem Kopf, jedes Mal, wenn ich daran dachte, Kinder zu bekommen oder einen neuen Fall für Place2Be anzunehmen. Ich war größtenteils ehrlich zu ihnen gewesen, als ich mich für die Stelle bewarb – hatte erzählt, dass ich mich über Anweisungen meines Arbeitgebers hinweggesetzte, weil ich glaubte, im Interesse meines Patienten zu handeln. Ich hatte jedoch nicht erwähnt, was als Nächstes geschah, und solange ich es nicht muss, werde ich das auch nie.

Dan ist oben, und ich höre, wie er die Tür zu meinem alten Zimmer öffnet – dem einen Raum, den ich bisher nicht wieder betreten habe. Ich konnte mich nicht entscheiden, was schlimmer wäre: wenn ich reingehe und alles renoviert vorfinde wie im Rest des Hauses, oder wenn ich hineinkomme und sie alles genauso gelassen hatte, wie es war. Jetzt scheint es keine Rolle mehr zu spielen. Meine Gefühle, was mein Leben hier mit meiner Mum, sogar was Callum angeht, scheinen gleichsam unter einer Glaskuppel gefangen. Ich kann sie sehen, erinnere mich an sie, aber ich habe keinen Zugriff auf sie. Ich mache uns beiden einen Tee – koffeinfreier kommt mir nicht mehr wie eine Strafe vor, und ich wähle ihn automatisch. Mit den Bechern gehe ich nach oben.

»Hier, den habe ich dir mitgebracht.« Ich halte den Tee hin wie eine weiße Flagge.

»Danke.« Dan zeigt in das Zimmer. »Hier ist alles ausgeräumt.«

Vorsichtig mache ich einen Schritt durch die Tür und blicke mich um. »Nein, ist es nicht.«

Das Zimmer sieht genauso aus wie an dem Tag, an dem ich fortging. Die Wände sind in einem gedämpften Pfirsichton gestrichen, und Reste von Posterkleber haften mittlerweile ausgehärtet dort, wo ich meine Bilder abgenommen hatte. Nach all den Jahren sehen sie wie blaue Kiesel aus, die in der Farbe stecken. Ein wackliger Schreibtisch steht in der Ecke neben einem leinenverhüllten Kleiderständer und sonst nichts. Ich gehe ins Zimmer und streiche mit einem Finger durch die dicke Schicht von Staub und Spinnweben auf dem Schreibtisch. »Ich würde sagen, dass sie nicht hier drinnen war, seit ich weg bin.«

»Das ist verrückt.« Dan schaut sich um. »Hier ist nichts.« Er sieht mir in die Augen, und ich erkenne, dass er nach Spuren von Schmerz sucht. Bedaure, Dan, ist alles längst vertrocknet. »Hast du so gewohnt, Imogen?«

»Tja, es ist nicht das Ritz, schon klar.«

»Das ist nicht witzig. Sprichst du deshalb nie über sie? Es gab keinen Bruch, stimmt's? Du bist gegangen, weil du sowieso nie ein Zuhause gehabt hattest.«

»Ich hatte ein Dach über dem Kopf.« Ich verstehe selbst nicht, warum ich sie jetzt verteidige, nachdem ich sie jahrelang hasste, weil sie immer so eiskalt zu mir war. »Was mehr ist, als manche Kinder bekommen.«

»Hör schon auf, Imogen, sogar ich weiß, dass das hier falsch ist, und meine Mum hat für alle meine Freunde Schwanzhüllen gestrickt.«

Ich denke an Dans adrette, anständige Mutter, die in ihrem Handarbeitszirkel sitzt und ihre pfirsichfarbenen Stifte-Etuis häkelt, ohne zu ahnen, dass die Dinger unglaublich obszön aussehen. Und unweigerlich muss ich grinsen. Es ist kein mattes Lächeln, wie ich es die letzten Tage benutzte, um Leute zu überzeugen, dass ich nicht zusammenbreche, sondern ein echtes Grinsen. Dan sieht mich an, erwidert das Lächeln, und für einen Moment ist alles gut. Dann blickt er sich wieder um, und ich sehe ihm an, dass er an sein altes Zimmer bei seinen Eltern denkt, das sie wie einen Schrein für den Jungen erhalten, der er einst war. Regalmeter voller Taschenbücher, aus denen ihm seine Mutter zweifellos abends vorm Schlafengehen vorgelesen hatte, Pokale von diversen Sportveranstaltungen und sonstige Andenken an eine glückliche Kindheit.

»Tja, so ist es nun mal.«

Sein Gesichtsausdruck verändert sich, und pures Mitgefühl spricht aus seinen Zügen. »Ist es deshalb …? Ich wünschte, du würdest mit mir über alles reden, Im. Wenn ich Bescheid wüsste, wenn ich verstehen könnte …«

Er legt eine Hand an meinen Arm, und ausnahmsweise schüttle ich sie nicht ab oder gehe auf Abstand. Ich lasse mich von seiner Berührung trösten, während ich zu weinen anfange.

# Kapitel 81

*Imogen*

Ich starre diese vier Wände schon so lange an, dass ich schwören könnte, ich fühle sie näher rücken, immer nur Zentimeter, aber sie bewegen sich lautlos nach innen. Dan ist die ideale Krankenschwester, bringt mir Essen und meine Medikamente, stellt alles auf den Nachttisch und fragt, ob ich sonst noch etwas brauche. Zwischen uns ist in den letzten zwei Tagen eine leichte Veränderung zu spüren, seit ich in meinem alten Zimmer in seinen Armen geschluchzt habe. Es ist weniger, als könne er mir nicht vergeben, was ich getan habe, sondern eher, als würde er mir Zeit und Raum lassen, mit allem fertigzuwerden. Ich bin froh, dass er merklich auftaut, aber nicht sicher, ob ich jemals mit all der Ungerechtigkeit zurande kommen werde. Was hatte ich getan, um das zu verdienen? Ich habe doch immer nur mein Bestes für Ellie, für meinen Job gegeben. Man kann mir höchstens vorwerfen, mich zu sehr bemüht zu haben, den falschen Menschen zu nahe gekommen zu sein. Wieder mal.

Ich versuche mich auszuruhen – ist schließlich Anordnung vom Arzt –, aber jedes Mal, wenn ich die Augen schließe und anfange, in den Schlaf abzudriften, wechseln sich in meinem Kopf die Bilder ab. Von Hannah Gilbert, deren Gesicht blutverkrustet ist und die mit schmutzigen, schlammbedeckten Fingern nach mir greift; Hannah, die flüstert: »Habe ich Sie nicht gewarnt?« Und Kinder, eine ganze Schar Kinder in schwarzen Kapuzenumhängen, die alle tote Babys tragen und sie eines nach dem anderen in eine Grube werfen. Ganz vorn steht Ellie Atkinson und hält mein Baby. Sie hebt es hoch über ihren Kopf, blickt mich mit Augen an, die feuerrot glühen, und schleudert mein regloses Kind in die Grube, wobei sie ruhig sagt: »Du verdienst nicht, Mutter zu sein.« Und ich schreie, kann mich jedoch nicht rühren, schaue zu und bin unfähig, diesen mörderischen Zirkel aufzuhalten. Dann verändern sich die Bilder, und ich bin wieder am Kanal, mit dem Kopf im schmutzigen, kalten Wasser, nur dass ich diesmal die winzigen Hände in meinem Haar fühle, die mein Gesicht nach unten drücken, bis ich sicher bin, dass ich sterbe.

Ich wache nach Atem ringend auf, glaube, das schlammige Wasser in meiner Kehle zu schmecken. Das mörderische Bild schwebt an den Rändern meines Bewusstseins. Wird sich Ellie damit zufriedengeben, mein Kind zu töten, oder bin ich ihr nächstes Ziel? Wird sie mich in meinen Träumen holen? Wie wird man es erklären, wenn man mich ertrunken in meinem Bett findet? Natürlich wird es dann zu spät sein; es wird keinen mehr geben, der die Verbindung zu Ellie herstellt. Vielleicht wird Sarah Jefferson es wissen, aber sie wird zu große Angst haben, um irgendwem die Wahrheit zu sagen; zu große Angst, dass ihr keiner zuhört. Zu große Angst vor dem Monster unter ihrem Dach. Hätte ich doch bloß auf Ellies Pflegemutter oder Hannah Gilbert gehört. Wäre ich bloß nicht so verbohrt gewesen, so verflucht davon überzeugt, dass ich vollkommen recht hatte. Hätte ich ihnen beiden ein wenig mehr Gehör geschenkt, könnte ich vielleicht jetzt hier neben meinem Mann liegen, seine Hand auf meinem Bauch, und wir würden über Namen und Farben fürs Kinderzimmer reden.

*Aber du wolltest das Baby nicht, stimmt's? Erst als du wusstest, dass du es verloren hast.*

Mir wurde gar keine Wahl gelassen, wehre ich mich gegen

meinen schlimmsten Feind. Mich. Sie hat mir die genommen. Und ich weiß nicht, wie, doch das werde ich herausfinden.

Ich stemme mich vom Bett hoch und verziehe das Gesicht, als meine Beine sich sträuben. Mir ist gleich, was die Ärzte oder Dan sagen, mir reicht es mit dem Ausruhen. Ich muss wieder richtigstellen, was ich so furchtbar falsch gesehen hatte, und dafür sorgen, dass es nie wieder jemand anderem geschieht.

Ich hole mein iPad aus der Schublade und nehme es mit zu dem Sessel in der Schlafzimmerecke. Auf der Google-Seite tippe ich das Wort »Telekinese« ein und warte, dass die Suchergebnisse geladen werden.

Sogar es in eine Suchmaschine einzugeben, fühlt sich lächerlich an. Telekinese. Nur daran habe ich gedacht, seit ich ohne mein Baby in mir aufwachte. Die Nacht der Fehlgeburt ist ein schwarzes Loch in meinem Gedächtnis. Die Nacht, in der ich von einer verheirateten werdenden Mutter, die sich ein Bad einließ, zu einer bald geschiedenen Frau wurde, deren Baby niemals seinen ersten Atemzug tun würde. Und doch ist alles, woran ich mich von dem Moment, der alles veränderte, erinnere, Ellies laute, klare Stimme in meinem Kopf. *Du verdienst nicht, Mutter zu sein. Du verdienst das Baby nicht, das in dir wächst. Es wäre tot besser dran.* Es konnte kein Zufall sein. Nicht noch einer. Nicht nach Tom Harris und Naomi Harper. Und Hannah Gilbert. Hätte ich auf sie gehört, wäre sie dann noch am Leben?

Mein Bauch verkrampft sich schmerzhaft. Ich schließe die Augen, neige den Kopf nach hinten und versuche, mich durch den Schmerz zu atmen. Tränen dringen aus meinen Augenwinkeln, und ich balle die Hände zu Fäusten, drücke sie auf meine Augenhöhlen, bis kleine Lichtpunkte vor meinen Augen tanzen. Als ich sie wieder öffne, hat die Website die Suchergebnisse geladen.

Psychokinese (vom griechischen »Geist« und [...] »Bewegung«) oder Telekinese (von [...] »fern« und [...] »Bewegung«) ist die angebliche psychische Fähigkeit einer Person, ein physisches System ohne physische Interaktion zu beeinflussen.

Da ist es. Und es folgen Seiten über Seiten an »Beweisen« und Erfahrungen von Leuten, die glaubten, sie hätten Psychokinese direkt erlebt. Ich klicke die Einträge an, überfliege die Berichte über Kinder, die gesehen wurden, wie sie Objekte bewegten, Elektrizität kontrollierten oder Dinge mit ihren Gedanken beeinflussten. Dans scherzhafte Bemerkung über Carrie White fällt mir wieder ein.

Da war es noch einfach, die Idee, dass dieses unschuldig wirkende elfjährige Mädchen sich einzig mit seinen Gedanken an den Menschen seines Umfelds rächt, mit einem Lachen abzutun. Aber das war vorher, bevor ich selbst die Wut und die Grausamkeit erlebt habe, die das Mädchen in sich birgt. All die Dinge, die sie mir darüber sagte, dass sie Leute bestrafen wolle, die sie schlecht behandelten. Ich denke an den Abend, als Hannah Gilbert ermordet wurde, als ich den Anruf von Ellie bekam, die verängstigt klang und von Schreien redete. Hatte sie Hannah Gilberts Schreie gehört? Hatte sie gewusst, was mit ihr geschah, weil sie dort gewesen war, vielleicht nicht physisch, aber in Gedanken? Ich schalte mein iPad aus und werfe es aufs Bett, angeekelt von mir selbst. Dies hier ist albern. Ich benehme mich wie eine Idiotin – wie einer dieser irren Typen mit den Aluminiumhüten, die man im Spätprogramm sieht, nicht wie eine intelligente 36-Jährige.

Doch als ich mein iPad eine Stunde später wieder aufklappe, ist die Website noch da, und ich ertappe mich dabei, wie ich einen Bericht über ein zehnjähriges Mädchen aus dem Jahr 1978 lese. Beim Lesen wird mein Herzschlag schneller.

Abigail Sampson. Zehn Jahre und vier Monate alt. Abigail Sampson erlitt ein tiefes Trauma, als ihre Eltern bei einem Autounfall ums Leben kamen und sie zur Vollwaise wurde. Ihre Großmutter mütterlicherseits hatte sie zu sich genommen, wandte sich jedoch an den Sozialdienst und sagte, sie könne das Kind nicht behalten, weil Abigail eigenartig und gefährlich sei. Man gab nichts auf die Worte der Frau, hielt sie für alt, senil und folglich unfähig, für ein zehnjähriges Kind zu sorgen. Abigail wurde in eine Pflegefamilie gegeben, von der über Wochen gemeldet wurde, sie sei ein fröhliches, gut angepasstes Kind. Dann, nachdem die Familie ein zweites Pflegekind aufnahm, noch ein Mädchen, allerdings erst fünf Jahre alt, stellten die Pflegeeltern eine Veränderung in Abigails Verhalten fest. Sie wurde still und verschlossen. Und sie entwickelte eine Neigung zu gelegentlichen Wutausbrüchen. Bei diesen Gelegenheiten, wenn Abigail wütend wurde, kam es im Haushalt vermehrt zu Störungen in der Elektrik. Lichter flackerten, Fernseher gingen an, aus und wieder an. In einem besonderen Fall, nach einem üblen Streit mit ihrer Pflegemutter, ging die Mikrowelle der Familie in Flammen auf.

Ich lege eine Hand an meine Brust und erinnere mich, wie ich zu Sarah Jefferson kam und sie die Reste eines explodierten Mixers aufputzte. Der Geruch von verschmorten Kabeln ist mir noch deutlich im Gedächtnis. Hatte sie sich an jenem Tag mit Ellie gestritten? Hatte sie das Kind irgendwie verärgert? Und was hätte ich da, in dem Moment gesagt, hätte Sarah Jefferson behauptet, der Mixer sei von Ellie mittels Gedankenkraft zum Explodieren gebracht worden? Ich weiß, wie ich reagiert hätte. Ich hätte gelacht, vielleicht sogar in der Fallakte vermerkt, dass Sarah Jefferson mental nicht als Pflegemutter geeignet sei. Und bin ich jetzt mental auf der Höhe? Würde mir irgendjemand glauben, wenn ich sagte, was ich dachte, oder würde man mich schlicht als traumatisierte Frau abtun, die Mühe hat, eine Tragödie zu verarbeiten?

Der Familie fielen andere seltsame Phänomene im Zusammenhang mit Abigail auf. Diese konzentrierten sich besonders auf die Pflegeschwester, das fünfjährige Mädchen, das dieses Verhalten ausgelöst hatte. Das kleine Mädchen stürzte die Treppe hinunter, während Abigail mit ihrer Pflegemutter in der Küche war. In ihren Händen hielt sie ein Spielzeug von Abigail, das es sich aus deren Zimmer stibitzt hatte. Als Abigails Pflegemutter ihre fünfjährige Tochter unten an der Treppe fand und schrie, hatte Abigail nur gesagt: »Sie sollte wirklich nicht meine Sachen stehlen.« Da sie fürchteten, dass niemand ihnen glauben würde, gaben Abigails Pflegeeltern auf und schickten beide Mädchen zurück in die Obhut des Sozialdienstes. Erst Jahre später sprachen sie über ihre Zeit mit Abigail, nachdem sich andere Pflegeeltern mit ähnlichen Berichten über Abigail vorgewagt hatte. »Wir haben die ganze Zeit versucht, logische Erklärungen für das zu finden, was geschah«, sagte Mrs. Tully, »aber es waren einfach zu viele Vorfälle, zu viele Zufälle. Keiner wollte es aussprechen, die Worte ›böse‹ oder ›Hexe‹ in den Mund nehmen, doch letztlich dachten wir sie alle.« Erst als das Haus einer Pflegefamilie von Abigail bis auf die Grundmauern niederbrannte, mit ihren Pflegeeltern noch drinnen, kam die Wahrheit über ihre vermeintlichen psychischen Fähigkeiten ans Licht.

Feuer. Ich stelle mir die Flammen vor, die das Haus der Atkinsons umschlossen. Hatte Ellie das Feuer verursacht, in dem ihre Eltern umkamen?

So viele offene Fragen. Ich lese noch einige andere Artikel quer, und es tauchen immer wieder dieselben Sachen auf. Probleme mit der Elektrik, rätselhafte Geschehnisse, Unerklärliches, Unlogisches, die Sorge, niemand würde den Leuten glauben. Und dann ist auf einer der Seiten eine Telefonnummer von einem Arzt in Brighton, der behauptet, die psychischen Phänomene selbst bezeugt zu haben, echte Beweise zu besitzen, und der jeden mit weiteren Beweisen bittet, sich bei ihm zu melden.

Der Artikel ist drei Jahre alt, also ist es unwahrscheinlich, dass die Nummer überhaupt noch stimmt. Entsprechend bin ich überrascht, als ich, nachdem ich leise die Schlafzimmertür geschlossen habe, damit Dan mich nicht hört, die Nummer wähle und nach dem vierten Klingeln abgenommen wird.

»Hallo?«

»Spreche ich mit Dr. Benson?« Ich schließe die Augen, will selbst nicht recht glauben, dass ich diesen Anruf tätige.

»Wer ist da bitte?« Die Stimme ist schroff.

»Mein Name ist Imogen Reid. Ich rufe an, weil ich Ihre Hilfe brauche ...«

# Kapitel 82

*Imogen*

Früh am nächsten Morgen komme ich bei Greenacres an. Die Luft ist kalt und frisch, und als ich aus meinem Wagen steige, kann ich meinen Atem vor meinem Gesicht sehen. Ich habe die Einrichtung nach meinem Telefonat mit Dr. George Benson gegoogelt, daher überrascht mich der stattliche Bau mit der smaragdgrünen Parkanlage drum herum nicht. Er sieht eher wie ein Hotel als eine psychiatrische Einrichtung aus, ist keine sechs Jahre alt, aus hellem Stein und mit Säulen vor dem Eingang. Die Bäume um das Haus herum sind kahl, doch von den Bildern im Internet weiß ich, dass sie sonst in den verschiedensten Grüntönen leuchten.

Es stehen keine anderen Wagen neben dem Haus, allerdings parken einem Schild zufolge die Mitarbeiter links neben dem Haus, nur Besucher rechts. Ich blicke mich um. Keine Spur von Dr. Benson. Also nehme ich mein Telefon hervor und rufe die Facebook-Seite auf, die ich gestern herausgesucht hatte.

Emily Murray ist eine hübsche junge Frau, circa fünfundzwanzig mit pechschwarzem Haar und leuchtend blauen Augen. Nirgends sind Hochzeitsbilder. Ich sehe mir wieder die Nachricht an, die ich gestern entworfen hatte.

Hi, Emily,

ich hoffe, Sie finden es nicht zu aufdringlich, aber ich glaube, dass ich Ihre alte Stelle bei Place2Be habe. Dort arbeite ich unter anderem mit

Ellie Atkinson und den Jeffersons. Es mag sich seltsam anhören, aber ich frage mich, warum Sie gekündigt haben. Bitte verzeihen Sie, dass ich so direkt bin, aber ich habe das Gefühl, dass es wichtig für mich sein könnte

Ich hoffe, es geht Ihnen gut.

Mit den besten Wünschen

Imogen Reid

Ohne länger nachzugrübeln, tippe ich auf »Senden«. So, jetzt ist es getan.

»Sie müssen Mrs. Reid sein.«

Ich zucke zusammen. Vor mir steht ein alter Mann. Er ist in den Sechzigern, sein Haar dicht und weiß, und er schleppt einige Pfunde mehr mit sich herum, als natürlich aussähe. In seine Stirn haben sich tiefe Zornesfalten gegraben. Seine Augenbrauen sind buschig weiß, und seine Nase ist von roten Adern durchzogen – ein Symptom für Alkoholabhängigkeit? Er wollte mir am Telefon ungern sagen, warum er nicht mehr praktiziert. Aber er hat freundliche Augen, und ich sehe ihm an, dass er für die Rolle des Arztes geeignet war, zumindest früher mal. Jetzt wirken seine Schuhe und der Mantel, als hätten sie schon bessere Tage gesehen.

Nickend reiche ich ihm die Hand. »Und Sie müssen Dr. Benson sein.«

»Tja, schon, aber ich nenne mich nicht Doktor. Ich praktiziere nicht mehr.«

»Ich dachte, auch Ärzte im Ruhestand nennen sich noch Doktor?«

Dr. Benson wirkt verlegen. »Ja, theoretisch bin ich im Ruhestand, aber …« Er schüttelt den Kopf. »Lassen Sie uns nicht hier reden. Kommen Sie mit rein. Dort warten sie auf mich. Sie wissen, dass wir kommen. Man kennt mich hier. Ich bat um ein Besprechungszimmer.«

Ich gehe mit ihm zur Vorderseite des Herrenhauses und die Stufen hinauf zur Eingangstür. Obwohl das Haus den Eindruck eines Altbaus vermitteln soll, verfügt es über ein brandneues Sicherheitssystem, und als Dr. Benson die Klingel drückt, richtet sich eine Sicherheitskamera an der Wand auf uns.

»Sie haben Video-Monitore«, erklärt Dr. Benson. »Hier haben sie die beste Security.«

Eine blecherne Stimme ertönt aus der Gegensprechanlage. »Guten Morgen, Dr. Benson. Ich öffne Ihnen.«

Die Tür summt, und Benson schiebt sie mit einer Hand auf. Ich bin ein wenig unsicher, als ich den Arzt in einen großen Empfangsbereich folge, wo eine freundlich dreinblickende Frau hinter dem Schreibtisch sitzt.

»Guten Morgen, Patricia«, begrüßt Benson sie herzlich. »Ein bisschen kalt heute.«

»Wem sagen Sie das! Wir haben die Heizungen hier schon den ganzen Morgen auf Hochtouren laufen, und mir will einfach nicht warm werden.«

Ich sehe auch, warum. Bei allem modernen Äußeren sieht Greenacres wie eines dieser Häuser aus, die nie richtig warm werden.

»Hetty sagte, dass Sie ein Zimmer wünschen?« Patricia nickt zu einer Tür. »Wir haben heute nur eines der kleineren frei. Ich hoffe, das ist in Ordnung.«

Benson nickt. »Natürlich. Es ist sehr nett von Ihnen, dass Sie mir so entgegenkommen.«

»Alles für unseren Lieblingsbesucher.« Patricia strahlt. »Wenn Sie sich nur beide hier eintragen wollen.« Sie zeigt auf ein großes Besucherbuch auf dem Tresen. »Und ich sorge dafür, dass Sie Tee oder Kaffee bekommen.«

»Oh nein, keine Umstände, Patricia.« Benson hält eine Hand in die Höhe. »Ich weiß, wo die Automaten sind. Wir gehen durch und holen uns selbst, was wir wollen.«

Patricia zögert, ehe sie kurz nickt. »Natürlich, klar, sehr gut. Sie sind ja schon oft hier gewesen, da geht das sicher in Ordnung. Aber wandern Sie bitte nicht zu viel herum. Die meisten Patienten schlafen noch.«

Benson trägt uns beide ein, umfängt meinen Ellbogen und führt mich eilig auf die Tür zu, ehe Patricia es sich anders überlegen kann. »Eigentlich darf ich mich hier nicht frei bewegen«, gesteht er. »Ich bin bloß ein Besucher, und, wie gesagt, ich praktiziere nicht mehr. Aber im Laufe der Jahre habe ich einige der Mitarbeiter kennengelernt, und sie sind wirklich in Ordnung. Nicht die üblichen Paragraphenreiter, die man sonst in solchen Einrichtungen trifft.« Er senkt die Stimme. »Ich wollte uns selbst Tee oder Kaffee besorgen, weil ich Sie ein wenig rumführen möchte, ehe wir zu Gemma gehen. Ich bin nicht sicher, wie viel Zeit wir mit ihr haben. Sie hat ihre guten und ihre schlechten Tage. Manchmal bekomme ich nicht mehr als zehn Minuten.«

Innen sieht Greenacres eher wie eine Schule aus, nicht wie das Herrenhaus, das es nach draußen darstellt. Ich spähe durch Türen, an denen wir vorbeikommen, sehe Klassenzimmer mit farbenfrohen Bildern und Modellen und aufmunternden Sinnsprüchen an den Wänden. In manchen Räumen sind nichts als Sessel, und als wir eine geschlossene Tür passieren, zeigt Benson hin und sagt: »Das ist das Büro, wo auch die ganzen Überwachungsmonitore stehen. Dort hält sich das Personal die meiste Zeit zwischen den Schichten auf oder wenn es nicht gebraucht wird. Es ist mehr wie ein eigener Wohnbereich.«

»Dann ist rund um die Uhr jemand vom Pflegepersonal hier?«

Benson lacht. »Aber ja, natürlich. Dies ist kein Hotel. Die Kinder sind verwundbar, brauchen ständige Aufsicht. Und einige von ihnen können ... gefährlich sein. Obwohl sie das gewöhnlich nur für sich selbst sind.«

»Was ist mit Gemma?«, frage ich. »Ist sie gefährlich?«

Benson blickt sich um, als könnte uns jemand belauschen. »Darüber reden wir gleich. Lassen Sie mich Ihnen erst mal das Haus zeigen.« Er führt mich durch eine Doppeltür in etwas, das wie eine große Kantine aussieht, auch wenn es keine Ähnlichkeit mit irgendeiner Kantine hat, die ich aus meinen alten Schulen kenne. Hier gibt es eine große Ruhezone mit bequemen Sofas, Sitzsäcken, einem Großbildfernseher und einem Stapel DVDs daneben. Dann sind da ein Küchenbereich, ein Snack- und ein Getränkeautomat. Die Wände sind mit Postern von Teenagern geschmückt, die ich vage aus Filmen oder Fernsehserien wiedererkenne.

»Dies ist der Gemeinschaftsraum«, erklärt Benson unnötigerweise. »Wie Sie sehen, ist es hier sehr nett. Gar nicht wie ein Krankenhaus.«

Ich frage mich, warum er die Einrichtung vor mir in Schutz nehmen will – und worum es bei dieser Führung tatsächlich geht. »Ja, es ist hübsch«, antworte ich, weil ich weiß, dass er das erwartet. Tatsächlich können noch so viele Sofas und Poster an den Wänden nicht darüber hinwegtäuschen, dass diese Kinder in keinem Trendhotel oder Hostel sind. So viel verraten allein die Schlösser an den Schranktüren, das Fehlen scharfer Kanten und die Sicherheitskameras in sämtlichen Winkeln.

Wir ziehen uns Kaffee aus dem Getränkeautomaten, vor dem Benson eine Hand voll Pfandmünzen zieht, die er eine nach der anderen in den Schlitz steckt. »Besucher können diese Münzen kaufen, die Kinder bekommen sie ausgehändigt. Ihnen wird nichts verweigert«, fügt er rasch hinzu.

»Ja, das sehe ich.«

Für einen Augenblick wirkt Benson verlegen. »Kommen Sie, gehen wir besser in unseren Raum, sonst schickt Patricia noch einen Suchtrupp los.«

Er führt uns zurück in den Empfangsbereich, wo Patricia wirklich ein bisschen nervös scheint. Sie lächelt, als sie uns sieht, und klingt hörbar erleichtert. »Ah, wunderbar, da sind Sie ja wieder! Wenn Sie dann durchgehen wollen ...«

In dem Besprechungszimmer setzt Dr. Benson sich und öffnet die obersten Knöpfe seines Mantels, legt ihn jedoch nicht ab.

Ich ziehe meinen Mantel aus, setze mich ihm gegenüber und lege die Hände auf den Tisch.

»Sie sagten am Telefon, dass Sie mir eventuell helfen können.«

»Nun«, jetzt wirkt Benson peinlich berührt, »ich bin nicht sicher, wie gut ich Ihnen eigentlich helfen kann. Sehen Sie, wie ich bereits auf dem Parkplatz sagte, praktiziere ich nicht mehr als Arzt. Ich, nun ja, ich habe gekündigt, ehe man mich feuern konnte.«

»Verstehe«, sage ich ruhig, obwohl ich geschockt bin. »Und darf ich fragen, warum Sie mir das gestern nicht am Telefon verraten wollten?«

Immerhin ist der Arzt so anständig, unsicher zu werden. »Ich wollte Gelegenheit haben, Ihnen die Situation persönlich zu schildern. Und ich muss gestehen, dass ich recht spannend fand, was Sie mir erzählten. Ich dachte, Sie hätten vielleicht keine Lust, mich zu treffen, wenn Sie die ganze Geschichte kennen würden.«

Ich bin sofort enttäuscht. Ein Lügner und ein Quacksalber, genau wie ich befürchtet hatte. Aber er hat recht, jetzt bin ich hier und kann mir ebenso gut anhören, was er zu sagen hat.

»Na schön«, sage ich und trinke einen Schluck von meinem Kaffee, »ich höre.«

Der Arzt nickt lächelnd. »Okay, wie Sie bereits wissen, bin, ähm, war ich Arzt. Psychiater, um genau zu sein. Vor langer Zeit. Ich habe Kinder mit einem breiten Spektrum an Krankheiten behandelt, von Essstörungen bis hin zu Schizophrenie. Weitestgehend ähnlich, wie sie es hier tun. Aber mich hat schon immer das Paranormale interessiert. Ich weiß, es klingt komisch, nicht wahr? Ein Arzt, ein Wissenschaftler, der an Geister und Fantasiewesen glaubt. Diese beiden Seiten von mir haben nie gut zusammengepasst. Mein Beruf stand im Widerspruch zu meiner Neugier, was das Unbekannte angeht, die Dinge, die wir nicht wissenschaftlich erklären können. Solche Sachen habe ich nie mit Kollegen besprochen, denn die waren ja alle selbst Männer der Wissenschaft ... und Frauen, versteht sich«, fügt er schnell hinzu. »Keiner von ihnen hätte sich auf Diskussionen über das einlassen wollen, was die Wissenschaft nicht erklären kann. Und wer kann es ihnen verdenken? Es gibt eine Menge Leute, die zugeben, an Paranormales zu glauben, wenn man sie direkt fragt. Doch im Alltag weisen sie zumeist alles barsch von sich, was sie nicht erklären können, alles, was sie nicht mit eigenen Augen gesehen haben. Sogar wenn man sie mit unerschütterlichen Beweisen konfrontiert, schütteln sie noch die Köpfe und behaupten, es muss eine andere Erklärung geben – unabhängig davon, dass sie selbst keine haben! Mich erboste oft, wie engstirnig Leute sein können.«

Ich rücke auf meinem Stuhl hin und her und erinnere mich, wie ich Miss Gilbert abgewiesen hatte, als sie in meinem Wohnzimmer saß und mich anflehte, mich für die Möglichkeit zu öffnen, dass ich mich in dem Mädchen irre.

»Sicher verstehen Sie, dass Menschen skeptisch sind, wenn es so wenig Beweise für das Paranormale gibt.«

»Ah!« Benson klatscht die Hand auf den Tisch und zeigt verzückt auf mich, als hätte ich ihn eben bestätigt. »Aber das ist ja der Punkt! Es gibt Beweise, hat sie immer gegeben, nur weigern die Leute sich, sie zu sehen. Sie unterstellen, dass sie gefälscht sind oder es rationale Erklärungen gibt, als sei der Gedanke, dass es Dinge auf dieser Welt gibt, die wir nicht mittels Wissenschaft erklären können, einfach mehr, als sie ertragen können. Warum sich die Wissenschaft und die Parawissenschaft diese Welt nicht teilen können, werde ich nie verstehen. Und trotz allen Spotts und allen Verneinens sind wir als Gattung fasziniert vom Paranormalen. Sie müssen sich bloß unsere Fernsehserien und unsere Filme ansehen. Wir sind fasziniert von dem, was wir nicht erklären können, dennoch weigern wir uns zu glauben, dass diese Dinge im wahren Leben geschehen können.«

Mit jedem seiner Worte wird Benson röter, seine Stimme höher. Es ist offensichtlich, dass er sehr leidenschaftlich für das empfindet, was er sagt, und obwohl er mir gestern verschwieg, dass er gezwungen wurde, sich aus der Psychiatrie zurückzuziehen, stelle ich fest, dass ich ihm glaube – und glaube, dass er mir vielleicht glaubt.

»Und so«, er lehnt sich zurück und räuspert sich kurz, »und so blieb ich vom Paranormalen fasziniert, wenn auch heimlich. Bis ich gebeten wurde, Gemma Andrews als Patientin zu übernehmen.«

Ich blicke zur Zimmerecke auf und rechne damit, eine der vielen Sicherheitskameras zu sehen, wie sie bei der Erwähnung des Patientennamens auf uns zoomt. Benson bemerkt es.

»Schon gut«, versichert er mir, »dies ist ein privates Besprechungszimmer. Es ist schalldicht. Man kann uns hier nicht belauschen.«

Ich nicke. »Können Sie mir von Gemma erzählen?«

Benson sieht auf den Tisch. »Nicht mein bester Fall, muss

ich zugeben. Ich schäme mich ziemlich dafür, wie er gelaufen und was dabei herausgekommen ist. Wie Sie wahrscheinlich schon erraten haben, ist Gemma der Grund, aus dem ich die Psychiatrie aufgab. Und was geschah, war der Grund, aus dem ich immer noch jede Woche herkomme, um sie zu besuchen.«

Ich sage nichts, warte, dass er die Stille füllt. Als Psychiater muss er den Trick kennen, doch er funktioniert immer noch.

»Gemmas Eltern kamen im Frühjahr 2009 auf mich zu. Sie machten sich Sorgen über einige ihrer Verhaltensweisen infolge eines Autounfalls, bei dem sie ein Jahr zuvor ihre kleine Schwester verloren hatten.«

Genau wie Ellie, denke ich, wage jedoch nicht, ihn zu unterbrechen. Verlust und Trauma.

»Erzählen Sie weiter«, sage ich.

»Gemma hatte einen Hang zu Wutausbrüchen entwickelt. Bei mehreren Gelegenheiten hatte sie ihr Zimmer aus lauter Wut zerstört. Allerdings war dieses Verhalten vollkommen untypisch für sie. Neunzig Prozent der Zeit war sie ein sanftmütiges, fleißiges, höfliches und gut erzogenes Mädchen. Vor dem Verlust ihrer Schwester hatte sie nie Probleme in der Schule gehabt, kaum mal eine scharfe Bemerkung gemacht.«

»Sicher ist einiges von diesem Verhalten nach solch einem Verlust zu erwarten«, sage ich. »Es klingt wie das Lehrbuchbeispiel für das Schuld/Wut-Stadium der Trauer. Schuldgefühle, weil sie noch lebt, werden als Wut aufgestaut, bis die nach einem Ventil verlangt.«

»Dasselbe dachte ich anfangs auch«, stimmt Benson mir zu. »Und ich war bereit, Gemma zu therapieren, ihr zu helfen, mit der Trauer fertigzuwerden, und ihrer Familie zu helfen, akzeptable Ventile für die Wut zu finden. Allerdings fehlten mir da leider noch einige wesentliche Informationen. Erst in meiner dritten Sitzung mit Gemma wurde mir klar, dass ich es mit etwas vollkommen anderem als dem üblichen Trauerzyklus zu tun haben könnte.«

Er verstummt, versinkt in Erinnerungen, und ich frage mich, ob er jene Sitzung im Geiste durchgeht und zu ergründen versucht, wo er hätte anders handeln können. Ich weiß, wie sich das anfühlt, denn ich habe dasselbe schon unzählige Male getan.

»Es war etwas, das Gemma in jener dritten Sitzung sagte«, fährt Dr. Benson fort, als hätte er nie unterbrochen. »Wir sprachen über den Tag, an dem sie ihr Zimmer zerstört hatte, und sie sagte mir, dass sie sich nicht einmal erinnerte, irgendwas in ihrem Zimmer angefasst zu haben. Es war, als wäre sie blind vor Zorn gewesen, und die Sachen flogen von selbst durchs Zimmer.«

Er hebt eine Hand, ehe ich etwas sagen kann. »Ich weiß, was Sie denken.« Das bezweifle ich sehr, denke ich. »Und tatsächlich hätten Sie recht. Ich hatte jeweils nur Gemmas Version, was mit ihr geschehen war. Und deshalb fingen wir mit den Tests an.«

Wie von selbst wandern meine Augenbrauen nach oben, als Benson die »Tests« beschreibt, denen er die kleine Gemma Andrews unterzogen hatte. Wie ergebnislos die Tests auf übernatürliche Fähigkeiten blieben, wie er den Druck erhöhte, das Mädchen immer weiter verunsicherte, bis es beinahe einen Nervenzusammenbruch erlitt.

»Und dann, an dem letzten Abend, bevor sie hier eingewiesen wurde, setzte Gemma die Küche in Brand, führte ihre eigenen Experimente durch. Sie wollte mir beweisen, dass sie besonders war – jedenfalls erzählte sie das der Polizei.«

»Und das tat sie mittels ihrer Gedankenkraft?«, frage ich ungläubig.

»Nein.« Benson schüttelt den Kopf. »Der Brandermittler

fand ein explodiertes Feuerzeug und Brandbeschleuniger in der Küche. Gemma hatte fast das ganze Haus und alle Bewohner in Brand gesteckt, um mir etwas zu beweisen. Sie wurde hierhergebracht anstatt in eine Jugendstrafanstalt, und ich verabschiedete mich in Schande von der Medizin.«

»Warten Sie, dann haben Sie mich hergelockt, um mir zu erzählen, dass Sie nie einen Beweis für das Übernatürliche fanden? Aber auf Ihrer Website …«

»Die wurde nicht mehr aktualisiert, seit ich die Wahrheit herausfand. Und ich habe Sie hergebeten, um Ihnen zu zeigen, was passiert, wenn Sie mit der Psyche von Kindern herumspielen. Ich habe Sie hergebeten, damit Sie nicht so wie ich werden.«

# Kapitel 83

*Ellie*

Mary drückt sanft Ellies Hand, als sie mit ihr in den Garten geht.

»Was machen wir hier?«, fragt Ellie. Mary benimmt sich schon seit der Schule seltsam, als wäre sie nervös und aufgeregt zugleich. Jetzt lächelt sie. »Keine Angst, Ellie«, sagt sie und klopft ihrer Pflegeschwester auf die Schulter. »Wie ich schon gesagt habe, machen wir ein paar Versuche. Wir wollen dir helfen, deine besondere Kraft zu beherrschen, damit du sie besser nutzen kannst.«

Sie besser nutzen? Was denkt Mary denn, was sie versucht? Aber ihre Wut wird mit jedem Tag größer, und schuld daran ist die Art, wie die Leute sie hier behandeln. All die hasserfüllten Gedanken, die sie hat, und die Albträume. Sie kommen jetzt jede Nacht – Miss Gilbert und Imogens Baby, und sie schreien und schreien. Das Baby hört sie am meisten – es schreit ununterbrochen, und nichts von dem, was Ellie tut, bringt es dazu, damit aufzuhören. In ihren Albträumen sieht sie Naomi auf die Straße fallen, erscheint Billys Gesicht vor ihr, sein Mund nicht mehr zugeklebt, sondern jede Lippe mit dicken schwarzen Fäden genäht. Er will etwas murmeln, kann es aber nicht, und je mehr er es versucht, desto mehr Fäden reißen, und dickes Blut sickert aus den Löchern.

»Hast du jemandem hiervon erzählt?«

Mary schüttelt den Kopf, und ihr Gesicht ist auf einmal ein bisschen blasser. Ellie sieht Furcht in ihren Augen. Gut. Sie sollte sich ein bisschen fürchten. Sie hat keine Ahnung, womit sie es zu tun hat. Ellie hat ihr nicht von den neuesten Visionen erzählt, und sie will sie noch ein wenig länger für sich behalten.

Sie nickt. »Was soll ich machen?«

»Okay.« Mary zeigt zu der niedrigen Mauer zwischen dem Rasen und der Terrasse. »Siehst du die Coladosen da drüben? Die habe ich vorhin aufgestellt. Wir müssen ein bisschen näher ran.« Sie legt eine Hand auf Ellies Schulter und führt sie näher zur Mauer. Ellie erkennt sofort, was los ist. »Okay«, sagt Mary, »so ist es gut. Jetzt will ich, dass du sie runterschmeißt.«

»Und wie soll ich das machen?«

Mary seufzt ungeduldig. »Woher soll ich das denn wissen? Du bist diejenige, die solche Sachen kann, die die Kraft hat. Vielleicht denkst du einfach, dass sie runterfallen, oder so.«

*Denken, dass sie runterfallen. Ach, ich bitte dich!*

Sie kneift die Augen zu, murmelt ein bisschen, um des Effekts willen, und fragt sich, ob sie mit den Händen wedeln soll, aber das wäre wohl etwas zu viel. Nach einer Minute öffnet sie die Augen wieder, und sie beide blicken erwartungsvoll zur Mauer. Keine der Dosen hat sich bewegt. Was für eine Überraschung!

»Ich glaube, so geht das nicht, Mary. Ich glaube nicht, dass ich einfach an Sachen denken und sie passieren lassen kann.«

»Aber wie machst du es denn sonst?«

»Habe ich dir doch schon erzählt«, sagt Ellie und bemüht sich, ruhig zu bleiben. »Wenn mich Leute ärgern, denke ich schlimme Sachen über die, und dann passiert etwas.«

»Wieso kannst du nicht was Schlimmes über die Dosen denken?«, erwidert Mary gereizt. Ellie muss sich ein spöttisches Grinsen verkneifen.

»Na ja, es ist ja nicht so, als hätten mir die Dosen irgendwas getan.«

»Um Himmels willen, Ellie!«, platzt Mary frustriert heraus, und Ellie reißt erschrocken die Augen weit auf.

»Schon gut, es tut mir leid.« Mary tritt einen Schritt zurück und reibt sich übers Gesicht. »Ich wollte dich nicht anschreien. Ich dachte bloß, dass du vielleicht besser weißt, wie es funktioniert.« Es scheint ihr wirklich leidzutun. »Wollen wir was anderes versuchen?«

Ellie zuckt mit den Schultern. Sie ist sauer, weil Mary die Beherrschung verloren hat. Irgendwann zeigen alle ihr wahres Gesicht – Freunde, Lehrer, Eltern.

»Wie wäre es, wenn du dir vorstellst, die Dosen sind Leute?«, schlägt Mary vor. »Stell sie dir als Leute vor, die dich traurig gemacht haben. Stell dir vor, diese Dose da ist Naomi Harper und sagt all diese gemeinen Sachen zu dir.« Mary senkt die Stimme. »Stell dir vor, sie flüstert: ›Du bist ein Freak, Ellie Atkinson, und keiner mag dich. Du hast keine Freunde, und deine Mum und dein Dad sind sicher froh, dass sie …‹« Mary stößt einen Schrei aus, als eine der Dose von der Mauer fliegt wie von einer Schrotkugel getroffen.

»Wow!« Mary ist verblüfft. »Wie hast du das gemacht?«

Ellie tut, als würde sie nicht wissen, was hier vor sich geht. Vorerst ist es besser so. Sie zieht die Augenbrauen hoch. »Ziemlich cool, hä?«

»Ziemlich cool?«, wiederholt Mary. »Ellie, das war mehr als cool. Wenn du lernen kannst, das zu kontrollieren, wenn du es wieder machen kannst, stell dir doch bloß vor … die können dir nie wieder was tun.«

Diese Worte fühlen sich wie ein Seidenschal an, der durch Ellies Finger gleitet. *Können dir nie wieder was tun …* Mary hat keinen Schimmer, wie recht sie hat.

»Willst du es nochmal versuchen?«, fragt Mary. »Oder bist du müde? Ist das anstrengend? Wie fühlt es sich an?«

Ellie schüttelt den Kopf, will ein wenig jünger und verletzlicher aussehen. Immerhin würde Mary das erwarten. »Nein, ich bin nicht müde. Mir geht es gut. Vielleicht ein bisschen komisch, aber ich weiß nicht, ob das ist, weil ich nervös bin oder Angst habe. Mir ist ein bisschen schlecht.«

»Soll ich dir irgendwas holen?«, bietet Mary sofort an. Ellie fragt sich, ob sie jetzt ein bisschen Angst hat.

»Nein, danke, es geht schon. Was willst du denn?«

»Tja, wenn du sicher bist...«

»Bin ich«, sagt Ellie, die Mary unbedingt eine Freude machen will. *Übertreib es nicht, Ellie.* »Mir geht es gut, Mary, ehrlich.«

»Na schön.« Mary nimmt ihre Hand und zieht sie aufgeregt hinüber zu dem Baum, unter dem Ellie an dem Abend gehockt hatte, als Miss Gilbert starb. Seitdem hat sie den Baum gemieden, denn wenn sie in seiner Nähe ist, hört sie nichts als die Schreie.

Mary muss bemerken, dass Ellie blass geworden ist. »Ist auch wirklich alles okay, El?« Mary streckt eine Hand aus und streichelt ihre Wange. »Du siehst nicht so gut aus.«

Ellie schüttelt verärgert den Kopf. »Ich habe doch gesagt, dass es mir gut geht.« Sie nickt zu dem Baum. »Was soll ich da machen?«

Mary zeigt nach oben zu einem Zweig, der an einem Band am untersten Ast baumelt. »Den habe ich da vorhin festgemacht«, erklärt Mary. »Es ist eigentlich nur ein Zweig, der von einem Baum hängt. Ich frage mich, ob du ihn vielleicht dazu bringen kannst, sich zu drehen oder so. Es ist kein Wind, also bewegt er sich jetzt nicht. Wir wüssten, dass du es bist, wenn er sich bloß bewegt, schätze ich.«

Ellie nickt. Mary verschränkt ihre Hände und stellt sich an den Baumstamm. »Okay, los!«

Ellie starrt den Zweig an, weitet die Augen ein wenig und versucht auszusehen, als würde sie sich sehr konzentrieren. Der Zweig rührt sich nicht.

»Das bringt nichts«, seufzt Ellie. »Ich weiß nicht, wieso es passiert. Ich weiß nicht, wie ich es kontrolliere.«

»Als es da drüben geklappt hat«, sagt Mary und zeigt zu der Dose neben der Mauer, »sahst du so wütend aus, als würdest du gleich platzen. Ist es das vielleicht? Musst du richtig wütend werden. Es war, als ich deine Eltern ...«

Mary verstummt. Sie ist unsicher, ob sie Ellies Eltern ansprechen sollte, denn sie fürchtet, sie wütend zu machen. Aber genau das muss passieren. Mary hat recht. Diese Dinge geschehen nur, wenn Ellie wirklich wütend wird. Allein sich die Gesichter der Kinder vorzustellen, die sie schikaniert haben, reicht nicht. Es muss Wut sein.

»Ich hasse dich«, murmelt Ellie dem Stock zu. Und sie versucht es wieder, stellt sich jeden vor, der sie beschimpft, sie ausgelacht hat. »Ich hasse euch. Ich wünschte, ihr wärt alle tot. Ich wünschte, ihr würdet Schmerz fühlen, echten Schmerz, wüsstet, wie es ist, ausgelacht, gehasst und ignoriert zu werden ...«

Mary schnappt nach Luft. Zuerst denkt sie, es liegt an den Worten, die aus dem Mund der niedlichen, komischen kleinen Ellie Atkinson kommen. Und dann sieht sie zu dem Zweig, der unkontrolliert herumwirbelt. Ellie lässt ihre Beine einknicken und sackt zu Boden, wo ihre Knie an dem rissigen Stein schürfen. Sie winkelt einen Arm auf ihrem Rücken an. Mary rennt zu ihr und nimmt sie in die Arme.

»Alles okay, Ellie? Geht es dir gut?«

»Sie werden mir nie wieder wehtun können«, murmelt sie. »Das hast du doch gesagt, Mary. Sie können mir nie wieder wehtun.«

Und dann wird alles schwarz.

# Kapitel 84

*Imogen*

Ich klopfe an und blicke mich verstohlen zu beiden Seiten um. Ich bin sicher, Stimmen aus dem Haus zu hören, und der Wagen steht in der Einfahrt. Sie müssen da sein.

Mir ist klar, dass ich nicht hier sein dürfte. Aber mir fällt nichts anderes ein, wenn ich Ellie stoppen will, bevor sie noch jemanden verletzt. Nach meinem katastrophalen Treffen mit Dr. Benson fühle ich mich einsamer denn je. Mir war nicht bewusst gewesen, wie sehr ich gehofft hatte, dass er derjenige sein würde, der mir helfen kann. Welche Ironie, dass Hannah Gilbert genauso zu mir gekommen war und mich um Hilfe anflehte, ich sie allerdings abgewiesen hatte. Jetzt bin ich im Begriff, dasselbe mit Sarah zu tun.

Als niemand öffnet, klopfe ich wieder, etwas lauter. Ich bete, dass nicht Ellie an die Tür kommt, dass ich sie nicht sehen muss. Der Gedanke, in diese kalten dunklen Augen zu blicken, jagt mir Angst ein.

Ich will erneut klopfen, noch fester, als die Tür einen Spalt weit aufgeht. »Was wollen Sie?«

Sarah Jefferson steht da und benutzt die Tür als Schild gegen mich.

»Ich bin nicht hier, um eine Szene zu machen«, verspreche ich. »Ich möchte nur mit Ihnen reden, unter vier Augen, bitte.«

»Es passt gerade nicht.« Sarah Jefferson will die Tür wieder schließen, und ich schiebe schnell meinen Fuß dazwischen.

»Bitte, Sarah, nur für wenige Minuten. Ich bleibe nicht lange, versprochen, und wenn Sie mich bitten zu gehen, verschwinde ich sofort.«

Ich höre Sarah Jefferson hinter der Tür stöhnen. »Na gut«, sagt sie. »Aber nur ein paar Minuten. Es ist wirklich ungünstig. Ich nehme bloß kurz die Kette ab.«

Ich ziehe meinen Fuß zurück, und die Tür schließt und öffnet sich wieder. Sarah Jefferson sieht erschöpft aus. Ich frage mich, ob es schlimmer wird.

»Sie sehen furchtbar aus«, bemerke ich, als Sarah mich ins Haus winkt.

»Danke.« Sie lacht verbittert. »Dasselbe könnte ich von Ihnen sagen.«

Sarah führt mich in die leere Küche.

»Wo ist Ellie?«, frage ich leise.

»Sie ist mit Mary im Garten.« Sarah nickt zur Hintertür. »Worum geht es? Ich dachte, Sie haben Weisung, sich von Ellie fernzuhalten.«

»Habe ich, und das tue ich auch. Ich möchte mit Ihnen über das reden, was Sie mir in dem Café gesagt haben.«

Sarah schüttelt den Kopf. »Das müssen Sie vergessen«, sagt sie rasch. »Ich konnte nicht klar denken, war wütend und verängstigt. Das war albern.«

»Sie schienen mir ziemlich überzeugt«, erinnere ich sie. »Nicht verwirrt.«

Sarah sieht gequält aus. »Hören Sie, bitte, erzählen Sie keinem, was ich gesagt habe. Bitte, vergessen Sie es. Ich kann mir nicht erlauben, dass …« Sie bricht ab, als hätte sie schon zu viel gesagt. »Dass was?«, frage ich. »Was können Sie sich nicht erlauben?«

Sarah blickt durch die Küchentür in die Diele, als erwarte sie, dass jeden Moment jemand auftaucht. Dann sieht sie hinter sich zu den beiden Mädchen im Garten. »Ich kann mir nicht erlauben, dass irgendwer denkt, es gibt Probleme. Dass ich irgendwas gegen Ellie getan oder gesagt haben könnte.«

»Sie haben immer noch Angst vor ihr.«

Sarah schüttelt den Kopf. »Nein, na ja, das ist es nicht. Es ist nur, mit Ellie läuft alles gut, solange es gut läuft. Solange wir sie nicht aufregen, sie wütend machen. Und die Situation hat sich ein bisschen verändert ...«

»Haben Sie gehört, was mir passiert ist?«, frage ich vorsichtig und fühle mich entsetzlich, weil ich mein Baby als Mittel zum Zweck einsetze. Wobei in einem Dorf wie Gaunt unwahrscheinlich ist, dass sie es nicht gehört hat. Sarah nickt.

»Ja, habe ich, und es tut mir sehr leid. Aber Sie denken doch nicht, dass Ellie ...?«

»Es ist, wie Sie sagten«, antworte ich. »Alles ist bestens, solange wir sie nicht wütend machen. Sie müssen gehört haben, was sie zu mir sagte, als wir uns an dem Tag verabschiedeten.«

Sarah verneint. »Ich habe nichts gehört. Als Ellie die Tür aufmachte, hatten Sie schon aufgehört zu reden. Was hatte Sie gesagt?«

Ich schlucke. Obwohl mir die Worte seit über einer Woche durch den Kopf kreisen, fällt es mir schwer, sie laut auszusprechen. Aber wenn ich Sarah Jefferson überzeugen will, dass Ellie gefährlich ist, muss sie die Wahrheit wissen. Die ganze. »Sie sagte mir, dass ich mein Baby nicht verdiene. Dass es tot besser dran wäre.«

Sarah ringt nach Luft. »Aber woher hat sie das gewusst? Hatten Sie es ihr erzählt? Und Sie können nicht allen Ernstes denken ...«

Ich sage nichts.

»Das ist doch völliger Unsinn!«, sagt Sarah. »Wie könnte sie denn ...«

»Wie konnte sie irgendwas von den Dingen tun, derer man sie beschuldigt hat? Sie wissen, dass etwas an ihr anders ist, Sarah. Deshalb wollten Sie mich an dem Tag treffen.«

»Nein«, widerspricht sie. »Ich meine, ja, ich dachte, dass Ellie etwas mit dem zu tun hatte, was mit Billy passierte. Und da waren andere Sachen ... Aber nicht so wie die, von denen Sie reden. Sie kann unmöglich ...« Ihre Worte verlieren sich, als könnte sie den Gedanken nicht mal aussprechen. *Ihr Baby getötet haben.*

»Und wenn sie es doch war?« Ich sehe durchs Fenster zu den beiden Mädchen, die mit Blechdosen draußen spielen. »Ich weiß, dass es verrückt klingt, Sarah, aber da ist dieser Mann ... Dr. Benson ... Ich war bei ihm. Er ist spezialisiert auf diese Dinge. Auf Psychokinese.« Ich erzähle Sarah nicht von der Warnung, die Dr. Benson mir mit auf den Weg gegeben hat, oder dass er kein Arzt mehr ist.

Sarah steht der Mund offen. »Sie sind verrückt.«

»Und war Hannah Gilbert auch verrückt? Denn sie dachte dasselbe. Sie war bei mir, bevor sie starb, und ich sagte ihr ziemlich das Gleiche, was Sie mir jetzt sagen. Ich hab sie nie wiedergesehen. Sie wurde ermordet.«

Sichtlich entsetzt tritt Sarah einige Schritte zurück. »Sie wollen doch nicht andeuten ...?«

»An dem Abend von Hannahs Tod rief Ellie mich an, Sarah«, sage ich. »Sie sprach davon, dass sie Schreie in ihrem Kopf höre. Was ist, wenn die nicht in ihrem Kopf waren? Was ist, wenn sie Schreie hörte, weil tatsächlich geschrien wurde? Weil Hannah Gilbert schrie?«

Sarah geht zur Tür in die Diele und macht sie weiter auf. »Sie sollten jetzt besser gehen.«

Ich rühre mich nicht. »So hatte ich auch reagiert«, sage ich. »Ich wurde wütend auf Hannah, sagte ihr, dass sie wahnsinnig ist, und warf sie aus dem Haus. Ich ...« Meine Worte werden von einem Babyschreien aus dem Zimmer nebenan unterbrochen, und ich erschrecke. »Was war das? Sie haben schon ein Baby hier?«

Sarah eilt in die Diele. »Nur zu Besuch. Sie ist noch nicht eingezogen. Das meinte ich damit, dass sich die Dinge geändert haben. Mark und ich, wir wollten von Anfang an ein Baby. Deshalb sind wir Pflegeeltern geworden, und jetzt darf nicht passieren, dass irgendwas, egal was, das ich gesagt oder getan haben, falsch aufgefasst wird.«

»Aber das ...«

»Sie müssen wirklich gehen.« Sarah schiebt mich leicht am Arm nach vorn. »Wenn Ellie Sie hört, regt sie sich auf, und ich muss nach Lily sehen.«

»Aber das ändert alles«, sage ich. »Verstehen Sie denn nicht? Es sind nicht mehr nur Sie, die in Gefahr sind, nicht nur Sie, die darauf achten müssen, dass Ellie nicht wütend wird. Sie haben ein Baby im Haus!«

»Nichts davon geht Sie irgendwas an«, erwidert Sarah streng. »Sie glauben doch nicht, dass ich Lily etwas zustoßen lasse, oder? Und denken Sie allen Ernstes, dass diese Elfjährige, die Sie so lange verteidigt haben, einem wehrlosen sechs Monate alten Baby etwas tun würde?«

Mich überkommt eine schreckliche Ahnung. Was soll ich tun? War ich vorher imstande, wegzugehen und Sarah Jefferson die Situation allein unter Kontrolle behalten zu lassen, bin ich es jetzt ganz gewiss nicht mehr. Nicht, wenn ein unschuldiges Baby im Spiel ist. Ich muss sie aufhalten.

# Kapitel 85

*Imogen*

»Dir ist schon klar, dass du dich wie eine bemitleidenswerte Verrückte anhörst, oder?« Pammy leckt einmal um ihre Eiskugel herum und verzieht das Gesicht. »Gefrierbrand im Gehirn! Keine Bange, dir dürfte nichts passieren, denn dazu braucht man ein Gehirn.«

Ich stöhne. »Bitte nicht, Pam. Du bist buchstäblich der einzige Mensch, mit dem ich darüber reden kann. Ich komme mir wie eine Frau aus einem dieser schlechten Horrorfilme vor, wie wir sie uns früher bei dir angesehen haben, die verzweifelt bemüht ist, ihren Freunden zu erzählen, sie sei nicht verrückt, bevor der böse Geist ihnen alle Körperteile einzeln abreißt.«

Pammy erschaudert. »Okay, ich möchte schon mal nicht in Stücke gerissen werden, also vielen Dank für das Kopfkino.«

»Kannst du bitte einfach mal annehmen, dass das, was ich dir erzählt habe, stimmt? Nur als Gesprächsgrundlage? Danach darfst du mich auch wieder angucken, als wäre mir ein zweiter Kopf gesprossen.«

Pammy zeigt mit ihrer Eiswaffel auf mich. »Du bringst deine Metaphern durcheinander. Eben drohst du mir noch, sämtliche Körperteile zu verlieren, jetzt sprießen dir neue. Entscheide dich mal.«

Ich ziehe die Brauen zusammen. »Das ist nicht witzig. Nicht mal ansatzweise.«

Als ich Pammy anrief und sie bat, dass wir uns zum Reden treffen, war ich ziemlich sicher gewesen, dass sie nicht mit dem gerechnet hatte, was ich ihr eben erzählte. Ich hatte von Anfang an begonnen, mit meinem ersten Tag in Gaunt, als Naomi Harper ohne ersichtlichen Grund auf die Straße gefallen war und ich erstmals Ellie Atkinson sah, die ängstlich und verwirrt wirkte. War Ellie da schon bewusst gewesen, über welche Kraft sie verfügte? Oder war es ein Unfall gewesen, der Beginn von etwas, das sie nicht im Griff hatte? Der Schule und Sarah Jefferson zufolge hatte es vorher schon Zwischenfälle gegeben. Wie weit reicht Ellies Terrorregime zurück? Bis zu ihren toten Eltern? Oder noch weiter?

Pammy hatte nichts gesagt, außer ein Eis von dem Wagen zu bestellen, der an dem Park hielt, in dem wir spazieren gingen. Sie hat schweigend zugehört, bis ich mit dem Verlust meines Babys endete und sie ihr harsches Urteil sprach. Dass ich eine bemitleidenswerte Verrückte sei.

»Ich lache nicht, ernsthaft, Im. Du hörst dich an, als würdest du durchdrehen. Triffst dich mit einem bescheuerten Parapsychologen, um über eine Elfjährige mit übernatürlichen Kräften zu reden, die herumläuft und Lehrerinnen umbringt und blutige Rache an ihren Mitschülern übt. Das gibt mir wirklich zu denken. Ich mache mir Sorgen um dich, weil ich denke, dass du es ernst meinst und tatsächlich glaubst, du hättest dein Baby verloren, weil du dich mit einem Kind überworfen hast. Ich denke, du brauchst eine Therapie, Süße. Du leidest, und ich wäre eine schreckliche Freundin, wenn ich einfach mitmachen würde, um dich bei Laune zu halten.«

Seufzend blicke ich in den Park und beobachte eine Mutter, die mit einer Hand auf ihr Handy eintippt, während sie mit der anderen ungeduldig einem Kleinkind auf der Schaukel Schwung gibt. Es war eine schlechte Idee herzukommen. Und es war auch nicht geplant gewesen, dass wir einen Ort aufsuchen, an dem lauter Kinder sind. Wir waren nur irgendwie hier gelandet, so wie wir es schon taten, als wir fünfzehn waren.

»Du könntest recht haben. Es leuchtet auch vollkommen ein. Ich habe exakt genauso gedacht, als ich anfing, mit ihr zu arbeiten. Ich war wütend, dass alle Leute ihr mit Furcht und Misstrauen begegneten, und dachte, Hannah Gilbert wäre eine wahnsinnige Kuh, die einen unfairen Groll gegen ein Kind hegt, das viel zu jung ist, um den verdient zu haben. Ich habe Ellie verteidigt, obwohl ich die ganze Zeit spürte, dass etwas nicht stimmt, sich falsch anfühlt. Und dann …«

»Dann ist dir etwas Schlimmes passiert, und dein Kummer war zu groß, als dass du klar denken konntest«, sagt Pammy, ohne dabei unfreundlich zu klingen. »Du hast einen Schuldigen gebraucht. Also hast du, anstatt hinzunehmen, dass das, was dir passiert ist, furchtbar, aber völlig natürlich war, deine Wut und deine Enttäuschung verschoben und sie gegen ein verkorkstes, verletzliches Kind gerichtet. Ich sage das als Freundin, weil ich dich kenne, seit du selbst ein verkorkstes, verletzliches Kind warst.«

»Und wenn ich recht habe? So, wie ich jetzt weiß?«

»So wie du es bei der Mum in deinem alten Job hattest? Denn da warst du so sicher, und es hat dich deinen Job gekostet. Was ist, wenn hier dasselbe passiert? Stehst du das ein zweites Mal durch?«

»Das ist nicht fair! Es war eine völlig andere Situation.«

»War es das? Kannst du allen Ernstes hier vor mir sitzen und mir sagen, dass das, was mit dem kleinen Jungen geschah und wie du dich auf dieses kleine verlorene Mädchen eingeschossen hast, nicht ein und dasselbe sind? Es geht darum, dass du versuchst, jenes verlorene kleine Mädchen zu retten, das du vor zwanzig Jahren warst. Und wenn du das nicht kapierst, ist mir schleierhaft, wie du deinen Psychologie-Abschluss geschafft hast.«

»Das mag früher so gewesen sein«, gestehe ich. »Aber verstehst du nicht, dass es nicht mehr um mich geht, die ich retten will? Ich versuche nicht, Ellie zu retten, sondern herauszufinden, wie ich sie aufhalten kann.«

»Sie retten, sie aufhalten.« Pammy zuckt mit den Schultern. »Ist doch alles das Gleiche. Du willst beweisen, dass du nicht mehr der unsichtbare Niemand Imogen Tandy bist. Warum sonst solltest du nicht einfach alldem den Rücken kehren, um eine Versetzung in eine andere Grafschaft bitten, vergessen, dass du jemals von den Jeffersons und Ellie Atkinson gehört hast? Soll die Polizei doch herausfinden, was mit Hannah Gilbert passiert ist, und du konzentrierst dich darauf, deine Ehe zu retten.«

»Bei dir hört es sich so simpel an«, murmle ich.

»Weil es simpel ist, Immy. Man kann nicht immerzu die Welt retten. Manchmal muss man einfach sich selbst retten.«

## Kapitel 86

*Ellie*

Auf der Fahrt nach Hause schweigen sie. Mary hat kein Wort gesagt, und Ellie ist sich nicht sicher, ob Sarah und Mark sauer auf sie sind oder Angst haben, dass, wenn sie etwas sagen, sie einen Wutanfall von ihrer Tochter riskieren. Ellie sitzt in der Mitte neben dem Baby, das schon schläft, seit die erleichtert aussehende Sozialarbeiterin sie ihnen gebracht hat. Sarah ist verzückt. Immer wieder dreht sie sich nach hinten um und sieht zu dem Baby mit den winzigen Augenlidern, den blonden Miniaturwimpern und dem wuscheligen Haarschopf, der zu groß für den kleinen Körper wirkt. Das Baby hat die kleinsten Hände, die Ellie je gesehen hat. Ihr Bruder war ihr nie so winzig, so hilflos vorgekommen. Jetzt schien es ihr, da ihre Erinnerungen von Zeit und Kummer eingefärbt waren, als wäre er als voll entwickelter Zweijähriger geboren worden – mitsamt frecher Klappe und verbissener Selbstständigkeit. Dieses Baby hier ist vollkommen anders. Lily sieht aus, als könnte sie zerbrechen, wenn man sie bloß aus dem Autositz hebt.

Sie sind inzwischen seit fast einer Stunde zu Hause, und das Baby hat angefangen zu schreien, sobald sie es in dem Autositz ins Haus trugen, als würde es irgendwie wissen, dass dies nicht sein bisheriges Zuhause ist. Dass es hier nicht sein soll. Ellie weiß genau, wie Lily sich fühlt. Sarah und Mark sind unten, versuchen alles, um das schreiende Baby zu beruhigen, und Mary und Ellie sind oben in Marys Zimmer. Mary ist unruhig, läuft in ihrem Zimmer auf und ab, und Ellie hat das Gefühl, dass ihr Kopf gleich platzt, wenn das Geschrei nicht aufhört. Sie schließt die Augen, versucht, die Angst zu beruhigen, die sich in ihr aufbaut. Das letzte Mal, dass sie sich so angespannt gefühlt hat, war ein Baby gestorben. Sie muss etwas tun, lernen, das hier zu kontrollieren, bevor sie noch jemanden umbringt.

# Kapitel 87

*Imogen*

Die Bank ist kalt und ungemütlich, und jedes Mal, wenn der Wind um mich herumpeitscht, habe ich das Gefühl, von lauter kleinen eisigen Nadeln gestochen zu werden. Aber selbst das ist besser, als zu Hause zu sein. Es ist die zweite Woche nach der Fehlgeburt, und ich wollte schon nach den ersten paar Tagen wieder zur Arbeit zurück. Es war eine Tortur, mit meinem Mann zu Hause zu sitzen, denn keiner von uns wusste, was er sagen sollte. Die Personalabteilung jedoch bat mich, mindestens zwei Wochen auszusetzen, um mit dem fertigzuwerden, was passiert war, und mich »vollständig zu erholen«. Ich sehe zu dem dunklen Fluss, und mir ist, als würde ich zwanzig Jahre in der Zeit zurückkatapultiert. Genau diese Bank, die bedenklich nahe am Ufer steht, weil Letzteres noch breiter war, als sie aufgestellt wurde, war mein Fluchtpunkt, wann immer mir damals die Wirklichkeit zu viel wurde. Mit neun Jahren hatte ich sie entdeckt. Meine Mutter fragte nie, wohin ich nach Schulschluss für Stunden verschwand, und ich war nicht sicher, ob sie überhaupt registrierte, wie spät es war, wenn ich mich leise in das kalte, stille Haus zurück und geradewegs nach oben in mein Zimmer schlich. Heute fühlt sich der Fluss, ungeachtet meiner Kindheit, sicher und vertraut an. Und bei allem, was derzeit in meinem Leben und meinem Zuhause los ist, brauche ich diese Sicherheit jetzt.

Ich weiß, dass Dan mir vergeben will. Er hat es schon immer gehasst, wenn Auseinandersetzungen zu lange andauerten.

Aber ich weiß auch, dass seine fortwährende Zurschaustellung von Wut und Enttäuschung bedeutet, dass ich es diesmal gründlich vermasselt habe. Denke ich eine gute Woche zurück, verstehe ich gar nicht mehr, warum ich solche Angst hatte, ihm von dem Baby zu erzählen. Denn nun kann ich an nichts anderes denken als daran, wie gern ich unser Baby in den Armen halten, seine zarte Haut riechen und sehen möchte, wie es voller Liebe und Bewunderung zu mir aufblickt. Welche Rolle spielt es denn für dieses winzige Leben, dass meine eigene Mutter so gefühllos war? Dass das Haus nie sauber genug war, um Freunde einzuladen – die ich ohnehin nicht hatte, weil meine Secondhand-Schuluniform so schäbig und leicht muffig war. Ich glaube nicht, dass die Biologie bestimmt, wer wir sind. Äußere Einflüsse prägen uns, nicht unsere Gene.

Ich muss Dan alles erzählen, wenn unsere Ehe nicht in die Brüche gehen soll. Alles über meine Kindheit in Gaunt, über die Leute im Dorf, die zur anderen Seite sahen, wenn meine Mutter und ich einen Laden betraten oder die Straße entlanggingen. Über die Bettdecke, die mir eine Lehrerin gespendet hatte, eine junge Frau namens Miss Rogers, die mir Sandwiches und kleine Chipstüten mitbrachte, weil sie wusste, dass ich außer dem Schulessen nicht viel bekam. Einmal machten wir ein Schulprojekt über unser Traumhaus, und während die anderen Wasserrutschen von ihren Fenstern in die Gärten malten oder Eiskremmaschinen in ihren Küchen, hatte ich die größte und dickste Matratze gemalt, die ich konnte, Wände voller Bücherregale und – der größte Luxus, der mir einfiel – einen Fernseher in meinem Zimmer. Miss Rogers betrachtete mein Bild und bekam glänzende Augen. Mit meinen sieben Jahren dachte ich, es wäre, weil mein Bild nicht so hübsch wie die der anderen war, nicht so fantasievoll oder prächtig. Jahre später ging mir auf, dass Miss Rogers ihre Betroffenheit angesichts meines Traumhauses nicht zurückhalten konnte, sah es doch so aus, wie es für so viele normal und alltäglich war.

Ich schließe die Augen und ordne die Bilder und Erinnerungen neu. Dies war es nicht, worüber ich hier nachdenken wollte. Ich war vor der beklemmenden Stille zu Hause zur kalten Parkbank geflohen, weil ich überlegen wollte, was ich in Sachen Ellie Atkinson tun sollte. Egal wie sehr ich mir bewusst bin, dass ich mich von dem Mädchen fernhalten muss – und wer wollte es mir nach dem, was mir zugestoßen war, verübeln? –, weiß ich auch, dass ich eine Fürsorgepflicht gegenüber dem Kind habe, das die Jeffersons aufnehmen sollen. Wie könnte ich noch in den Spiegel sehen, wenn ich in einigen Wochen höre, dass dem Baby etwas zugestoßen sei? Das wäre entsetzlich.

Ich muss mit jemandem sprechen, jemandem, der Einfluss hat und imstande wäre zu verhindern, dass Sarah Jefferson ein Baby bei sich aufnimmt – oder Ellie irgendwohin bringt, wo sie niemanden mehr verletzen kann. Aber wohin? Käme sie in eine andere Familie, könnten dort schon andere Kinder sein oder noch hinzukommen. Und selbst wenn nicht, wie soll ich die Kinder schützen, mit denen Ellie in die Schule geht, wie ihre Lehrer? Vor meinem geistigen Auge sehe ich Hannah Gilbert in meiner Haustür stehen. *Sie sollten lieber hoffen, dass Sie dann noch am Leben sind und bereuen können, nicht auf mich gehört zu haben*

Ihr Wissen hatte Hannah nicht geholfen. Sie hatte geahnt – wenn nicht gar gewusst –, was Ellie ist, und sie war trotzdem gestorben, allein in dem verlassenen Wohnblock. Todesursache: Unfall.

Doch was wäre, wenn neue Beweise zu Hannahs Ermordung ans Licht kämen? Ich gehe die Möglichkeiten durch, sehe die Szenarien wie in einem Bilderbuch vor mir. Was wäre, wenn sie etwas an dem Ort des Geschehens finden, das Ellie mit dem

Wohnblock in Verbindung bringt? Es wäre riskant, denn ich müsste wieder zu den Jeffersons gehen, etwas stehlen, das Ellie gehört, und es dort deponieren, wobei ich jederzeit ertappt werden könnte. Könnte ich Ellie zu dem Wohnblock locken, damit sie dort Fingerabdrücke hinterlässt? Sie hat momentan keinen Grund, mir nicht zu trauen. Wir haben uns seit dem Streit nicht gesehen, an dem Tag der … dem Tag, als es geschah. Doch sollte sie begreifen, was ich zu tun versuche … vielleicht tut sie das schon. Sie weiß Dinge.

Wie weit reichen ihre Kräfte? Ist irgendjemand sicher, selbst wenn Ellie eingesperrt würde? Selbst wenn sie alles gesteht und …

»Ja!«, flüstere ich leise. Wenn sie alles gesteht. Wenn ich Ellie zu einem Geständnis bringen kann, muss ich nur dafür sorgen, dass ich es auf Band habe.

Ich fröstle. Hör dich an, denke ich. Du bist wahnsinnig. Ich ziehe Dans große Jacke fester um mich. Der Fluss ist so ruhig und friedlich, die Bäume regen sich kaum in der leichten Brise, und ich erschrecke, als ich ein Husten hinter mir höre.

Der Mann steht wenige Meter von der Bank entfernt. Er hat sich mit einer dunkelblauen Steppjacke gegen die Morgenkälte gewappnet, die so dick ist, dass man unmöglich seine Statur erkennen kann, und mit dem dicken schwarzen Schal und der schwarzen Mütze sind die meisten Kennzeichen wie Gesichtskonturen verborgen. Ich kann lediglich seinen Mund, die Nase und die Augen sehen.

»Verzeihung, ich wollte Sie nicht erschrecken«, sagt er und hält eine Hand in die Höhe. »Ich lasse Sie mal allein.«

Mir ist klar, dass dies einer der Momente ist, in denen ich nichts sagen und den Mann gehen lassen sollte, doch stattdessen antworte ich: »Nein, das müssen Sie nicht. Sie können sich gerne zu mir setzen.«

Etwas an seiner Stimme, seinem ganzen Auftreten sagt mir, dass der Mann keine Bedrohung ist. Er wirkt innerlich so gebrochen, wie ich mich fühle.

Wie es aussieht, überlegt er zunächst. Er hatte eindeutig erwartet, hier allein zu sein, und ich vermute, dass dieser Ort für ihn genauso besonders ist wie für mich. Und so sage ich: »Nein, müssen Sie nicht. Ich rede auch nicht mit Ihnen, wenn Sie es nicht wollen.«

Der Mann lächelt halb, was eher wie eine Grimasse gerät, und setzt sich zu mir auf die Bank – so weit ans andere Ende, wie er irgend kann. Ich versuche zu lächeln. »Es ist schön hier, nicht wahr?«

Der Mann sieht mich nicht an, sondern blickt zum Wasser, als hielte es die Antworten auf seine unausgesprochenen Fragen bereit.

»Entschuldigung«, murmle ich, denn mir ist peinlich, dass ich mein Versprechen direkt gebrochen habe.

Fünf Minuten lang sitzen wir schweigend da und schauen zum Fluss. Schließlich beginnt er zu sprechen.

»Früher war ich oft hier«, sagt er. »Dann ließ ich es eine Weile. Vielleicht dachte ich, ich bräuchte es nicht mehr. Es fühlt sich ein bisschen an wie eine Kirche besuchen. Menschen suchen solche Orte nur auf, wenn ihnen etwas fehlt. Kann ein Ort gut sein, wenn er nichts als negative Energie aufnimmt?«

»Ich sehe diesen Ort wie einen Baum«, antworte ich. Der Mann sieht mich verwundert an. »Ich meine, Bäume nehmen das Kohlendioxid auf, das schlecht für uns ist, und verwandeln es in Sauerstoff, der lebenswichtig für uns ist. Als würden sie das Gift beseitigen, damit wir weiterleben können. Und wir merken nicht einmal, wie es geschieht. Ich denke, so ist dieser Ort. Er nimmt uns das Negative, damit wir es hier zurücklassen können und unbelastet in das wahre Leben zurückkehren. Oder vielmehr habe ich mir das als Kind eingeredet.«

Der Mann denkt eine Minute darüber nach. »Klingt, als wären Sie ein kluges Kind gewesen.«

Ich lächle reumütig. »War ich. Manchmal frage ich mich, wie ich so dumm werden konnte.«

»Das widerfährt den Besten von uns«, sagt er lachend, doch es hört sich nicht amüsiert an. »Ich wusste gar nicht, dass Sie als Kind hier gelebt haben. Ich dachte, Sie seien neu im Dorf.«

Nun ist es an mir, verwundert auszusehen.

»Sie sind die Frau von Place2Be, stimmt's? Ich bin Evan Hawker.« Er wartet kurz, bevor er ergänzt: »Ja, *der* Evan Hawker.«

# Kapitel 88

Sarah ist seit Tagen erschöpft. Ihr Kopf fühlt sich permanent an, als würde er in sich zusammenfallen, und ihre Augen brennen. Sie bekommt schon Pickel, als sei sie wieder sechzehn, und ihr Haar trägt sie nur noch zu einem fettigen Pferdeschwanz gebunden. Sie kann sich nicht erinnern, dass es mit Mary so schwierig war; andererseits ist das fünfzehn Jahre her, und der Lauf der Zeit versteht es hervorragend, die Vergangenheit zu verklären, bis man sich nur noch an das wunderschöne, glucksende Baby erinnert. Schlaflose Nächte und Blähungen werden so leicht ausgelöscht, als würde man auf eine Korrekturtaste drücken.

Jetzt, da die Kinder aus der Schule zurück sind und keine Chance mehr besteht, für ein kurzes Nickerchen nach oben zu huschen, schläft Lily natürlich in ihrer Babywippe im Wohnzimmer, während Sarah in der Küche steht und überlegt, wie sie sich Koffein direkt injizieren könnte. Mary ist im Garten hinten und räumt Blechdosen weg, mit denen Ellie und sie gespielt hatten, hebt sie auf und inspiziert sie, als könnten sie ihr den Sinn des Lebens verraten. Sarah versteht das Mädchen nicht. Sie hat Ellie so freundlich aufgenommen, sie wie eine richtige Schwester behandelt. Warum ist sie so kühl und distanziert, seit Lily hier ist? Sarah hat ihr bereits versichert, dass Ellie sie wegen Lily nicht früher verlassen würde, sie ihr Zimmer nicht aufgeben müsse und auch sonst keine Opfer bringen. Okay, dann hatte Sarah vielleicht angedeutet, dass sie das hier nie wieder machen würde, nicht nach dem vielen Ärger mit Ellie, doch selbst sie scheint sich seit dem Vorfall mit den anderen Kindern im Wald ein wenig beruhigt zu haben. Sarah hat ein schlechtes Gewissen, weil sie es als Nichtigkeit darstellte, als Imogens Chef vorbeikam, aber sie durfte nicht riskieren, dass die Leute dachten, die Kinder wären in ihrer Obhut in Gefahr. Und Ellie war ja nicht verletzt worden. Es war bloß kindliches Herumgealbere gewesen, ein Streich, der zu weit ging.

Sarah blickt sich im Garten nach Ellie um, doch diese ist nicht da. Wahrscheinlich liest sie in ihrem Zimmer oder so. Was für ein seltsames Kind. Wie sie einen ansieht – als könnte sie hören, was man denkt. Sarah wird es nicht bedauern, wenn sich ein festes Zuhause für das Mädchen findet, so viel ist sicher. Sie will ihr Handy hervornehmen, um kurz bei Facebook reinzuschauen, als sie bemerkt, dass sie es im Wohnzimmer gelassen hat. Mist, bestimmt ist es laut gestellt, und sollte Mark anrufen, wird das Klingeln Lily wecken. Sarah bewegt sich mit der lautlosen Schnelligkeit, wie sie nur eine Frau mit einem schlafenden Baby zustande bringt. Von der Wohnzimmertür aus hört sie die Stimme. Sie ist leise, aber unverwechselbar Ellies.

»Er ist nicht mehr da«, sagt Ellie. »Er ist gestorben. Meine Eltern haben versagt, haben sich keine Mühe gegeben, einen von uns zu retten. Er war noch klein und hätte nicht an die Türklinke in seinem Zimmer kommen können. Es war ihre Aufgabe, ihn rauszuholen.«

Sarah weiß, dass sie müde und übertrieben emotional ist, doch die Worte des Mädchens treiben ihr die Tränen in die Augen. Ellie mag komisch sein, aber sie ist immer noch ein kleines Mädchen, und für ein Kind ist es Sache der Eltern, für die Sicherheit ihrer Kinder zu sorgen. Sie konnte nicht wissen, dass ihre Eltern schon an dem Rauch starben, ehe sie aufwachen konnten – dass Ellie, hätte sie es nicht ans Fenster geschafft, selbst nicht mehr hier wäre.

»So ist das mit Erwachsenen. Die meiste Zeit sind sie alle so abgelenkt. Sie haben keine Ahnung, wo die echten Gefahren sind. Und wenn sie die nicht sehen, wie sollen sie dich vor ihnen schützen?« Ellies Stimme wird härter. »Können sie nicht. Sarah kann dich nicht immerzu beschützen. Keiner kann das. Du bist auf dich gestellt.«

Und während Sarah kopfschüttelnd dasteht, eine zitternde Hand auf der Klinke, wird die Tür von innen geöffnet, und Ellie Atkinson erscheint. Sie zuckt nicht zusammen oder wirkt in irgendeiner Form erschrocken oder schuldbewusst.

»Hi, Sarah.« Sie winkt leicht und geht an ihr vorbei in die Diele. Sarah stockt der Atem, und sie kann nicht einmal sprechen. Denn Ellies letzte Worte hatten nicht wie das unschuldige Geplapper eines Kindes geklungen. Tatsächlich wird Sarah später in der Woche gegenüber der Polizei schwören, dass sie wie eine Drohung klangen.

# Kapitel 89

*Imogen*

Ich bin stumm vor Schreck. Hier neben mir auf der Bank und den Blick auf den Fluss gerichtet sitzt ein Mann, dem viele Leute einen Mord zutrauen. Und ich habe ihn eingeladen, sich zu mir zu gesellen und seine Machete zu wetzen. Zu meiner Verteidigung kann ich vorbringen, dass er jetzt gerade nicht aussieht, als wäre er fähig, jemanden umzubringen. Er sieht fertig aus. Aus der Nähe sehe ich den Schatten rauer Bartstoppeln – nicht von der getrimmten Designersorte, sondern eher die Art, die nahelegt, dass dieser Mann anderes im Kopf hat als Körperpflege. Sein Gesicht ist von Kummer gezeichnet, und er hat dunkle Ringe unter den Augen, die mehr als eine schlaflose Nacht andeuten.

»Ist es blöd von mir zu fragen, wie Sie zurechtkommen?«, sage ich leise. Ich weiß nicht, was ich sonst fragen soll. Plötzlich wird mir klar, warum ich so wenig von anderen Leuten höre, seit ich mein Baby verloren habe. Warum es Dan schwerfällt, mir in die Augen zu sehen. Was sagt man zu jemandem, dessen Leben von Verlust getrübt ist? Für den sich Ratschläge und Plattitüden hohl und lapidar anhören? Zu jemandem, der nichts lieber täte, als die Zeit zurückdrehen und etwas, egal was, anders zu machen.

Evan schnaubt. »Wäre es blöd von mir, Sie dasselbe zu fragen?«

Hier sind wir also: zwei Menschen vereint durch das schlimmstmögliche Ereignis. Hätte ich mir irgendwas anderes als Trauer aussuchen dürfen, das ich mit Evan Hawker gemein habe …

»Glauben Sie, es wird weniger beschissen?«, kontere ich mit einer Gegenfrage. Er schüttelt den Kopf.

»Nein.« Er scharrt mit dem Fuß in der Erde und sieht mich nicht an. »Das ist es jetzt. Diese Dinge definieren den Rest des Lebens. Ich werde immer der Mann sein, der für den Tod seiner Geliebten verantwortlich ist.«

Verantwortlich. Meint er, Hannah würde noch leben, hätten sie keine Affäre gehabt? Oder meint er es wörtlicher?

»Sie sollten sich nicht verantwortlich fühlen«, sage ich nach einer kurzen Pause. »Es war ein Unfall.«

Nun sieht er mich an, die Augen trauerumwölkt. »Glauben Sie das wirklich? Glauben Sie, dass sie die Treppen runtergefallen ist?«

»Demnach glauben Sie es nicht?«

»Nein. Wir waren schon oft dort, bevor sie an dem Abend hingegangen ist. Hannah kannte sich aus, und sie war noch nie auch bloß gestolpert. Und wenn es solch ein Zufall war, warum war sie dann überhaupt dort?«

»Vielleicht … vielleicht wollte sie jemand anderen treffen?«, sage ich vorsichtig. Evan lächelt wehmütig.

»Ausgeschlossen. Ich weiß, wie heuchlerisch das klingt, bedenkt man unsere jeweilige Familiensituation, aber Hannah und ich waren verliebt. Sie hätte mich nicht betrogen.«

Dasselbe hatte Florence Maxwell gesagt – zwei der Menschen, die Hannah am besten kannten.

»Und was glauben Sie, hat sie dort gewollt?«

Evan zuckt mit den Schultern. »Sie dachte, dass sie mich treffen würde.«

Ich stelle mir Hannah Gilbert vor, die sich für ein spätabendliches Rendezvous bereitmacht, Make-up auflegt und ihre schönste Unterwäsche anzieht, bevor sie sich auf den Weg macht, nur um enttäuscht und getötet zu werden.

»Florence hat mir von den Nachrichten im Baumstamm erzählt.«

»Blöd.« Evan atmet langsam aus. »Es war blöd und arrogant von uns, zu denken, niemand könnte wissen, dass die Botschaften von uns waren. Wir wussten, dass sie gefunden werden könnten – Kinder drehen jeden Stein um, wenn sie nach einem Versteck für ihre Zigaretten suchen. Aber Hannah sagte, selbst wenn sie jemand fand, hätte er keine Ahnung, dass sie von uns sind. Sogar nach der Nachricht, die sie fand ...«

»Nachricht?«

»Ja, jemand steckte einen Zettel in das Baumloch, auf dem stand: ›Ich weiß, was ihr macht.‹ Es war ein Post-it in Apfelform, und er wurde gleich nach den Sommerferien dort deponiert. Hannah sagte, sie wüsste, von wem der Zettel war, denn sie hatte solche Post-its in der Tasche einer ihrer Schülerinnen gesehen. Sie wollte sich darum kümmern.«

»Sie dachte, es war Ellie, stimmt's?«

Evan nickt. »Welche Ironie, dass die einzige Person, die Hannah nicht getötet haben kann, Ellie war.«

»Warum nicht? Weil sie jung und niedlich ist?«

Evan lacht. »Oh bitte, Imogen, ich bin Mathelehrer. Denken Sie, ich lasse mich davon blenden, dass jemand jung und niedlich ist? Nein, Ellie Atkinson kann es nicht gewesen sein, weil sie bei mir war, als Hannah starb.«

Mir ist, als hätte ich einen Hieb vor die Brust bekommen.

»Bei Ihnen?«, wiederhole ich dümmlich. »Was meinen Sie?«

»Ich wohne eine Straße weiter von den Jeffersons. Ellie tauchte gegen zehn vor zehn auf, wirkte verwirrt und orientierungslos. Ich hörte ein Geräusch draußen, und sie stand da im Garten, starrte das Haus an. Als ich rausging, um nachzusehen, was los war, schien es, als würde sie eben aufwachen und feststellen, dass sie schlafgewandelt war oder so. Sie konnte sich nicht erinnern, wie sie zu meinem Haus gekommen war oder warum, aber sie glaubte, dass sie mir etwas Wichtiges zu sagen hätte. Ich holte sie rein, und meine Frau machte ihr eine heiße Schokolade. Dann brachte ich sie nach Hause. Sie bat mich, nicht zu klingeln, und ging durch die Seitenpforte nach drinnen. Ich wartete an die zehn Minuten, um mich zu vergewissern, dass sie nicht wieder rauskam. Die ganze Nacht dachte ich darüber nach, dass ich lieber hätte klingeln und sichergehen sollen, dass sie ins Haus kam. Dann passierte die Sache mit Hannah, und ich vergaß es schon fast, bis die Polizei fragte, was ich an jenem Abend gemacht habe.«

»War etwas eigenartig an ihr?«

Evan schnaubt wieder. »Abgesehen davon, dass sie praktisch schlafwandelnd mitten in der Nacht zu einem Lehrer geht?«

»Ich meine, sah sie wütend aus?«

»Nein, nur verwirrt.«

»Aber … aber ihre Schwester erzählte mir, dass Ellie den ganzen Abend mit ihr zusammen gewesen war. Warum sollte sie das tun? Warum sollte sie lügen?«

Evan zuckt mit den Schultern. »Vielleicht hat Ellie Mary nicht erzählt, wo sie war, und Mary dachte eventuell, dass Ellie etwas mit dem zu tun hatte, was Hannah passierte. Wahrscheinlich glaubte sie, Ellie zu schützen, indem sie log.«

»Hm«, murmle ich. Was hatte Ellie an dem Abend Evan zu sagen versucht? Hatte sie versucht, Hannahs Leben zu retten, oder war sie für deren Tod verantwortlich? Ist sie ein Monster oder das Opfer?

# Kapitel 90

*Imogen*

Die Bezeichnung »Arztpraxis« für das, was Gaunt an deren Stelle aufzuweisen hat, ist eine lächerliche Übertreibung. Es gibt zwei Allgemeinärzte, die in einem Bau praktizieren, den man am treffendsten als größere Hütte umschreibt. Und sollte sie schon bessere Zeiten gesehen haben, kann ich mich zumindest nicht an die erinnern. Die »Sprechzimmer« sind spärlich möbliert – weshalb man das Gefühl hat, man sollte bei dem Wort Anführungsstriche in die Luft malen. Und sieht man sich die Fußleisten an, wie ich jetzt gerade, erkennt man, dass einige von ihnen nicht einmal vollständig lackiert sind. Der Doktor sitzt Dan und mir gegenüber, und obwohl er mir noch nicht vollständig verziehen hat, dass ich ihm die Existenz unseres Babys verschwiegen hatte, umklammert mein Mann meine Hand, als handele es sich um ein Rettungsfloß und er wäre am Ertrinken. Ich bin nicht sicher, wer nervöser ist, würde jedoch angesichts seines fahlen Gesichts und seiner starren Miene sagen, Dan.

Wir sind hier, um die Ergebnisse der Tests zu erfahren, die im Krankenhaus gemacht wurden und den Grund ermitteln sollten, warum unser Baby die zehnte Woche nicht überlebte. Ich wurde schon vorgewarnt, dass es nichts Ungewöhnliches ist, dass eine Menge Frauen im ersten Schwangerschaftsdrittel eine Fehlgeburt haben, manche ohne bemerkt zu haben, dass sie schwanger waren. Wahrscheinlich passiert es mehr Leuten, als man denkt, weil die Frauen Bauchkrämpfe und schwere Blutungen auf eine üble Periode schieben. Im Krankenhaus wollte man die Tests zunächst gar nicht machen, und ich hatte den Eindruck, der Facharzt hätte sich laufend die Worte »eine von diesen Sachen« verkneifen müssen. Hätte Dan nicht darauf bestanden, wäre ich wohl ohne Tests wieder gegangen. Zumal ich keinen Scan brauche, der mir verrät, warum mein Baby nicht überlebte. Ich kenne den Grund, und den kann ich nicht mit einem Mediziner besprechen. Ich hoffe nur, dass Dan nicht zu unglücklich ist, wenn der Arzt uns sagt, dass es keine schlüssige Erklärung für den Tod unseres Babys gibt.

»Ihnen ist gewiss klar, dass wir Sie zu diesem Termin gebeten haben, weil Ihre Testergebnisse da sind.« Der Arzt ist ein junger, recht gut aussehender Mann mit dichten dunklen Locken. Er trägt eine Jeans und ein hellrosa gestreiftes Hemd. So lächerlich es auch sein mag, wäre mir eine Unterhaltung über meinen Intimbereich mit einem älteren, ergrauten, Brille tragenden Mann lieber.

»Ja, wir hoffen natürlich, dass es keine schlechten Neuigkeiten sind«, antwortet Dan. Der Arzt runzelt leicht die Stirn.

»Nun, ich fürchte, es sind auch keine richtig guten. In Fällen wie diesem gibt es gewöhnlich nur sehr wenige Hinweise, wie es zu dem unglücklichen Verlust des Fötus gekommen ist. In Ihrem Fall jedoch, Mrs. Reid«, der Arzt, von dem ich inzwischen sicher bin, dass er frisch von der Universität ist, sieht mich mit einem Blick an, der zweifellos Mitgefühl ausdrücken soll, »zeigen die Scans, dass Sie an einer Endometriose leiden. Dabei siedelt sich Gewebe, das identisch mit dem Gebärmuttergewebe ist, außerhalb des Uterus an. In Ihrem Fall, Mrs. Reid ...«

»Imogen, bitte.«

»In Ihrem Fall, Imogen, wurden Zellen außerhalb des Uterus und der Eierstöcke gefunden. Sie sind der naheliegendste Grund für Ihre Fehlgeburt.«

Mein Kopf ist wie leergefegt. Ich war so sicher gewesen, dass die Tests nichts ergeben würden, dass mir überhaupt nicht der Gedanke gekommen war, wie es mir ginge, würde mit mir tatsächlich etwas nicht stimmen.

»Kann man da irgendwas tun?« Dans Stimme kippt, und ich weiß, was er denkt. Dass wir niemals eine Familie haben werden. Will er noch mit mir verheiratet bleiben, wenn ich ihm kein Kind schenken kann? Ich war so damit beschäftigt, mich zu fragen, ob ich Kinder wollte, dass ich nicht mal auf die Idee kam, es könnte unmöglich sein.

»Dazu besteht vielleicht keine Notwendigkeit«, sagt Dr. Richardson. »Da Sie keine Symptome bemerkt haben, ist schwer zu sagen, wie lange dieses Krankheitsbild schon vor ...«

»Könnte es neu sein?«, unterbreche ich.

Der Arzt schüttelt den Kopf. »Der Gewebemenge nach zu urteilen, die wir gefunden haben, sicher nicht erst seit Kurzem, obwohl unmöglich zu sagen ist, wann es angefangen hat. Was eine Behandlung angeht, wenn es keine Symptome gibt, die Sie in Ihrem Alltag beeinträchtigen ...«

»Unser Kind zu verlieren sehen Sie nicht als Beeinträchtigung unseres Alltags?«, fällt Dan ihm empört ins Wort. »Wollen Sie uns erzählen, die Budgetkürzungen seien so krass, dass meine Frau jeden Tag entsetzliche Schmerzen haben muss, damit sie behandelt wird?«

Ich weiß nicht, ob Dans Wutausbruch mir gilt oder seiner Furcht, die Aussicht auf ein Familienleben würde ihm entgleiten. Der Arzt sieht verlegen aus.

»Es tut mir leid, Mr. Reid. Ich wollte keineswegs andeuten, dass der Verlust eines Kindes keine Auswirkungen auf Ihr Leben hat. Was ich sagen wollte, war, dass die Behandlung dieser Krankheit invasiver sein kann als die Krankheit selbst. In drei von zehn Fällen bessert sich die Endometriose von allein wieder, doch es ist kein Heilmittel bekannt. Wie man am besten behandelt, hängt von verschiedenen Faktoren ab, unter anderem Ihrer Fruchtbarkeit, Imogen. Wir können eine Hormonbehandlung gegen die Beschwerden verschreiben, allerdings kann die wegen der Östrogenblocker eine Schwangerschaft verhindern. Ich würde empfehlen, dass Sie zunächst ein Jahr weiter versuchen, auf natürlichem Weg schwanger zu werden, und danach würden wir uns Ihre Fruchtbarkeitswerte ansehen und die verfügbaren Behandlungen für Sie besprechen.«

Ich nicke, aber Dan sieht aufgebracht aus.

»Sie wollen, dass wir abwarten?« Er wird rot und ist sichtlich angespannt. Ich ziehe meine Hand weg, weil er sie so fest drückt, dass er mir beinahe die Finger bricht, und berühre seinen Arm.

»Der Arzt weiß, wovon er redet, Dan«, sage ich leise. Dan wirft mir einen Blick zu, wie er ihn unter gewöhnlichen Umständen niemals bei mir benutzen würde. Dieser Blick bedeutet: *Bring mich nicht dazu, etwas zu sagen, das ich bereuen werde.*

»Und weiß der Arzt, wie es ist, ein Kind zu verlieren, von dem man nicht mal wusste, dass es lebte?« Seine Stimme zittert, und mir wird mit Entsetzen klar, dass er Mühe hat, nicht zu weinen.

»Nein, weiß ich nicht«, antwortet der Arzt. »Und ich werde auch nicht vorgeben, es zu tun. Alles, was ich sagen kann, ist, dass Imogen unter diesen Umständen schon einmal schwanger wurde und es absolut möglich ist, dass sie es wieder wird. Die jüngsten Ereignisse legen nahe, dass Ihre Frau nicht unfruchtbar ist, und das Letzte, was ich jetzt empfehlen möchte, sind Behandlungen, die daran etwas ändern könnten. Hätte sie Dauerschmerzen oder schwere Blutungen, würde ich andere Vorschläge machen. Es ist noch früh, und Imogens Körper hat eine Menge durchgemacht. So bald eine Operation zu versuchen, wäre nicht gut für sie.«

Dan senkt den Blick, und nun wirkt er verlegen. »Natürlich«, raunt er. »Entschuldigung. Ich will doch auch nur das Beste für Immy.«

»Sie müssen sich nicht entschuldigen«, sagt der Arzt freundlich. »Ich möchte Ihnen beiden wirklich helfen, und es gibt sehr vieles, was wir versuchen können. Zwölf Monate scheinen eine lange Zeit, aber es ist vollkommen normal für Paare, dass sie so lange versuchen, schwanger zu werden, und das ohne diese Komplikationen. Und falls sich irgendwas ändert, falls Sie Schmerzen oder schwere Blutungen bekommen, kommen Sie bitte sofort zu mir, und wir sehen uns die Sache neu an. Bis dahin ...« Er nimmt einen Flyer von einem Stapel auf seinem Schreibtisch. »Hier sind einige Websites, die Ihnen vielleicht helfen zu verstehen, was vor sich geht. Sollten Sie irgendwelche Fragen haben, zögern Sie nicht, sich an mich zu wenden.«

Wir danken dem Arzt. Dan vermeidet es nach wie vor, ihn oder mich anzusehen, und wir gehen schweigend. Ich weiß, dass ich dankbar sein müsste, eine Erklärung für das zu haben, was geschehen war, aber ich kann nur daran denken, wie unfassbar falsch ich gelegen habe. Es ist ausgeschlossen, dass Ellie etwas für eine Krankheit kann, die schon lange in mir war, bevor wir uns kennenlernten. Innerlich verglühe ich vor Scham. Ich hatte Pammy und der verfluchten Sarah Jefferson allen Ernstes erzählt, Ellie sei für den Tod meines Kindes verantwortlich. Ich bin nicht besser als die Leute, die ich noch vor Tagen beschimpft habe und denen ich sagte, sie sollten sich schämen. Ich bin es, die sich schämen sollte. Und das tue ich auch.

Und wenn Ellie keine Schuld daran trifft, dass ich mein Baby verloren habe, war alle meine Wut auf das Mädchen, waren all meine Furcht und mein Misstrauen vollkommen unangebracht. Womit eine Frage zu allem bleibt, was seit meiner Ankunft hier geschehen ist … was zur Hölle geht in Gaunt vor?

# Kapitel 91

*Imogen*

Ich fahre vor einem Haus vor, das viel größer und prächtiger als jenes ist, in dem Ellie und die Jeffersons wohnen. Die Harpers hatte es offenbar wegen der ländlichen Gegend nach Gaunt verschlagen. Sie wohnen am Ende eines Sandwegs, der von einer gewundenen Landstraße abführt, so abgelegen, dass ich die Abbiegung beinahe verpasst hätte. Mein Herz klopft schon schneller, wenn ich daran denke, welche Begrüßung mir von Madeline Harper blüht. Nach meiner bisher einzigen Begegnung mit der Frau glaube ich kaum, dass man mich auf eine heiße Schokolade hineinbitten wird. Dennoch brauche ich Antworten, und solange Madeline Harper nicht in dem Moment die Polizei ruft, in dem sie mich vor ihrer Tür sieht, bekomme ich vielleicht einige.

Vor der Tür atme ich tief durch und drücke die Klingel. Kurz darauf höre ich das Klicken von Schlüsseln, und die Tür geht auf.

»Ja?«

Madeline Harper steht in der Tür. Ihr Gesicht sähe hübsch aus, würde die Besitzerin nicht permanent den Eindruck vermitteln, bitter aufgestoßen zu haben. Solche Frauen sind mir nur zu geläufig – Pammy nennt sie »Gewitterziegen«. Frauen, die nichts dagegen machen können, genervt auszusehen, selbst wenn sie es nicht sind.

»Ich bin Imogen Reid. Wir sind uns kurz in der High Street begegnet, als Ihre Tochter vor unseren Wagen fiel.« Jetzt sehe ich, dass Madeline mich erkennt.

»Naomi hat mir erzählt, dass Sie an ihrer Schule gearbeitet haben«, sagt sie. So weit, so gut. Sie hat auch kein Handy parat, um die Polizei zu rufen.

»Ja, ich habe mit Ellie Atkinson gearbeitet, und ich habe mich gefragt, ob ich vielleicht mit Naomi sprechen kann, falls sie da ist.«

»Egal, was das Mädchen gesagt hat, sie lügt. Wussten Sie, dass sie Naomi in der Schule angegriffen hat? Die Schule sagt, es gibt keinen Beweis, dass sie es war, aber Naomi sagt, sie war es, und das reicht mir vollkommen. Die gehört weggesperrt.«

»Genau deshalb bin ich hier«, erkläre ich hastig. »Es gab einige Zwischenfälle in der Schule, von denen ich glaube, dass Ellie in sie verwickelt war. Ich wollte fragen, was Naomi darüber weiß – und über Ellies Beteiligung.«

Mir ist klar, dass die kleinste Andeutung, Naomi selbst könnte alles andere als eine saubere Weste haben, sofort bewirken würde, dass man mir die Tür vor der Nase zuknallt. Madeline überlegt sichtlich, ob ich irgendeine Bedrohung für ihre teure Tochter darstelle. Doch bevor sie mir sagen kann, ich solle mich verziehen, erklingt eine Stimme hinter ihr.

»Lass sie rein, Mum. Ich rede mit ihr.«

Madeline wirkt unsicher und blickt sich zu ihrer Tochter um, die nickt. Seufzend öffnet sie die Tür weiter.

»Ich will keinen Ärger«, warnt sie mich, als ich an ihr vorbei in die Diele gehe. »Ich weiß, dass Sie dieses Mädchen in der ganzen Schule in Schutz genommen haben, und wenn ich höre, dass Sie meiner Naomi zusetzen ...« Sie beendet den Satz nicht, aber ich verstehe auch so, was sie meint. Ich nicke, und Naomi führt mich durch zur Küche.

Sie sieht völlig anders aus als das hübsche, selbstsichere Mädchen, das ich in der Stadt sah, als ich mit Ellie auf der Parkbank saß. Ihr langes Haar ist verschwunden, und die kurz geschorenen Reste wirken recht deplatziert oben auf ihrem Kopf. Naomi setzt sich und berührt unsicher ihr weniges Haar. Ich nehme unaufgefordert ihr gegenüber Platz.

»Was wollen Sie wissen?«

Ich räuspere mich und versuche, nicht so nervös zu klingen, wie ich bin. »Ich weiß, dass du und Ellie euch nicht immer versteht. Ich bin nicht hier, um Schuld zuzuweisen oder mit dem Finger auf jemanden zu zeigen. Was ich gerne wissen würde, ist, wie es angefangen hat.«

»Sie hat Naomi vor Ihr Auto gestoßen«, sagt Madeline, ehe ihre Tochter sprechen kann. »Naomi war zu traumatisiert, um das dem Officer …«

»Mum«, unterbricht Naomi sie, »kannst du uns bitte allein lassen? Ich möchte alleine mit Imogen reden. Bitte.«

Sofern das überhaupt möglich ist, sieht Madeline noch mehr aus, als wäre sie in etwas Ekliges getreten. Aber sie nickt. »Ich bin im Wohnzimmer, falls du mich brauchst.« Sie dreht sich um, wirft mir noch einen warnenden Blick zu und geht.

»Ellie hatte mich nicht vor Ihr Auto geschubst. Ich bin wirklich gestolpert«, sagt Naomi leise. »Da war ich irgendwie verwirrt, wissen Sie? Sie hatte etwas gemurmelt und sah so komisch aus. Ich dachte, dass sie mich mit einem Zauber belegt. Da bin ich rückwärtsgegangen, um von ihr wegzukommen, und gestolpert.«

Endlich! Ich hatte doch gewusst, was ich an dem Tag gesehen hatte. »Wie kamst du darauf, dass Ellie dich mit einem Zauber belegt? Das ist eine ziemlich abwegige Annahme, nur weil sie etwas gemurmelt hat.«

»Aber das machen Hexen doch. Sie wirken Zauber. Das Komische ist, dass ich schon anfing zu denken, ich hätte mich in ihr geirrt, dass sie eigentlich cool ist, bis das beim Mittagessen passiert ist.«

»Und du bist sicher, dass es Ellie war, die dich angegriffen hat?«

Naomi nickt. »Sie muss es gewesen sein. Schließlich kam das aus dem Nichts. Keiner hat sie gesehen, nicht mal ich. Es muss Ellie gewesen sein. Nur eine Hexe kann so etwas machen.«

»Okay.« Ich weise nicht darauf hin, dass es dunkel im Saal war, dass die Kinder hysterisch waren und schreiend von ihren Stühlen aufsprangen, als es plötzlich düster wurde. Es könnte jeder gewesen sein, der sie angriff. »Und wie kommst du darauf, dass Ellie eine Hexe ist?«, frage ich sanft. »Weil sie das Feuer überlebt hat, bei dem ihre Familie starb?«

»Nein«, antwortet Naomi und sieht mich an, als sei ich beschränkt. »Ich dachte nicht, dass sie eine Hexe ist. Ich wusste es. Jemand hat es mir gesagt.«

Verfluchte Hannah Gilbert, denke ich. Mit ihr hatte das alles angefangen. Ich werde rot bei dem Gedanken, wie leicht ich nach dem Verlust meines Babys – ein Verlust, der auf eine Krankheit zurückgeht, die mein Körper schon Jahre vor meiner ersten Begegnung mit ihr hatte – glaubte, Ellie wäre gefährlich.

»Egal, was deine Lehrerin dir erzählt hat, Naomi, ich fürchte, sie hat sich geirrt. Miss Gilbert ...«

»Miss Gilbert war das nicht.« Naomi sieht verwirrt aus. »Lehrer dürfen solche Sachen nicht über Kinder sagen. Ihre Schwester hat es mir erzählt. Mary war das.«

# Kapitel 92

*Ellie*

»Du kennst den Plan?«, zischt Mary, als sie mit Ellie am Schultor steht. Ellie blickt sich um, ob auch keine Lehrer in der Nähe sind, und nickt.

»Ich weiß nur nicht, ob ich hierfür keinen Ärger bekomme ...«

»Für die anderen Sachen, die du gemacht hast, hast du doch auch keinen Ärger gekriegt.« Mary winkt ab. »Du hast jemanden umgebracht, Ellie, also echt! Und wenn du dafür keinen Ärger bekommen hast, bekommst du den für nichts. Du bist unantastbar.«

## Kapitel 93

*Imogen*

Als ich das Haus verlasse, rauscht mir der Kopf von den Informationen, die ich erhalten habe. *Ihre Schwester hat es mir erzählt. Mary war das. Mary, Ellies einzige Freundin und Vertraute, hatte das Gerücht in die Welt gesetzt, dass Ellie eine Hexe sei. Jenes Gerücht, das Ellie all die Probleme in der Schule eingetragen hatte. Warum hat sie das getan?*

*Ich öffne gerade meine Wagentür, als das Telefon in meiner Tasche zu klingeln beginnt.*

*»Hallo?«*

*»Imogen? Sind Sie das?«, fragt mich jemand ganz außer Atem. Die panische Stimme am anderen Ende der Leitung erkenne ich sofort.*

*»Sarah, beruhigen Sie sich«, sage ich. »Was ist los?«*

*»Es ist wegen Ellie.« Ich höre, dass ihre Stimme zittert. »Sie ist mittags aus der Schule weg, und ich weiß nicht, wo sie ist.«*

*Ich seufze. Das ist doch schon längst nicht mehr mein Problem.*

*»Ich bin nicht mehr die zuständige Fallbearbeiterin für Ellie, Sarah. Ich wurde abgezogen. Ihr Schulschwänzen fällt wirklich nicht mehr in meinen Zuständigkeitsbereich.«*

*»Sie verstehen das nicht.« Sarahs Stimme wird dringlicher. »Es ist nicht Ellie, um die ich mir Sorgen mache. Sondern Lily!«*

*Unwillkürlich wandert meine Hand zu meinem Bauch, bevor mir wieder bewusst wird, dass ich das Baby verloren habe.*

*»Was ist mit Lily, Sarah?«*

*Sarah Jefferson schluchzt auf. »Sie wird vermisst. Ellie hat das Baby mitgenommen.«*

# Kapitel 94

*Imogen*

Ich rase zu den Jeffersons und bete, dass die hiesige Polizei heute Abend Besseres zu tun hat, als mit einem Blitzgerät am Straßenrand zu hocken. Warum sollte Mary den Kindern in der Schule erzählen, dass Ellie eine Hexe ist? Sie ist die Einzige, die sich für sie einsetzt, die beharrlich beteuert, dass Ellie unschuldig ist und die Erwachsenen Idioten sind. Hat sie mich die ganze Zeit an der Nase herumgeführt?

Ich denke an all die Orte, an die Ellie das Baby gebracht haben könnte. Plötzlich fühlt Gaunt sich unglaublich groß an, und ich bin nur eine Person. Sarah Jefferson hat bereits die Polizei verständigt, und ich weiß, dass sie bei einem Baby zusätzliche Leute aufbieten. Außerdem muss ich das hier nicht auf meine Kappe nehmen. Also warum habe ich das Gefühl, es sei meine Schuld?

Sarah hat nach mir Ausschau gehalten und öffnet, sobald ich auf die Haustür zugehe, ihr Mobiltelefon in der einen Hand und das Festnetztelefon in der anderen.

»Mark sucht nach ihnen«, sagt sie mir. »Ich muss hierbleiben, wegen der Polizei.«

»Sarah, woher wissen Sie, dass Ellie das Baby hat?«

»Die Nachbarin hat sie gehen gesehen. Das war vor über einer Stunde. Lily hat geschlafen, und da habe ich mich nur auf die Couch gelegt, um eine Minute die Augen zuzumachen. Und im nächsten Moment wache ich auf, es sind anderthalb Stunden vergangen, und Lily ist weg. Als ich nach draußen gerannt bin, hat mir June von nebenan gesagt, dass sie Ellie gesehen hatte, wie sie mit Lily losgezogen ist. Sie dachte, das wäre okay.«

»Zu Fuß kann sie nicht weit sein«, sage ich und nehme Sarah in die Arme. Ich kann mir nicht vorstellen, was in diesem Moment in der Frau vorgeht. Dann halte ich sie etwas auf Abstand. »Wir finden sie. Wie wäre es, wenn wir auf Google eine Karte von Gaunt aufrufen, bevor die Polizei hier ist? Wir markieren, wie weit sie zu Fuß in einer Stunde gekommen sein kann. Damit hat die Polizei einen Suchradius.«

Ich weiß, dass die Polizei schon daran gedacht hat, ehe sie überhaupt hier ist – sie werden Officers mobilisiert haben, die schon mit der Koordination und Planung anfangen, bevor sie überhaupt hier eintreffen. Aber Sarah muss beschäftigt werden, das Gefühl haben, sie würde etwas Sinnvolles tun.

»Darf ich mal in Ellies Zimmer sehen?«, frage ich. Sarah sitzt schon am Computer und macht sich an die Suche.

»Natürlich, was immer hilft«, antwortet sie.

Oben jedoch gehe ich nicht zu Ellies Zimmer, sondern zu Marys. Was Naomi mir erzählt hat, lastet immer noch schwer auf mir. Und Mary hatte für Ellie gelogen – aber war das, um sich selbst ein Alibi für den Abend zu geben, an dem Hannah Gilbert die Treppen hinuntergestoßen wurde?

Ich öffne die Tür zu Marys Zimmer. Es ist ein typisches Teenager-Refugium, obwohl Mary wenig für knallpinke Wände und Boygroup-Poster übrighat. Sie zieht dunkle Violetttöne und Rapper vor. Auf ihrem Schreibtisch ist Papier verteilt, genau wie beim ersten Mal, als ich hier drinnen war.

Ich wühle mich durch Stapel von Papieren, ohne zu wissen, wonach ich suche, und da sehe ich sie. Apfelförmige Post-its. Die hatte ich schon gesehen, als ich das erste Mal in Marys Zimmer war – wie konnte ich das nur vergessen haben? Prompt fällt mir meine Unterhaltung mit Evan am Fluss ein, und ich begreife, dass Mary es war, die Hannah die Botschaft wegen deren Affäre mit Evan zukommen ließ. Hatte sie auch jene letzte Nachricht geschrieben, die Hannah je bekommen sollte?

Ich sehe mich weiter im Zimmer um, als eine Textnachricht auf meinem Handy eingeht. Sie kommt vom Facebook Messenger, und das Profilbild zeigt Emily Murray.

*Ich kann wirklich nicht auf die Gründe eingehen, warum ich Place2Be verlassen habe. Sie waren privat und hatten nichts mit meinen Fällen zu tun. Was die Arbeit mit Ellie Atkinson betrifft, sollten Sie vorsichtig sein. Das Mädchen ist böse.*

Ich tippe eine Antwort.

*Warum? Was hat Ellie Ihnen getan?*

Dann stecke ich das Handy wieder ein und öffne den Kleiderschrank. Unten in dem Schrank ist eine Plastiktüte voller Müll, Dosen und Zweigen. Ich nehme eine der Dosen heraus. Oben drum ist ein Stück fast unsichtbare Angelschnur gebunden. Der Zweig ist an ein dickes Stück Seil gebunden, aber auch daran ist die Angelschnur befestigt. Mir bleibt keine Zeit zu ergründen, ob es irgendwas zu bedeuten hat, und packe die Sachen zurück in den Kleiderschrank. Ich bin schon lange genug hier oben und möchte nicht, dass Sarah mich entdeckt, wie ich Marys Zimmer durchwühle.

Als ich mich zum Gehen wende, bemerke ich ein Notizbuch auf Marys Schreibtisch, aus dessen Einband ein zusammengefaltetes Papier lugt. Ich ziehe es an der Ecke heraus, faltete es auseinander und sehe halbfertige Zeichnungen von einem kleinen Mädchen, wie Übungsskizzen. Unter der letzten steht: »Smellie-Ellie stinkt nach Pisse.« Mein Telefon piept erneut, und ich hole es hervor. Es ist wieder Emily.

»Was machen Sie in meinem Zimmer?«

# Kapitel 95

*Ellie*

Ellie schiebt das Baby hindurch und klettert hinter ihm her. Es ist genauso leicht, wie Mary gesagt hatte, und hier gibt es sogar etwas, auf das sie Lily legen kann, während sie hineinklettert. Pouf hat ihre Mum diese Dinger genannt. Sie zündet die Kerze an, die Mary ihr gegeben hat, und stellt sie in ein leeres, schmutzverkrustetes Glas auf dem Tresen. Dann hebt sie das Baby auf und trägt es zu dem Treppenhaus, in dem Hannah Gilbert gepfählt und blutend gestanden hatte. Ellie bemerkt nicht, dass die Kerzenflamme die Ecke eines alten Zeitungsstapels berührt und daran hinaufkriecht.

# Kapitel 96

*Imogen*

»Ich war ...« Mir fehlen die Worte. Ich bin ertappt worden, und zu lügen ist sinnlos. »Ich war auf der Suche nach Hinweisen, wo Ellie sein könnte.«

»Und Sie haben gedacht, die finden Sie in meinem Zimmer?«

»Ich hab das hier gefunden.« Ich halte das Bild hoch. »Ellie sagte, Naomi hätte das gezeichnet. Wenn Naomi es war, warum hast du dann die Übungszeichnungen?«

»Ich habe die in Naomis Tasche gefunden.«

»Du lügst.« Ich zeige zu den Post-its. »Das sind die Post-its, auf denen Hannah Gilbert ihre Drohungen bekam.«

»Das waren keine Drohungen«, kontert Mary und wird rot, als ihr bewusst wird, was sie gesagt hat. »Ellie hat die geschrieben. Sie hat mir erzählt, was drinstand.«

»Blödsinn«, erwidere ich. »Sie waren in deiner Schrift. Die Polizei hat sie bereits.«

Es ist eine gewagte Lüge, doch Mary ist erst fünfzehn, und der Trick funktioniert.

»Na und?« Trotzig reckt sie das Kinn. »Das beweist überhaupt nichts.«

»Sie haben die Nachricht gefunden, mit der du sie an dem Abend zu dem Wohnblock gelockt hast. Du hast dasselbe Papier benutzt, das Evan Hawker benutzen würde.«

»Ha, Pech gehabt, Imogen! Die Nachricht habe ich wieder eingesteckt, also kann die Polizei sie gar nicht haben.«

»Und du kannst sie nicht wieder an dich genommen haben, wenn du nicht in dem Wohnblock warst, als Hannah starb«, antworte ich. Bei dem Gedanken wird mir übel. Dieser Teenager war in dem Treppenhaus, in dem eine Frau getötet wurde.

Das Mädchen ist böse. Nicht Ellie. Ihre Pflegeschwester, Mary.

Tränen wallen in Marys Augen auf, aber auf die falle ich wiederum nicht herein. Nicht bei einem Mädchen, das quasi einen Mord gestanden hat.

»Wo ist Ellie?«, frage ich mit so sicherer, fester Stimme, dass es mich selbst überrascht.

Marys Augen blitzen. »Woher soll ich das wissen?«

»Die Polizei wird jede Minute hier sein, um mit deiner Mutter darüber zu reden, wohin Ellie mit Lily gegangen sein könnte. Ich schlage vor, dass du anfängst nachzudenken.«

Mary dreht sich zur Tür, doch ich packe ihren Arm. »Das denke ich nicht.«

»Ich sage kein Wort«, droht Mary. »Wenn Sie mich nicht loslassen, werde ich den Mund halten, und Sie finden sie niemals rechtzeitig.«

Mist. Ich glaube, Mary wird genau das tun, und entweder eines oder beide vermissten Kinder sind in Gefahr.

»Dann bring mich zu ihnen«, verlange ich. »Bring mich zu ihnen, und ich sage der Polizei nicht, was ich über Hannah Gilbert weiß.«

Mary scheint zu überlegen. Dann nickt sie.

»Na gut«, stimmt sie zu. »Gehen wir.«

# Kapitel 97

*Imogen*

»Es hat nicht so angefangen, wie Sie denken.« Wir sitzen in meinem Wagen, nachdem wir uns aus dem Haus gestohlen haben, ohne Sarah ein Wort zu sagen, die immer noch in der Küche am Computer sitzt. Am Ende der Straße kommen wir an einem Streifenwagen vorbei, der in die Straße einbiegt. Ich widerstehe dem Drang, in Tränen auszubrechen. Seit Sarahs panischem Anruf sind fünfundzwanzig Minuten vergangen. Mary beachtet den Streifenwagen kaum.

»Ich hatte nie vor, dass es so weit geht. Wenn Sie jemanden beschuldigen wollen, geben Sie den Erwachsenen die Schuld.« Mary starrt mich wütend an.

»Oh, das tue ich«, antworte ich finster. »Mich eingeschlossen. Aber mich würde interessieren, was genau dich auf die Idee gebracht hat, dem ganzen Ort zu erzählen, dass eine Elfjährige hexen kann.«

Die kleine Göre scheint doch allen Ernstes stolz auf sich zu sein.

»Ich wollte bloß ein bisschen Ärger machen, damit Mum und Dad einsehen, was dieser endlose Strom an gestörten Kindern mit unserer Familie macht«, erklärt sie achselzuckend. »Einige der Sachen habe ich sogar zuerst Billy anzuhängen versucht, aber Mum setzte sich in den Kopf, dass es Ellie war, weil sie so still und komisch ist. Sie hatte irgendwie gleich Angst vor Ellie, glaube ich, weil sie so seltsam war. Dann, als ich diese Nachricht an Miss Gilbert schickte und die Post-its in Ellies

Tasche steckte – da hat es richtig angefangen. Die Gilbert ist bei uns zu Hause aufgekreuzt und hat vor Mum gezetert, dass Ellie Sachen wüsste, die sie nicht wissen sollte, irgendwas, das sie ihr wegen einer Prüfung gedroht hatte. Was total lächerlich ist, wenn man darüber nachdenkt. Ich meine, ich wusste über sie und Mr. Hawker Bescheid, und ich bin keine beknackte Hellseherin. Die Leute glauben, weil wir Schuluniformen tragen, müssen wir doof sein, aber wir sind Teenager, nicht blind.«

»Woher wusste Ellie, dass ich schwanger war?«

»Das habe ich ihr erzählt. Sie haben alles vollgekotzt, als Sie an dem Tag bei uns waren, und ich habe die Folsäuretabletten in Ihrer Handtasche gesehen. Mum nimmt die dauernd – obwohl sie weiß, dass sich bei ihr nichts mehr tut.«

Marys eiskalte Worte jagen mir einen Schauer über den Rücken.

»Jedenfalls«, fährt sie fort und ist wieder sehr stolz auf sich, »einige von den Sachen, die die Gilbert gesagt hat, haben Mum ganz kirre gemacht. Sie hat echt überzeugend behauptet, dass Ellie seltsam und anders ist, vielleicht sogar gefährlich. Ich dachte, dass sie versucht, Ellie unglaubwürdig zu machen, sodass sie, sollte Ellie etwas über sie und Hawker ausplappern, sagen kann, sie ist irre. Aber ich hatte eine Idee. Wenn Mum und Dad dachten, dass die Pflegekinder gefährlich sind, würden sie vielleicht finden, dass sie den Stress nicht wert sind, und keine mehr nehmen.«

»Und da hast du angefangen, es aussehen zu lassen, als würde Ellie diese Sachen mit Absicht machen? Als hätte sie eine Art Macht über Leute?«

Mary lacht. »Ja! Ich hätte nie gedacht, dass es klappt. Der Plan war, dass ich die Gilbert dazu bringe, die Arbeit für mich zu erledigen.« Sie zeigt nach links. »Biegen Sie hier ab. Die Spinnen – das war echt eine gute Nummer. Ich wusste, dass sie eine Phobie hat, hatte sie mal mittags beim Essen ausflippen gesehen, also habe ich Ellie überredet, ihr Projekt über eine andere Art Haustier zu machen. Ich habe ihr erzählt, es würde besonders gelobt, weil sie sich etwas mehr Mühe gegeben hat. Und das war alles, was sie wollte, arme Ellie.« Mary grinst hämisch, und nie wollte ich jemanden lieber schlagen. *Sie ist noch ein Kind!* »Alles tun, damit sie dazugehört.«

»Also hattest du von Anfang an vor, die Spinnen in Miss Gilberts Schreibtisch zu stecken?«

»Mhm. Zuerst habe ich selbst gefangen, so viele ich finden konnte, gleich als Ellie mit ihrem Projekt anfing. Ich dachte ja, ich hätte ein paar Wochen. Aber die kleinen Mistviecher sind immer wieder entkommen – entweder das, oder sie haben sich gegenseitig gefressen. Ich hatte immer nur höchstens zehn und dachte, die reichen auf keinen Fall. Dann bin ich auf Reddit gegangen und fand einen Typen, der sie tatsächlich verkauft. Online sind wirklich einige Irre unterwegs. Ich habe Mums PayPal benutzt – sie ist viel zu gestresst, um zu merken, dass Geld fehlt. Ich habe den Typen nie gefragt, wie ich verhindere, dass sie sich gegenseitig fressen.« Sie sieht nachdenklich aus. »Hätte ich doch nur. Ich hatte fünfzig bestellt und am Tag vorher noch einige mehr dazugegeben. Mit denen waren es rund siebzig, als ich sie in den Schreibtisch gekippt habe. Einige waren schon tot, aber das machte nichts. Die Gilbert rastete trotzdem aus. Laut den Kindern in der Klasse waren es Tausende.« Sie kichert. »Und offensichtlich dachte die Gilbert, das war Ellie.«

»Und was war mit Tom? Warst du das auch?«

Mary schnaubt ungeduldig. »Das war alles ich. Kapieren Sie denn nicht? Aber ich war es nicht, die Ellie die Schuld gab. Nie habe ich versucht, ihr die Schuld zu geben, oder ihr irgendwas vorgeworfen. Das war das Schöne daran – das richtig Schöne an dem Ganzen. Dass ich es nie so aussehen lassen musste, als wäre Ellie schuld. Die Leute haben es automatisch gedacht. Sogar wenn sie es unmöglich gewesen sein konnte! Ich meine, sie saß in einem Raum voller Zeugen, als die Lichter ausgingen. Es war reines Glück, dass sie die Vorhänge zugelassen hatten – an die wäre ich nie rangekommen.« Sie sieht nachdenklich aus. »Ich hätte allerdings nicht gedacht, dass ich so fest zugeschlagen habe. Oh ...« Mary schnippt mit den Fingern, als würde ihr eben etwas einfallen. »Ich habe gelogen, dass ich Ellie nie beschuldigt habe. Das hatte ich völlig vergessen. Ich habe die Schere in ihre Tasche fallen lassen, die, mit der ich dieser Naomi-Schlampe die Haare abgeschnitten habe. Und jetzt kommt das Beste. Ellie ist sie losgeworden! Verstehen Sie? Es waren nicht bloß die Erwachsenen, die glaubten, Ellie könnte Sachen geschehen lassen – ich habe sie selbst dazu gebracht, es zu glauben. Wir haben sogar ein Experiment gemacht, mit diesen Dosen und dem Kram in meinem Zimmer. Ein bisschen Angelschnur an einigen Dosen, und schon denkt selbst ein kluges Kind wie Ellie, dass es mittels Gedankenkraft Sachen umwerfen kann. Ich meine, als Psychologin müssen Sie das ziemlich faszinierend finden, oder?«

Ich kann buchstäblich nicht glauben, was ich höre. Von einer Fünfzehnjährigen, die kaum alt genug ist, um die Folgen ihres Tuns zu begreifen, den Schaden, den sie angerichtet hat, und dennoch redet sie über Psychologie, über die Kunst der Manipulation und über Massenhysterie. Es ist, als sei der Teil ihres Gehirns, der für Empathie zuständig ist, von jenem übernommen worden, der ihre Experimente am lebenden Objekt durchführen will. Ich frage mich, ob ich, zum ersten Mal in meinem Leben, mit einem echten Psychopathen spreche.

»Und was ist mit Hannah Gilbert?«, frage ich ruhig, anstatt auf Marys Frage einzugehen. Denn die Antwort ist, ja, ich finde es faszinierend und Übelkeit erregend. Faszinierend, dass sich so viele Erwachsene von solch einem jungen Mädchen manipulieren ließen. Und Übelkeit erregend, dass ich eine von ihnen gewesen bin.

Mary macht große Augen. »Ich wollte nicht, dass sie stürzt. Okay, ja, ich war diejenige, die sie dahin gelockt hat, weil ich ihr ein bisschen Angst machen wollte. Sie sollte denken, dass Ellie in diesem verlassenen Block herumläuft, aber nicht zu sehen ist. Ich hatte Ellies Stimme aufgezeichnet, wie sie Hannahs Namen sagt, und es mit meinem alten iPod und meinem Handy an drei verschiedenen Stellen abgespielt. Es war bloß ein bisschen Spaß. Dann begann sie auszuticken, als wäre sie völlig durchgedreht. Damit hatte ich echt nicht gerechnet. Hinterher ist mir klar geworden, dass sie eine viel zu blühende Fantasie hatte. Ich meine, sie war praktisch diejenige, die mit dieser ganzen ›Ellie, das böse Teufelskind‹-Nummer gekommen war. Damit hätte ich wohl rechnen müssen.« Sie zuckt mit den Schultern, als sei der Tod ihrer Lehrerin nichts weiter als ein unschöner Ausrutscher.

»Aber du hast sie nicht gestoßen?«

»Nein! Für wen halten Sie mich denn? Sie wurde total schräg, fing an, wie eine Irre zu rennen, obwohl ich nicht mal in ihrer Nähe war. Sie fiel die Treppe runter und versuchte immer noch, wegzulaufen. Völlig von der Rolle, würde mein Dad sagen.«

Ich fühle, wie mir schlecht wird. Das Pochen vorn in meinem Kopf ist schlimmer geworden, hält mich davon ab, klar zu denken. Ich möchte nur noch die Augen schließen und einschlafen – auch wenn ich nicht denke, dass ich je wieder schlafen kann.

»Und was jetzt?«, frage ich mit einem müden Seufzen. »Was passiert jetzt, Mary? Wie ist jetzt dein Plan?«

Mary zuckt mit den Schultern, und für einen Moment sieht sie wieder ganz wie die Fünfzehnjährige aus, die sie ist. »Weiß ich nicht. Sie haben gelogen, dass Sie das für sich behalten, stimmt's? Ich kann nicht einfach versprechen, dass es nicht wieder vorkommt, und wir vergessen das und leben einfach unser Leben weiter?«

»Nein, du hast recht. Das kann ich nicht«, bestätige ich.

»Komme ich jetzt ins Gefängnis?« Ihr Gesicht ist von Angst überschattet, und für den Bruchteil einer Sekunde habe ich tatsächlich Mitleid mit ihr. Hat sie eine Vorstellung, wie falsch all das wirklich ist, was sie getan hat? Oder hat sie sich eingeredet, genauso wie sie es bei mir versucht, dass es die Schuld von jedem in Gaunt ist?

»Ich weiß nicht, was mit dir passieren wird«, antworte ich wahrheitsgemäß. Abgesehen von Hannahs Tod, von dem Mary schwört, es sei ein Unfall gewesen, sind alle anderen Dinge, die geschahen, relativ geringfügig. Was Mary Naomi angetan hat, könnte man möglicherweise als Körperverletzung einstufen – aber es steht nur ihr Wort gegen meines, und jeder gute Anwalt würde sie anweisen, nichts zu sagen. Die Wahrheit ist, dass Mary wahrscheinlich mit allem davonkommt, ungeachtet dessen, wie viel Leid sie verursacht hat. Ich lege eine Hand an den Kopf, um den Schmerz zu lindern. »Wir müssen dich nach Hause bringen, und ich muss mit deiner Mutter über all das reden. Dann entscheiden wir, was zu tun ist.«

»Und was ist mit Ellie?« Marys Tonfall hat sich verändert. Er ist jetzt der einer unschuldigen Zuschauerin, und ich fühle, wie mir das Herz in die Hose rutscht.

»Was ist mit ihr, Mary?«

»Was wird mit ihr passieren? Wenn sie das Baby verletzt?«

Ich strenge mich an, meine Angst zu unterdrücken. »Du hast eben gesagt, dass Ellie nichts mit dem zu tun hatte, was in

Gaunt passiert ist. Warum sollte sie dem Baby etwas antun wollen?«

Bei Marys Lächeln gefriert mir das Blut in den Adern. »Weil ich sie darum gebeten habe.«

# Kapitel 98

*Imogen*

»Wo ist sie, Mary? Weißt du das überhaupt?« Während ich ihrem Geständnis lauschte, hatte ich fast vergessen, wohin wir unterwegs sind und warum. Jetzt wird mir wieder klar, dass ich dringend Ellie und das Baby finden muss.

»Sie ist in dem Wohnblock. Da, wo die Gilbert gestorben ist.«

# Kapitel 99

*Imogen*

Das Erste, was ich sehe, als ich vor dem verlassenen Wohnblock anhalte, in dem Hannah Gilbert ihr Leben verlor, sind Flammen.

»Ruf die Feuerwehr«, schreie ich Mary an, die noch auf dem Beifahrersitzt hockt, starr vor Angst. »Jetzt sofort, Mary, oder Ellie stirbt!«

Ich renne bereits über den Rasen, doch meine Beine scheinen sich nicht schnell genug zu bewegen. Es ist wie in einem dieser Träume, in denen ich versuche, vor dem Bösewicht wegzulaufen, aber meine Beine erstarren. Trotzdem halte ich weiter auf das Gebäude zu, von dem ich sicher bin, dass es ein weiteres Leben fordern wird.

Das Feuer lodert mit der ungezügelten Wut einer monströsen Bestie durch den Block. Die Hitze ist fast unerträglich, und schwarzer Rauch krallt sich in meine Kehle und meine Lunge. Von allen Gedanken an Überleben, an Flucht und Leben, meinen Mann und die Kinder, die wir vielleicht nie haben werden, setzen sich zwei besonders deutlich durch und übertönen die anderen: Ellie und das Baby. Wo ist sie? Ich darf nicht noch ein Kind sterben lassen.

Inzwischen kann ich kaum noch etwas sehen. Der Rauch brennt in meinen Augen, und das Fauchen der Flammen pulsiert in meinen Ohren. Wenn ich weiterlaufe, werde ich garantiert sterben. Menschen laufen nicht in brennende Gebäude und überleben. Sie laufen weg von ihnen, wenn sie leben wollen. Aber die Vorstellung, das kleine verängstigte Mädchen allein zu lassen, ist schlimmer als der, hier zu sterben. Vielleicht bin ich deshalb nach Gaunt zurückgekehrt. Um dies hier zu tun. Um hier zu sterben, neben der armen traurigen Ellie Atkinson. Im obersten Stock gehe ich auf die Knie und krieche einen Flur entlang. Hier unten ist der Rauch weniger dicht, aber ich brauche beide Hände zum Krabbeln, sodass ich den Lumpen fallenlassen muss, mit dem ich eben noch meinen Mund und die Nase bedeckt hatte. Es bedarf meiner gesamten Willenskraft, den Atem anzuhalten, und immer wieder muss ich innehalten, den Kopf an die Wand lehnen. Als ich zu der Wohnung komme, die Mary beschrieben hat, in der Hannah und Evan Hawker sich während ihrer Affäre trafen, greife ich nach der Klinke und bete, dass es die richtige Tür ist, ehe ich sie mit aller Kraft aufstemme. Ich falle in den Flur und trete die Tür hinter mir zu. Hier ist weniger Rauch, und ich kann den offenen Wohn-Essbereich überblicken. Er ist leer.

»Ellie?« Meine Stimme ist nicht mehr als ein Krächzen. Abermals sinke ich auf die Knie und krabble ins Schlafzimmer. Leer. Und dann sehe ich es, den einzigen anderen Ort, der groß genug ist, dass sich ein Kind darin verstecken würde. Der Wandschrank. Mit letzter Kraft eile ich hin, packe den Knauf und ziehe. Das kleine Mädchen kauert unten in dem Schrank, sieht kleiner denn je aus, als wäre es in den Schrank hineingeschrumpft, um genau dort hineinzupassen. Ellies Augen sind fest zugekniffen, und Tränen rinnen über ihre Wangen. Ich versuche, sie hochzuheben, aber sie ist bleiern schwer, und wir beide sacken auf den Schrankboden, halb drinnen, halb draußen.

»Ellie?« Ich schüttle die Arme des Mädchens. Keine Reaktion. Sie ist vollkommen katatonisch. »Ellie, hör mir zu, wir müssen hier raus. Wo ist das Baby? Wo ist Lily?«

Auf meine Worte hin öffnet Ellie langsam die Augen, als würde ihr erst jetzt bewusst, dass ich hier bin. »Wir können hier nicht raus«, sagt Ellie mit einer seltsamen Stimme. »Hier sterben wir. Genau wie sie. Genau wie meine Familie.«

»Nein, Ellie«, widerspreche ich eindringlich. »Ich will hier nicht sterben. Ich bin nicht bereit zu sterben, und du bist es auch nicht. Das hier ist es nicht, was deine Eltern wollen würden. Wir müssen Lily holen und raus hier.«

Ellie sieht mir in die Augen, so tief in mich hinein, als würde mir dieses kleine Mädchen direkt in die Seele blicken. »Es tut mir leid«, flüstert sie schließlich. »Es tut mir leid, dass ich all das gemacht habe. Ich war das.«

»Nein, warst du nicht, Ellie. Nichts von dem warst du.«

Betrübt schüttelt Ellie den Kopf. »Ich war das die ganze Zeit.«

»Weißt du das?«, frage ich. »Hast du wirklich diese Sachen getan? Hast du dieses Feuer wirklich gelegt? Oder hast du nur das Gefühl, dass du es warst? Denn nur weil du manchmal solche Dinge denkst, heißt es nicht, dass du irgendwas geschehen lässt. Du hast nicht die Macht, das zu tun, Ellie. Du bist nur ein kleines Mädchen.«

»Was ist mit deinem Baby?«, flüstert Ellie. »Ich habe dich zu Sarah sagen gehört, dass du denkst, ich war das.«

»Das denke ich nicht mehr, Ellie. Ich war blöd, und es tut mir leid. Ich hätte dir nie die Schuld für das geben dürfen, was passiert ist. Es war nicht deine Schuld.«

»Das sagst du nur, damit ich mit dir komme. Um Lily zu retten.«

»Ich verspreche dir, das tue ich nicht, Ellie.« Ich flehe sie förmlich an. »Ich habe immer an dich geglaubt. Ich habe immer geglaubt, dass du unfähig bist, diese Dinge zu tun. Für eine Weile hatte ich die Nerven verloren, sonst nichts, und das tut mir leid.«

Ellie blickt sich um, als käme sie jetzt erst zur Besinnung. »Wenn das stimmt, wenn das wahr ist, was du sagst, und ich das alles nicht war, wer war es dann?«

Mir bleibt keine Zeit für Erklärungen, und ich denke nicht, dass Ellie mir glauben würde, sollte ich es versuchen. »Das spielt im Moment keine Rolle, Ellie. Wir finden alles später heraus. Nun müssen wir das Baby hier rausbringen. Was wir jetzt tun müssen, ist überleben, damit wir allen erzählen können, dass uns keine Schuld trifft. Damit es jeder erfährt. Wenn du das Baby rettest, wirst du eine Heldin sein.«

Ellie schüttelt den Kopf. »Mich interessiert nicht mehr, was die denken. Das ist mir egal. Mir ist nur wichtig, was du denkst. Du bist die Einzige, die an mich geglaubt hat, und wenn du es nicht weißt, wenn du aufhörst, an mich zu glauben, ist es sinnlos. Keiner ist auf meiner Seite.«

»Ich bin auf deiner Seite, Ellie«, versichere ich ihr. Ich will hier und jetzt nichts von Mary sagen – von ihrer Manipulation zu erfahren würde Ellie nur noch mehr erschüttern. Dieses ganze Gebäude wird herunterbrennen, wenn wir nicht rauskommen, und ich habe nach wie vor keine Ahnung, wo das Baby ist. »Was glaubst du, warum ich hergekommen bin? Was denkst du, warum ich für dich in das Feuer gelaufen bin? Ich würde das nicht tun, wenn ich glaubte, dass du böse bist.«

»Es ist zu spät«, flüstert Ellie. »Für uns alle ist es zu spät.«

Frustriert schüttle ich den Kopf. Mir schwindet der Mut, als Ellies Konturen vor mir verschwimmen. Der Rauch wird dichter.

Ich muss eine Entscheidung treffen. Das Baby kann ich nur retten, wenn Ellie mir verrät, wo es ist. Wenn sie es nicht tut, werden wir alle drei hier sterben. Mit einer Kraft, von der ich nicht gewusst hatte, dass ich sie besitze, ziehe ich die Elfjährige hoch und schleife sie mit mir durch den Raum, wobei ich mit dem freien Arm meine Augen und meine Nase gegen den dichten Rauch abschirme.

»Was machst du?«, krächzt Ellie und hustet. »Ich kann nicht atmen. Wo bringst du mich hin?«

»Wir gehen hier raus«, sage ich entschlossen.

»Nein!« Es sollte ein Schrei sein, ist aber kaum ein lautes Wimmern. »Lily. Sie ist auf dem Balkon. Ich wollte nicht, dass der Rauch an sie herankommt.«

Der Balkon. Warum zur Hölle habe ich nicht daran gedacht? Diese Wohnungen haben alle so etwas, was großspurig Balkon genannt wird, aber eher nur ein breiterer Fenstersims ist. Früher sah ich auf meinem Schulweg die Bewohner in ihren Morgenmänteln draußen stehen und rauchen. Ich schleppe Ellie zur großen Doppeltür, die hinter einem dichten, schimmligen Vorhang versteckt ist.

Das Baby liegt in der äußersten Ecke des winzigen Balkons. Ich werfe Ellie praktisch durch die Doppeltür und inhaliere gierig die frische Luft. Als meine Beine mich wieder tragen, ziehe ich Lily von dem Kissen, auf das Ellie sie gelegt hat, und drücke sie fest an meine Brust. Sirenen heulen durch die Nacht, und ich sinke auf den Boden, weil ich vor Erleichterung weiche Knie bekomme. Wir werden gerettet werden. Wenn wir nur hierbleiben, werden sie zu uns gelangen. Ellie, die wie erstarrt in der Balkonecke gestanden hat, schwankt beim Klang der Sirenen, und ihr Gesicht nimmt einen Ausdruck abgrundtiefer Furcht an. Sie macht einige unsichere Schritte rückwärts, auf die verrostete Balkonbrüstung zu. Mit einem ohrenbetäubenden, jaulenden Ächzen gibt die Brüstung nach und knickt wie eine papierne Ziehharmonika ein. Ellie stürzt nach unten, gefolgt von meinen Schreien.

# Kapitel 100

PL: Befragung von Mary Jefferson, 10:54 Uhr

Anwesend sind Detective Inspector Petra Leigh, Detective Inspector Carl Younis, Maxine Erskine von der Pflichtverteidigung, Tony Vine vom Sozialdienst und Mary Jefferson.

PL: Mary, weißt du, warum du heute hier bist?

PL: (Fürs Protokoll, Mary zuckt mit den Schultern.) Also hat man dir nicht erklärt, warum du hergebracht wurdest?

MJ: Sie wollen mich fragen, was mit Miss Gilbert passiert ist.

PL: Okay, gut. Und kannst du uns erzählen, wo du an dem Abend warst, als Miss Gilbert starb?

CY: (Fürs Protokoll, die Befragte zuckt wieder mit den Schultern.) Mary, wir haben mit Imogen Reid gesprochen, und sie hat uns erzählt, dass du zugegeben hast, deine Lehrerin in den Wohnblock gelockt zu haben, in dem sie starb, und dass du dort warst, als es geschah. Stimmt das?

MJ: *Unverständlich*

PL: Kannst du bitte lauter sprechen, für das Band?

MJ: Ich sagte, ja.

CY: Danke. Kannst du uns erzählen, warum du Miss Gilbert eine Nachricht geschrieben hast, dass sie an dem Abend zu dem Wohnblock kommen soll?

MJ: Es war bloß ein Streich.

CY: Und welchen Zweck hatte der Streich? Sie zu beschämen? Ihr Unannehmlichkeiten zu bereiten? Sie zu erpressen?

MJ: Ich wollte ihr bloß Angst machen. Sie ein bisschen zum Ausflippen bringen.

PL: Also bist du nicht da hingegangen, um Miss Gilbert zu sagen, dass du von ihrer Affäre mit dem Mathematiklehrer, Mr. Hawker, weißt? (Fürs Protokoll, Mary schüttelt den Kopf.)

MJ: Nein, ich wollte mich nicht mal zeigen. Sie sollte denken, dass es Ellie war, die sie reingelegt hat.

PL: Meinst du Ellie Atkinson, deine Pflegeschwester? Fürs ...

MJ: Ja, meine Pflegeschwester. Fürs Protokoll, Miss Gilbert hat sie sowieso schon gehasst, und ich habe bloß versucht, ihr ein bisschen Stress zu machen.

CY: Warum wolltest du Ellie in Schwierigkeiten bringen, Mary?

MJ: Weil ich sie los sein wollte. Ich wollte, dass sie aufhören, noch mehr Kinder aufzunehmen.

PL: Du wolltest sie los sein. Hast du deshalb die anderen Sachen gemacht? Die in der Schule?

ME: Wenn Sie erwarten, dass Mary etwas gesteht, was später gegen sie verwendet werden kann, müssen Sie die Frage genauer formulieren.

PL: Hast du deshalb Naomi Harper beim Mittagessen angegriffen?

MJ: Ich weiß nicht, was da passiert ist.

PL: Wie meinst du das, du weißt es nicht? Du hast Naomi doch angegriffen, nicht wahr? Imogen Reid hat ausgesagt ...

MJ: Ich weiß, was Imogen ausgesagt hat. Ich hatte Naomi eins übergebraten, und ich habe ihr ein Haarbüschel abgeschnitten, aber ich kann sie nicht so fest geschlagen haben, dass sie ins Krankenhaus musste. Und ich habe ihr nur ein Büschel Haar abgeschnitten, nicht den halben Kopf voll.

PL: Willst du behaupten, dass jemand anders Naomi exakt zur selben Zeit angriff wie du?

MJ: Ich behaupte gar nichts. Ich sage bloß, dass ich sie nicht so fest geschlagen habe. Ich bin ja kein Boxer.

CY: Und an dem Abend, als Miss Gilbert starb, Mary, hast du sie da auch nicht ganz so sehr getötet?

ME: Detective! Mary, das war eine zynische Bemerkung des Detective, auf die du nicht antworten muss.

CY: Entschuldige, Mary. Mrs. Erskine hat recht. Also kannst du mir Folgendes beantworten: Hast du Miss Gilbert die Treppe hinuntergestoßen?

MJ: Nein.

PL: Du klingst recht überzeugt. Bist du sicher, dass du sie nicht versehentlich angerempelt hast?

MJ: Nein. Ich habe sie nicht angefasst.

PL: Und ihr habt euch nicht gestritten, als sie dich dort erwischte? Hast du ihr vielleicht gedroht, ihrem Mann von der Affäre zu erzählen, und es kam zu einem Gerangel? Hast du dich vielleicht nur verteidigt?

ME: Ich bin ziemlich sicher, dass Mary bereits klargestellt hat, dass es zu keinem Körperkontakt mit Hannah Gilbert kam.

PL: Natürlich. Hast du Hannah stürzen gesehen, Mary?

MJ: So ungefähr.

PL: Was meinst du mit ungefähr?

MJ: Ich hatte ein paar Geräusche gemacht, Schritte und so. Ich habe das Radio in der Wohnung angestellt, und sie hat es ausgemacht, aber wohl nicht richtig, denn es ging gleich wieder an. Und da ist sie auf einmal ausgetickt, als würde sie gejagt. Dann habe ich sie fallen gehört.

PL: Aber du warst nicht in ihrer Nähe, als sie fiel?

MJ: Nein! Das schwöre ich. Sie ist einfach durchgedreht. Ich fand nicht mal, dass ich so unheimlich war.

PL: Und was ist mit Imogen Reid? Sie behauptet, dass sie in den Kanal gestoßen wurde.

MJ: Ich habe Imogen nicht in den Kanal gestoßen. Ich war nicht mal da. Wir dürfen da nicht hin, weil da Leute ausgeraubt werden.

CY: Also sagst du, dass Imogen in den Kanal gefallen ist?

ME: Das musst du nicht beantworten, Mary. Sie hat Ihnen gerade gesagt, dass sie nicht dort war, und daher kann sie nicht mutmaßen, was Imogen Reid passierte.

PL: Du erwartest also ernsthaft von uns, dass wir dir glauben, du hättest nichts mit Hannah Gilberts Treppensturz zu tun gehabt, obwohl du dort warst, als sie fiel, und zugibst, sie in den Wohnblock gelockt zu haben? Und dass du nicht für Naomi Harpers Verletzungen verantwortlich bist, obwohl du ... »ihr eins übergebraten« hast?

MJ: Ja, tue ich. Ich weiß nicht, was mit der Gilbert oder Naomi passiert ist, ehrlich nicht ...

CY: Mary, setz dich bitte wieder hin.

MJ: Aber ich sage Ihnen doch, dass ich das nicht war, und Sie hören mir nicht zu! Ich wollte denen nichts tun. Es war nur ... es war nur ... Ich habe sie nicht gestoßen, das ist alles. Ich weiß nicht, was passiert ist. Das weiß ich nicht.

TV: Ich denke, das reicht fürs Erste. Mary ist eindeutig aufgewühlt, und sie beantwortet Ihre Fragen. Wir brauchen eine Pause.

MJ: Aber ich war das nicht! Erklären Sie denen das! Es war ... Ich habe keinen umgebracht, klar?

PL: Ende der Befragung um 11:23 Uhr.

# Epilog

*Sechs Monate später*

Das Mädchen sitzt mit dem Rücken zu uns unten in dem langen, leicht abfallenden Garten. Es sitzt in einem elektrischen Rollstuhl, die Beine auf dem Sitz angewinkelt und einen großen Skizzenblock auf den Knien balancierend. Ellie scheint ganz und gar auf das konzentriert, was sie zeichnet.

»Wie kommt sie zurecht?«, frage ich und wende mich vom Küchenfenster ab, um einen Schluck von meinem Kaffee zu trinken. Pammy lächelt.

»Sie macht sich prima. Die Ärzte sagen, dass sie schon bald wieder gehen kann. Sie ist eine Kämpfernatur. Die meiste Zeit benutzt sie jetzt nicht mal mehr den Rollstuhl. Versteh mich nicht falsch, sie ist zu schlau und kann jetzt schon teils ein widerborstiger Teenager sein, aber bisher hat sie niemanden in einen Frosch verwandelt oder uns für alle Ewigkeit in ein Teeservice, also …« Sie zuckt mit den Schultern. »So weit, so gut.«

Ich lache, und es fühlt sich gut an. »Sehr witzig.«

»Oh, und frag mich nicht, wie, aber sie bekommt den Kamin innerhalb von Minuten an. Ich brauche normalerweise eine gute Stunde, bis ich einen Funken vorweisen kann.«

»Schon gut, hör auf.« Ich gehe und setze mich zu meiner Freundin an den Küchentisch. »Ich bin so froh, dass du und Richard sie aufgenommen habt, Pam. Nach dem, was passiert war, hatte ich befürchtet, dass die Leute sie für immer aus Gaunt haben wollten.« Ich habe immer noch Albträume von

Ellies Sturz in jener Nacht, und in meinen Träumen landet sie nicht auf dem Balkon darunter, sondern fällt und fällt und fällt …

»Die Leute hier sind nicht so schlimm«, sagt Pammy, deren ruhige Stimme mich in die Küche zurückholt. »Ja, es kann schon mal ein bisschen wie *Die Liga der außergewöhnlichen Gentlemen* sein, wenn man nicht von hier ist – und, ja, bevor du es sagst, ich erinnere mich sehr gut, dass du hier aufgewachsen bist, danke. Aber all die Jahre dazwischen, tja, du hast vergessen, dass es hier auch gut sein kann. Dass die Menschen hier bei all ihren Idiosynkrasien …«

»Oh, so nennst du es, wenn sie ein Kind der Hexerei bezichtigen?«

Pammy ignoriert mich, und ich muss ihr zugutehalten, dass sie die Tage nicht erwähnt, in denen ich den Verstand verloren hatte. »Bei all ihren Idiosynkrasien halten die Menschen hier wirklich zusammen, wenn es hart auf hart kommt. Sieh dir an, was passierte, als Mary verrückt wurde. Du solltest noch ein bisschen länger bleiben. Verkauf das Haus deiner Mum und kauf dir etwas anderes. Fang von vorne an.«

»Ich weiß nicht, Pam. Wir sind fast ein Jahr hier, und fast alles ist mit schlechten Erinnerungen verbunden. Ich habe das Baby verloren, das Feuer …«

Wenigstens läuft die Arbeit gut. Als ich nach dem Brand wieder zurückkam, erwarteten mich zwei riesige Blumensträuße, und Lucy lud mich zum Mittagessen ein, bei dem sie mir alles von Emilys Affäre mit Ted erzählte – der wahre Grund für ihre überstürzte Kündigung. Anscheinend brauchte es bloß eine Nahtoderfahrung, um in den inneren Zirkel aufgenommen zu werden.

»Du wirst ihr fehlen.« Pammy nickt zum Garten, wo Ellie noch ganz ins Zeichnen vertieft ist. »Du warst die Einzige, die an sie glaubte. Du hast ihr das Leben gerettet. Ist das keine gute Erinnerung?«

»Es hätte nicht so weit kommen dürfen. Ich hätte früher erkennen müssen, was mit Mary los war. Ich war ebenfalls bereit, sie zu kreuzigen, obwohl sie das Gott sei Dank nicht weiß. Als es drauf ankam, habe ich sie genauso behandelt wie jeder andere. Ich bin nicht stolz auf den Menschen, der ich seit meiner Rückkehr hierher war. Und ich bin es Dan – und unserem Baby – schuldig, ein besserer Mensch zu sein.«

Pammy kreischt: »Bist du …?«

Ich schüttle den Kopf. »Nein, noch nicht. Aber wir versuchen es. Die Ärzte sagen, es wird schwierig werden, also müssen wir uns darauf gefasst machen, dass es eventuell auch nicht klappt. Ich schätze, ein Gutes kam bei allem heraus, was hier passiert ist. Unsere Beziehung war nie stärker. Ich habe ihm endlich alles erzählt, über meine Mutter und wie das Leben hier für mich war. Ich bin nicht sicher, ob er versteht, warum mir das solche Angst davor macht, Kinder zu bekommen – seiner Ansicht nach habe ich immerhin schon erlebt, wie man es nicht macht –, aber er versucht es, und wenigstens weiß er jetzt, warum ich ausflippe, wenn ich ausflippe.«

»Ich habe immer versucht, dir zu sagen, dass du ehrlich zu dem armen Kerl sein musst. Und wo wir schon mal unter uns sind und über Babys sprechen …«

Pammy nimmt die beiden leeren Kaffeebecher auf und bringt sie zur Spüle, sodass sie mit dem Rücken zu mir steht. Ich begreife, worauf sie hinauswill, und schnappe nach Luft.

»Bist du nicht? Aber das ist großartig!«

Sie dreht sich um und strahlt über das ganze Gesicht. »Bin ich. Achte Woche. Du bist die Erste, der ich es erzähle, abgesehen von Richard«, ergänzt sie und sieht, dass ich die Stirn runzle. »Wir haben den ersten Ultraschall in dreieinhalb

Wochen. Ich mache mir in die Hose. Im Ernst, ich mache dauernd. Führt man bei einer Schwangerschaft vermehrt ab?«

Ich lache, obwohl sich ein bleiernes Gewicht auf meinen Bauch legt. »Was ist mit Ellie? Ich weiß, dass ihr sie nur vorübergehend in Pflege genommen habt, aber ich hatte so gehofft ...«

»Wir leiten die Adoption so schnell wie möglich in die Wege«, sagt Pammy. Sie blickt sich über die Schulter zu Ellie um, die aufgehört hat zu zeichnen und zu den Feldern hinter dem Garten sieht. »Falls sie es will, heißt das. Ich dachte, sie würde Gaunt verlassen wollen, aber es scheint ihr hier zu gefallen, und wir lieben sie. Wir haben nächste Woche einen Termin beim Sozialdienst. Ellie weiß es noch nicht. Wir wollten erstmal vorfühlen, ob es möglich ist und wie lange es dauert, bevor wir mit ihr reden.«

»Pammy, das ist wunderbar!« Ich umarme meine Freundin. Obwohl ich mich ehrlich für sie freue, kann ich nicht umhin, einen Anflug von Neid – nein, Trauer über meine eigene Situation – zu empfinden. Die Ärzte hatten Dan und mich gewarnt, wie schwierig es für mich wird, ein Baby auszutragen, und uns steht eine harte Zeit bevor. Ich weiß, dass Ellie darum gebeten hatte, nach dem Feuer in meine Obhut zu kommen, doch obwohl ich wusste, dass Ellie nichts mit den Dingen zu tun hatte, die seit unserer Ankunft in Gaunt geschehen waren, kann ich nicht anders, als das Mädchen mit Herzschmerz und Tod zu assoziieren. Ich weiß, dass es nicht fair ist, aber jedes Mal, wenn ich sie ansehe, kommt alles zurück. Entsprechend war ich überglücklich, als Pammy anbot, alle Kurse und Sicherheitsüberprüfungen auf sich zu nehmen, damit Ellie ein liebevolles Zuhause bekommt.

»Danke. Mir war nicht wohl dabei, dir das zu erzählen, weil ... du weißt schon ...«

»Sei nicht albern«, sage ich. »Das sind fantastische Neuigkeiten. Und Ellie wird hin und weg sein. Sie wird wieder eine richtige Familie haben.«

»Das hoffe ich.« Pammy blickt hinaus zu ihrer künftigen Tochter. »Wir möchten nur, dass sie hier glücklich ist.«

Ellie sitzt mit dem Skizzenblock da, den sie auf ihren Knien balanciert, das Bild fast fertig. Sie ist sicher, dass es ihr bisher bestes ist, und es ist ein bisschen schade, dass sie es keinem zeigen kann. Das Lila und Pink der Motte, als sie ins Kornblumenblau des Himmels fliegt, stimmt diesmal wirklich, und das leuchtende Orange und Rot der Flammen, die ihre Flügel umschließen, die Aschefahne der verbrennenden Motte in der Luft dahinter – das Insekt, das noch nicht begreift, dass es Sekunden vor dem Tod ist. Diesmal hat Ellie es wirklich auf dem Papier eingefangen bekommen.

Jeder dachte, sie würde aus Gaunt wegwollen, irgendwo anders neu anfangen. Imogen, die Sozialarbeiter, sie alle waren bereit, sie zur Pflegefamilie Nummer drei zu schicken, bis sie darum gebeten hatte, dass man ihr eine Familie in der Nähe sucht. Sie verstehen nicht, wie viel Arbeit sie investiert hat, wie viel sich verändert hat, seit sie herkam. Sie will nicht woanders noch mal von vorn anfangen.

Und dann sind da Pammy und Richard. Sie sind so nett zu ihr, haben sie aufgenommen, als Imogen sich weigerte, behandeln sie wie eine Tochter. Ellie betrachtet das Feuerzeug in ihrer Hand, drückt den Daumen an den Feuerstein.

Ratsch, Flamme. Ratsch, Flamme. Ratsch, Flamme.

Aber jetzt ist Pammy schwanger. Sie denken, dass sie nichts von dem Baby weiß und wie aufgeregt sie sind, ein richtiges eigenes Kind zu haben. Ellie fragt sich, wie lange es dauert, bis sie weggeschickt wird, so wie es die Jeffersons vorhatten. Die nehmen jetzt keine Babys mehr auf! Die Polizei denkt, dass Mary Hannah die Treppe runtergestoßen hat und Ellie nur ein unschuldiges Opfer war. Es hat sich alles viel besser entwickelt, als sie es hätte planen können. Und jetzt soll sie von einem Baby ersetzt werden, genau wie bei Mum und Dad, wie bei den Jeffersons.

Sie nimmt den Daumen von dem Feuerstein, und die Flammen züngeln weiter vom Feuerzeug auf.

Ratsch, Flamme. Ratsch, Flamme. Flamme, Flamme, Flamme.

Das kann sie nicht noch mal geschehen lassen.

# Danksagung

Es sind immer ungefähr eine Million Menschen, die an der Entstehung eines Buchs beteiligt sind, und irgendwann kommt für mich der beängstigende Moment, in dem ich befürchte, einen von ihnen in meiner Danksagung vergessen zu haben. Für den Fall also, dass Sie es sind, die ich an dieser Stelle vergessen habe – bitte seien Sie versichert, dass ich Ihnen sehr dankbar bin, ganz gleich, für wie gering Sie Ihren Beitrag selbst auch erachten mögen.

Es gibt einige Leute, bei denen ich mich namentlich bedanken möchte. Dazu zählt wie immer meine großartige Agentin Laetitia Rutherford. Ich weiß wirklich nicht, wie du es in meinen schwierigen Phasen mit mir aushältst, aber ich vermute mal, dass du meine Nervenzusammenbrüche inzwischen in deinen Zeitplan einkalkuliert hast. Auch Megan und allen anderen bei Watson, Little sei gesagt: *You rock*. Ihr seid einfach spitze!

Ebenso danke ich allen, die sich bei Headline für meine Romane einsetzen, ganz besonders meiner Lektorin Kate Stephenson. Und Millie, Jo, Ella und Siobhan – es macht so viel Freude, mit solch wunderbaren Frauen zusammenzuarbeiten.

Auch allen Kollegen, die bei der Feuerwehr in Shropshire mit mir zusammengearbeitet haben, sei an dieser Stelle ganz herzlich gedankt. Ich weiß, dass die Zusammenarbeit mit mir in der letzten Zeit ein ziemlicher Albtraum war – und ich kann mir schon vorstellen, wie ihr euch über meine Freiheiten im

Umgang mit Feuer und seinen Folgen aufregen werdet. (Jetzt wisst ihr auch, warum ich euch noch vor dem Erscheinungstermin meines neuen Romans verlassen habe!) Ich hatte das große Glück, zwei wundervolle Chefinnen zu haben, Maxine und Yvonne – ich werde euch alle furchtbar vermissen. Ich danke auch Penny – dafür, dass ich ihren Namen verwenden durfte, und auch für ihre bildhafte Sprache.

Mein Dank gilt außerdem Mr Maxwell und seiner Ehefrau Florence für ihre Großzügigkeit bei der Wohltätigkeitsauktion, ebenso auch Nicky Blake für die ihre.

Dass die Versteigerung meiner Bücher Geld für einen so ehrenwerten Zweck einbringt, macht mich glücklicher als alles andere, was mir in meiner bisherigen Autorenlaufbahn widerfahren ist.

Ich danke auch allen meinen Freunden, meiner Familie und all den wunderbaren Spinnern unserer Krimifamilie. Ihr sorgt dafür, dass ich normal bleibe. Halbwegs zumindest.

Doch der allergrößte Dank gilt meinen Eltern, denen dieser Roman gewidmet ist. Ihr seid die wunderbarsten Menschen überhaupt, und ich kann mich sehr glücklich schätzen, dass ihr immer für mich da seid.

Ash. Mit mir als deiner Ehefrau hast du mehr zu ertragen, als ich es jemals für möglich gehalten hätte. Eine Autorin ist eine schreckliche Mitbewohnerin, und ich bewundere dich sehr dafür, dass du noch keine der vielfältigen Möglichkeiten genutzt hast, deine Frau umzubringen und die Spuren anschließend zu verwischen, so wie ich es dir unvorsichtigerweise in Gesprächen zu meinen Romanen geschildert habe. Du und die Jungs, ihr seid mein Leben. Und Connor und Finlay, euch verspreche ich, dass ich euch Unmengen von Süßigkeit kaufen werde, wenn dieses Buch erst erschienen ist.

Zu guter Letzt danke ich ganz besonders auch all den wunderbaren Käufern dieses Buchs. Außerdem allen Bloggern, die uns Autoren mit ihren Beiträgen immer wieder unterstützen, und natürlich meinen Lesern: den gelegentlichen Ferienlesern ebenso wie den bücherhungrigen Viellesern. Ohne euch wären meine Romane nicht mehr als ein Murmeln, das ungehört bleibt. Ich hoffe sehr, dass euch dieses Buch gefällt.